KB209632

베러티

베러티

콜린 후버 지음
민지현 옮김

도서출판 미래지향

일러두기

본문의 주는 옮긴이의 것으로, 괄호 안에 글씨 크기를 줄여 표기했습니다.

"온갖 기만과 고됨과 깨진 꿈들이 난무하지만,

그래도 세상은 아름답다."

_ 막스 어만의 '소망' 중에서

1

두개골이 깨지는 소리가 들리고 그의 피가 내게 튀었다.

너무 놀라 숨이 멎는 것 같았다. 뒷걸음질을 치다가 한쪽 발뒤꿈치가 도로 경계석에 부딪혔고, 나는 몸의 중심을 잡기 위해 주차금지 표지판 기둥을 잡았다.

몇 초 전까지도 내 앞에 서 있던 남자다. 사람들 틈에 섞여 횡단보도의 신호등이 바뀌기를 기다리다가 성급하게 차도에 들어서는 바람에 달려오는 트럭에 뛰어든 셈이었다. 나는 순간적으로 앞으로 나가 그를 잡으려고 했지만 그는 이미 차도로 내려선 뒤여서 아무 소용이 없었다. 그의 머리가 트럭의 바퀴 밑에 깔리기 전에 눈을 감았지만, 샴페인 병의 코르크 마개 따는 소리는 들렸다.

그의 실수였다. 무심히 전화를 들여다보는 채였으니까. 지금까지 같은 거리를 수도 없이 건너면서 늘 무사했기 때문이었을 것이다. 일상의 안일함이 부른 죽음.

사람들도 놀라 헉하고 숨을 들이마셨으나 소리를 지르는 사람은 없었다. 사고를 낸 트럭의 조수석에서 내린 사람이 쓰러진 남자 옆에 무릎을 꿇고 앉았다. 몇 사람이 도움을 주기 위해 달려가는데 나는 뒤로 물러섰다. 바퀴 밑에 깔린 남자가 살아 있지 않을 것임은 보지 않아도 알 수 있었으니까. 한때는 흰색이었던, 내 셔츠에 온통 튀어 있는 그의 피를 확인하는 것만으로도 구급차보다는 영구차가 필요한 상황임을 알 수 있었다.

나는 사고 현장에서 멀어지기 위해 돌아섰다. 숨 돌릴 곳을 찾아야 했다. 그때 신호등이 바뀌고 인도를 빽빽하게 메운 사람들이 횡단보도를 건너기 시작했다. 맨해튼의 인파를 반대 방향으로 헤치고 나가는 건 불가능하다. 사고 지점 바로 옆을 지나면서도 핸드폰에서 눈도 떼지 않는 사람들도 있었다. 나는 그 자리에 가만히 서서 인파가 뜸해지기를 기다렸다. 다시 사고 현장을 돌아보았다. 바퀴 밑의 남자에게 시선이 닿지 않도록 주의하면서. 트럭 운전자가 차 뒤에 서서 휘둥그레진 눈으로 전화 통화를 하는 중이었다. 세 사람, 아니 네 사람 정도가 현장에서 돕고 있었다. 또 다른 몇 명은 병적인 호기심에 끌려 끔찍한 사고 현장을 핸드폰 카메라에 담았다.

여기가 내가 살던 버지니아였다면 상황은 전혀 다르게 전개되었을 것이다. 주변 사람들 모두가 가던 길을 멈추었을 것이고, 공포에 질려 소리를 질렀을 것이다. 단 몇 분 만에 기자들과 카메라가 도착했을 것이다. 그러나 이곳 맨해튼에서는 행인이 차에 치이는 정도는 너무 흔한 사고여서 그저 불편한 돌발 상황일 뿐 그 이상의 무엇도 아니었다. 누군가는 길이 막혀서 불편하고, 누군가는 옷을 버려서 난감할 뿐, 너무 자주 있는 일이어서 뉴스거리도 못 되었다.

이곳 사람들의 무관심이 거슬리기는 하지만, 바로 그 점에 매료되어 나는 10년 전 이 도시로 왔다. 나 같은 사람은 인구가 밀집된 도시가 어울린다. 이 정도 규모의 도시는 내가 어떤 삶을 살든 상관하지 않는다. 나보다 더 기구한 사연을 가진 사람들이 얼마든지 있으니까.

이곳에서 나는 투명 인간이다. 미미한 존재다. 나 같은 사람에게 관심을 갖기에 맨해튼엔 사람이 너무 많다. 그래서 나는 이 도시가 좋다.

"다쳤어요?"

고개를 들어보니 한 남자가 내 팔을 잡고 셔츠를 훑어본다. 무척 걱정스러운 표정으로 나를 아래위로 살피면서 다친 곳이 있는지 확인하고 있었다. 그런 모습으로 봐서 이 남자는 마음이 딱딱하게 굳어버린 뉴요커들과는 좀 다른 사람인 것 같았다. 지금은 이 도시에 살고 있지만, 그가 예전에 살았던 곳은 적어도 사람의 마음에서 공감 능력을 고갈시키는 곳은 아니었으리라.

"다친 거 아니오?" 낯선 남자가 이번에는 내 눈을 보며 물었다.

"아니요. 제 피가 아니에요. 사고가 날 때 가까운 거리에 서 있어서……." 말을 맺을 수가 없었다. 방금 한 사람이 죽는 걸 보았다. 그의 피가 내 옷에 튈 정도로 가까운 거리에서.

투명 인간처럼 살고 싶어서 이 도시로 왔지만, 역시 난 둔감해질 수는 없는 사람인가 보다. 내가 딛고 서 있는 콘크리트처럼 견고하게 굳은 마음을 갖고자 노력했지만, 별로 성과를 거두지는 못한 것 같다. 내가 방금 목격한 모든 것이 내 안에 쌓이는 걸 느낄 수 있으니 말이다.

손으로 입을 가리려다가 끈적한 감촉에 얼른 손을 떼었다. 피가 생각보다 많이 튀었구나. 셔츠를 내려다보았다. 온통 붉은 피다. 그중에 내 몸에서 나온 것은 없다. 검지와 중지로 가슴에 붙어 있는 셔츠를 잡고 당겼다. 이미 군데군데 피가 말라붙어 떨어지지 않는 곳이 있었다.

물이 있어야 할 것 같았다. 약간 어지러운 느낌이 들어서 이마를 쓰다듬고 싶었다. 코도 좀 만지고 싶고. 그런데 내 몸에 손을 대기가 두려웠다. 여전히 내 팔을 잡고 있는 남자를 바라보았다.

"얼굴에도 튀었나요?" 그에게 물었다.

그는 입을 꾹 다문 채 사방을 둘러보았다. 그러다가 상점 몇 군데를 지나서 위치한 커피숍을 가리켰다.

"저기 화장실이 있을 거요." 남자가 그 방향으로 내 등을 약간 떠미는 듯하며 말했다.

길 건너에 있는 팬텀 프레스 빌딩을 바라보았다. 사고가 나기 전 나는 그곳에 가던 중이었다. 거의 다 왔는데. 내가 빈드시 참석해야 하는 회의가 열리는 곳을 불과 20피트, 아니 30피트 남겨 두고 있었다.

방금 죽은 남자는 목적지를 얼마나 남겨 두고 있었을까?

커피숍에 도착하니 남자가 문을 잡아주었다. 막 들어서려는데 안쪽에서 양손에 커피를 든 여자가 다가왔다. 그러다가 내 셔츠를 보더니 허둥지둥 뒷걸음질을 치며 비켜주었다. 나는 곧장 여자 화장실로 향했다. 문이 잠겨 있었다. 남자가 따라와 남자 화장실 문을 열더니 나에게 들어가자는 시늉을 했다.

그는 문을 잠그지 않은 채 세면대로 가서 물을 틀었다. 드디어 거울을 볼 수 있었다. 다행히 걱정했던 것만큼 끔찍하지는 않았다. 볼에도 몇 방울 튀어 있었는데 마르면서 색이 짙어졌다. 눈썹 위에도 한 줄기 튀었다. 그나마 셔츠에 주로 튀어서 다행이었다.

남자가 종이 타월을 적셔 주었다. 내가 그걸 받아서 얼굴을 닦는 동안 그는 또다시 종이 타월을 뽑아 적셨다. 이제 피 냄새가 느껴진다.

공기를 타고 코를 찌르는 냄새가 열 살 때의 기억을 떠오르게 했다. 그 긴 세월을 지나고도 기억이 날 만큼 피 냄새는 강렬했다.

구역질이 날 것 같아서 숨을 참았다. 구토를 하고 싶지는 않았다. 그렇지만 셔츠는 벗고 싶었다. 일 초라도 빨리.

떨리는 손으로 단추를 풀고 셔츠를 벗어 수도꼭지 밑에 놓았다. 물이 피를 씻어내도록 놔두고 남자가 건네주는 젖은 종이 타월로 가슴에 묻은 피를 닦았다.

남자는 문으로 가더니 하필이면 오늘 제일 허름한 브래지어를 입은 채 서 있는 나를, 혼자 두고 나가는 대신 아무도 들어오지 않도록 문을 안쪽에서 잠갔다. 하지만 그의 이 예의 바른 정중함 때문에 나는 오히려 신경이 쓰였고 마음이 불안해졌다. 나는 잔뜩 신경을 곤두세운 채 거울을 통해 그를 주시하고 있었다.

누군가 노크를 했다.

"곧 나갑니다." 그가 대답했다.

조금 마음이 놓였다. 만약의 경우 내가 소리를 지르면 밖에 있는 사람이 들을 테니까.

나는 일단 목과 가슴에서 피를 말끔히 씻어내고 고개를 좌우로 돌려가며 머리를 거울에 비춰보았다. 캐러멜색으로 염색된 머리의 두피 가까이 일 인치 정도씩 검은 머리가 자라 있는 것을 제외하면 피는 묻어 있지 않았다.

"자, 여기." 남자가 자기가 입고 있는, 말끔하게 다림질된 흰 셔츠의 마지막 단추를 풀면서 말했다. "이걸 입어요."

이미 재킷을 벗어 문고리에 걸어 놓은 그는 흰 셔츠를 벗었다. 안에는 흰색 내의를 입고 있었다. 근육이 잘 발달한 체격에 키는 나보다 컸으므로, 그의 셔츠를 입으면 당연히 너무 커서 옷만 따로 펄럭일 것이다. 미팅에 그런 차림으로 갈 수는 없다. 그렇지만 선택의 여지가 없지 않은가. 나는 남자가 건네주는 셔츠를 받았다. 마른 종이 타월을 몇 장 더 집어서 젖은 몸을 닦았다. 그런 다음 셔츠를 입고 단추를 채웠다. 우스꽝스러운 모습이었지만, 뭐 어떠랴. 내 머리가 깨져서 다른 사람의 셔츠에 피를 뿌리지 않은 걸 다행으로 생각해야지.

세면대에서 젖은 내 셔츠를 집어 들었다. 더 이상 입을 수 있는 상태가 아니었다. 셔츠를 휴지통에 버린 다음 세면대를 붙잡은 채 거울에 비친 내 모습을 살폈다. 몹시 지친 두 개의 눈동자가 나를 마주 보고 있다. 조금 전에 목격한 끔찍한 장면의 충격 때문인지 적갈색 눈동자가 탁한 갈색으로 어두워져 있었다. 손바닥으로 두 뺨을 문질러 혈색을 회복해 보려 했으나 소용없는 일이었다. 죽은 사람의 얼굴 같았다.

고개를 돌리고 벽에 기댔다. 남자는 넥타이를 둘둘 말아 재킷 주머니에 넣더니 잠시 나를 살폈다. "당신이 차분한 건지, 충격에서 벗어나지 못하고 있는 건지 알 수가 없군요."

충격에서 벗어나지 못한 건 아니었지만, 그렇다고 차분한 상태라고 할 수는 없었다. "저도 잘 모르겠네요." 내가 대답했다. "당신은 괜찮은가요?"

"괜찮아요." 그가 말했다. "불행한 일이지만 난 얼마 전 더 끔찍한 일을 겪었거든요."

나는 고개를 약간 옆으로 갸우뚱 한 채 그의 아리송한 말을 해석하느라 잠시 몰두하고 있었다. 그가 내게서 시선을 돌렸다. 덕분에 나는 더욱 열심히 그를 바라볼 수 있었다. 사람의 머리가 트럭에 깔려 깨지는 모습보다 더 끔찍한 거라면 도대체 그는 뭘 본 걸까? 어쩌면 이 남자는 뉴욕 토박이인지도 모르겠다. 아니면 병원에서 근무하거나. 타인의 생명을 책임지고 있는 사람에게서 풍기는 위용 같은 것이 배어 있다.

"의사이신가요?"

그가 고개를 저었다. "부동산업을 했소. 지금은 아니지만." 그가 몇 발자국 다가오더니 내 어깨에 손을 얹어 내 셔츠에서 뭔가를 털어냈다. 아니, 그의 셔츠에서. 그러고는 팔을 내려뜨린 채 잠시 내 얼굴을 바라보다가 다시 뒤로 물러섰다.

그의 눈동자는 연한 초록빛의 샤르트뢰즈 색이라 그가 방금 주머니에 밀어 넣은 넥타이와 잘 어울렸다. 잘생긴 얼굴이면서도 뭔가 자신의 매력을 부정하는 듯한 분위기를 풍겼다. 마치 자신의 외모를 불편하게 여기기라도 하는 듯. 아무도 자기를 알아봐 주지 않기를 바라는 것처럼. 이 도시에서 투명 인간으로 살고 싶은 건가. 나처럼.

대부분의 사람은 세상이 자기를 발견해 주길 바라는 마음으로 뉴욕에 온다. 우리 같은 사람들은 숨기 위해서 오고.

"이름이 뭐죠?" 그가 물었다.

"로웬이요."

이름을 얘기하고 몇 초간 정적이 흘렀다.

"나는 제러미요." 그는 이렇게 말하더니 세면대로 가서 물을 틀고 손을 씻었다. 나는 계속해서 그를 바라보았다. 마음속에 피어오르는 호기심을 가라앉힐 수 없었다. 그가 보았다는, 방금 전에 내가 목격한 사고 보다 더 끔찍한 일이 뭐였을까? 부동산업을 했다는데, 부동산 업자가 겪었음 직한 어떤 최악의 상황을 떠올려보아도 이렇게까지 한 사람을 암울한 그림자로 채울만한 일은 없을 것 같았다.

"무슨 일이 있었는데요?" 내가 물었다.

그가 거울을 통해 나를 보며 되물었다. "무슨 뜻이오?"

"더 끔찍한 일을 겪었다고 하셨잖아요. 무슨 일이었는데요?"

그는 물을 잠그고 손에 남은 물기를 닦은 다음 나를 향해 돌아섰다, "정말 알고 싶소?"

나는 고개를 끄덕였다.

그는 종이 타월을 휴지통에 던져 넣더니 바지 주머니에 손을 넣었다. 표정이 한층 더 어두워졌다. 시선은 내 눈을 향하고 있었지만, 그는 지금 이 순간에서 단절되어 있는 것 같았다. "5개월 전에 8살 된 딸아이의 시신을 호수에서 건져냈소."

나는 손으로 목을 감싸며 헉하고 숨을 들이마셨다. 이제 그는 암울해 보인다기보다는 절망에 싸인 듯 보였다. "진심으로 유감의 뜻을 전하고 싶네요." 내가 속삭였다. 진심이었다. 그의 어린 딸에 대한 연민이 끓어올랐다. 호기심을 가졌던 것이 미안했다.

"당신은 어떻소?" 그는 마치 대화를 할 준비가 되어 있다는 듯 세면대에 몸을 기대며 물었다. 이런 대화를 기다려오기라도 했다는 듯. 동질의 이야기를 나누면서 그의 비극이 조금은 덜 슬프게 느껴지도록 해 줄 수 있는 누군가를 만나고 싶었다는 듯. 최악 중에서도 최악의 상황을 경험한 사람은 비슷한 일을 겪은 사람을 찾게 되는가 보다. 아니면 자기보다 더 지독한 비극을 겪은 사람이던가. 그들을 보면서 자기에게 일어난 끔찍한 비극에 조금은 위로를 받는 것이다.

나는 꿀꺽 침을 삼켰다. 그가 겪은 일에 비하면 나의 비극은 아무것도 아니라는 생각이 들었다. 우선 가장 최근의 일을 떠올려 보자. 너무 사소해서 말하기조차 민망한 일. "지난주에 어머니가 돌아가셨어요."

그가 나의 슬픈 소식에 대해 보인 반응은 내가 그의 비극에 대해 보인 반응과 달랐다. 아니, 사실 그는 아무런 반응도 보이지 않았다. 나의 비극이 좀 더 강력한 것이길 기대했던 걸까? 하지만 그렇지는 못하다. 그가 이겼다.

"어떻게 돌아가셨는지?"

"암이셨어요. 지난 일 년 정도 저의 아파트에 모셔 어머니를 돌봤죠." 내가 입 밖으로 그 얘길 꺼낸 건 처음이었다. 맥박이 요동을 치는 것 같아서 얼른 다른 손으로 팔목을 감쌌다. "몇 주 만에 처음 집 밖으로 나온 거였어요."

우리는 좀 더 서로를 응시했다. 뭔가 더 말하고 싶기도 했지만, 낯선 사람과 이렇게 깊은 대화를 나누는 건 처음이어서 이제 그만 대화를 끝내고 싶은 마음도 있었다. 더 이상 어떤 대화를 이어갈 수 있단 말인가?

불가능하다. 대화는 여기서 끝나는 게 마땅하다.

그는 거울 속에 자기 모습을 비춰보면서 흘러내린 머리카락을 쓸어 올렸다. "나는 미팅 약속이 잡혀 있어서 가봐야 하는데. 당신 괜찮겠소?"

다시 거울 속에 비친 나를 향해 물었다.

"네. 괜찮아요."

"정말 괜찮단 말이오?" 그는 내가 방금 한 말을 되뇌며 돌아섰다. 내가 마치 아무 일 없다는 듯 괜찮다고 말하니, 그는 오히려 안심이 안 되는 것 같았다.

"괜찮을 거예요." 내가 다시 말했다. "도와줘서 고마워요."

그가 웃는 모습을 보고 싶었으나 그럴 분위기는 아니었다. 그가 웃으면 어떤 모습일까 궁금해졌다. 하지만 그는 미소 대신 어깨를 살짝 들썩여 보이며 말했다. "그럼 됐네요." 그는 화장실 문을 열더니 내가 먼저 나갈 수 있도록 잡아주었다. 나는 바로 걸음을 옮기는 대신 그를 좀 더 오래 바라보았다. 아직 바깥세상을 마주할 마음의 준비가 되어 있지 않았다. 그의 친절이 고마워서 어떤 식으로든 감사를 표하고 싶었다. 커피를 산다거나, 그의 셔츠를 돌려주는 일 같은 걸로 말이다. 하지만 그의 왼손에 반짝이는 결혼반지를 보자 저절로 발이 움직여 나를 화장실에서 나오게 했다. 나는 커피숍을 가로질러 거리로 나왔다. 길에는 이전보다 더 많은 사람들이 북적이고 있었다.

구급차가 도착해 있었고 양방향의 교통이 모두 차단된 상태였다. 현장을 향해 걸어가면서 목격자 진술 같은 것을 해야 하나 생각했다. 목격자들의 진술을 받아 적고 있는 경찰 옆으로 다가섰다. 그들도 내가 본 것과 똑같은 상황을 묘사하고 있었다. 나 역시 그들과 별다를 것 없는 진술을 하고 연락처를 남겼다. 교통사고를 당한 남자가 실제로 차에 치이는 장면을 목격하지 못한 나의 진술이 얼마나 도움이 될 수 있을지는 알 수 없었다. 나는 단지 소리가 들릴 정도로 가까운 거리에, 그것도 잭슨 폴록의 추상화 캔버스처럼 피를 뒤집어쓸 정도의 거리에 있었을 뿐이니까.

뒤를 돌아보니 제러미가 방금 산 커피를 손에 들고 커피숍에서 나왔다. 길을 건너면서도 그의 의식은 목적지에 대한 생각에 몰두한 듯 보였다. 이미 나에게서 멀어져 다른 곳에 가 있었다. 아내 생각을 하고 있는지도 모른다. 셔츠를 입지 않은 채 집에 온 것에 대해 어떤 식으로 아내에게 설명할 것인가에 대해서.

핸드백에서 휴대전화를 꺼내 시간을 확인했다. 코리와 팬텀 프레스의 편집자를 만나기로 한 약속 시간까지는 15분이 남아 있었다. 손이 더욱 심하게 떨리는 것 같았다. 낯선 남자가 옆에 있는 동안은 사고의 순간을 떠올리지 않을 수 있었다. 커피를 마시면 마음을 가라앉히는 데 도움이 될 것 같았다. 이럴 땐 당연히 모르핀이 도움이 되겠지만, 지난주에 어머니가 돌아가시고 호스피스에서 의료장비들을 거둬가면서 남은 모르핀을 모두 회수해갔다. 그걸 조금 감춰놓았어야 했는데, 충격에 휩싸여 그러지 못한 것이 후회스러웠다. 지금 같은 때 무척 요긴했을 텐데 말이다.

2

어젯밤에 코리가 오늘 미팅에 대해 말해주려고 문자를 보냈을 때 우린 몇 달 만에 처음 연락을 하는 거였다. 나는 컴퓨터 책상에 앉아 엄지발톱 위로 기어가는 개미를 내려다보던 중이었다.

개미는 혼자서 이리저리 헤매고 있었다. 음식을 찾거나 친구를 찾는 거였겠지. 혼자라는 사실이 몹시 혼란스러운 듯 보였다. 아니면 비로소 자유롭게 되었다는 사실에 기뻐하는 중이었던가. 개미가 어쩌다 혼자가 되었는지 궁금했다. 주로 떼를 지어 다니는데 말이다.

개미가 처한 상황을 그렇게 궁금해한다는 건, 내가 아파트에서 나와야 한다는 분명한 징표이기도 했다. 오랫동안 어머니를 돌보느라 갇혀 지내다 보니 복도까지만 나가도 그 개미처럼 사방을 헤맬 것 같았다. 이리저리 기웃거리고, 안으로 들어갔다 밖으로 나갔다 하면서. '친구들은 어디 갔지? 먹을 건 어디서 찾아야 해?'

개미는 내 발톱을 떠나 마룻바닥으로 내려갔다. 그리고 코리의 문자메시지가 도착했을 즈음에는 벽 밑 틈으로 사라진 뒤였다.

몇 달 전 나는 코리에게 우리 관계에 선을 긋는 말을 했다. 우리는 더 이상 섹스를 하지 않으므로 문학 에이전트와 작가의 관계로 돌아가는 것이 합당하며, 따라서 앞으로는 이메일을 통해서만 소통을 하자고. 그가 내 말을 이해했기를 바라고 있었다.

코리의 문자메시지는 이런 내용이었다. '내일 아침 9시에 팬텀 프레스 빌딩 14층에서 만나. 출간 제안을 받을 수 있을 것 같아.'

내 어머니의 안부조차 묻지 않았다. 하지만 별로 놀랄 일은 아니다. 그는 원래 자기 자신과 자기 일 외에는 무엇에도 관심을 주지 않는 사람이었고, 바로 그게 우리가 멀어지게 된 이유였으니까. 배려심이라곤 없는 그의 태도가 나는 무척이나 거슬렸다. 내게 빚을 진 건 없지만, 그래도 최소한 안부를 궁금해하는 척은 할 수 있는 것 아닐까.

난 어젯밤 그에게 바로 답장을 하지는 않았다. 그저 전화기를 내려놓고 개미가 사라진 틈을 바라보았다. 개미는 친구를 찾았을까, 아니면 혼자 지내기로 했을까? 어쩌면 그 개미도 나처럼 다른 개미들에 대해 혐오감을 갖고 있을지도 모르겠다.

내가 왜 다른 사람들에 대해 이렇게 깊고 은밀한 혐오감을 갖게 되었는지를 설명하기는 어렵다. 그렇지만 시도를 해 보자면, 내 어머니가 나를 무서워했다는 사실에 기인한다고 말할 수 있을 것이다.

무서워했다는 말은 좀 심한 표현일 수 있겠지만, 어머니는 분명 어린 내가 정상적인 다른 아이들과 다르다고 생각했던 것 같다. 그래서 학교에 다니는 것 외에는 되도록 내가 다른 사람들의 눈에 띄지 않도록 했다. 종종 몽유병 증세를 보이던 내가 어떤 일을 저지를지 몰라 늘 불안해했기 때문이다. 어머니의 그러한 피해망상적 태도는 내 안에 깊이 각인되어서 어른이 될 때까지 따라다녔고, 결국 나는 혼자 지내는 데 아주 익숙한 사람이 되었다. 아주 소수의 친구 관계를 유지하며, 사회생활이라는 것을 거의 하지 않았다. 그러다 보니 어머니가 돌아가시고 몇 주가 지나서야 처음으로 집을 나서게 된 것이다.

몇 주 만에 처음 하는 외출은 내가 가보고 싶었던 곳이어야 한다고 생각했다. 센트럴파크나 서점 같은 곳.

이렇게 출판사 로비에서 신분증 검사를 받고 들어가기 위해 줄을 서 있게 되리라고는 생각해 보지 않았다. 이번 일이 잘돼서 밀린 아파트 임대료를 지불하고 갈 곳 없는 신세를 면할 수 있기를 간절히 바라면서 말이다. 아무튼 지금 난 여기 와 있고, 집 없는 신세가 되느냐, 일거리가 생겨서 새 아파트로 이사 가게 되느냐가 이 미팅 하나에 달려있다.

고개를 숙이고 길 건너 화장실에서 제러미가 빌려준 셔츠를 매만졌다. 너무 이상해 보이지 않아야 할 텐데. 내 몸집의 두 배 정도 되는 남자 셔츠를 입는 게 새로운 패션 스타일인 것처럼 연출할 수 있을지도 모르지.

"셔츠가 멋있군요." 뒤에서 제러미의 음성이 들렸다. 나는 깜짝 놀라 뒤를 돌아보았다.

'나를 따라온 건가?'

내 차례가 되어 경비원에게 운전면허증을 보여주면서 제러미를 힐끗 보았다. 말끔한 새 셔츠를 입고 있었다. "가방에 여분의 셔츠를 가지고 다니시나 보죠?" 입고 있던 셔츠를 벗어서 내게 준 게 바로 조금 전 아닌가.

"묵고 있는 호텔이 한 블록 거리여서 갈아입고 오는 길이오."

묵고 있는 호텔이라. 왠지 있어 보이는 말이군. 호텔에 묵고 있을 정도라면 여기서 일하는 사람은 아닐 것이다. 그렇다면 출판업계에서 일하는 사람도 아닐 테고. 나는 아직 미팅에서 만나게 될 사람이 누군지 모른다. 하지만 아침에 이미 함께 겪은 일들을 생각해 볼 때, 적어도 이 남자를 미팅에서 다시 보게 되는 일은 없기를 바랐다. "그렇다면 이 빌딩에서 일하는 분은 아니시겠군요."

그가 신분증을 꺼내 경비원에게 건네주었다. "맞아요. 이 빌딩에서 일하지 않아요. 14층에 미팅 약속이 잡혀 있어서 온 거죠."

'결국 그렇게 되는 거란 말이지.'

"저도요." 내가 말했다.

순간 그가 미소를 지으려는 듯하다가 이내 거두었다. 방금 전에 길 건너에서 일어났던 사고를 떠올리며 아직은 그 충격을 벗어던지기는 너무 이르다는 사실을 깨달은 것처럼. "우리가 같은 미팅에 가는 중일 확률이 얼마나 될 것 같소?" 그가 경비원으로부터 신분증을 건네받으며 물었다. 경비원이 손으로 엘리베이터가 있는 방향을 가리켰다.

"모르죠." 내가 대답했다. "아직 내가 미팅에 가는 이유를 정확히 모르고 있어서요." 엘리베이터에 타자 그가 14층 버튼을 눌렀다. 그는 나를 향해 선 채 주머니에서 넥타이를 꺼내 착용했다.

내 시선은 그의 결혼반지에 고정되어 있었다.

"당신은 작가요?" 그가 물었다.

나는 고개를 끄덕이며 되물었다. "당신도?"

"아니. 내 아내가 작가요." 그가 넥타이 한쪽 끝을 잡아당겨 단단히 조이며 대답했다. "그동안 썼던 작품 중에 내가 알만한 걸 말해 줄 수 있겠소?"

"그런 게 있을 것 같진 않네요. 제 책을 읽는 독자가 별로 많지 않아서요."

그가 입꼬리를 약간 올리며 말했다. "로웬은 흔한 이름이 아니오. 당신의 저서를 찾아보는 건 어렵지 않을 것 같은데."

왜 그래야 하지? 정말 내 책을 읽고 싶은 건가? 그는 휴대전화 검색 창에 내 이름을 입력하는 것 같았다.

"책을 출간할 때 본명으로 한다고 말한 적 없는데요."

하지만 그는 엘리베이터 문이 열릴 때까지 고개를 들지 않았다. 그는 문으로 다가서더니 나를 향해 돌아섰다. 그러고는 전화기를 들어 보이며 미소 지었다. "당신은 필명을 쓰지 않고 로웬 애슐레이라는 본명을 사용하는 것 같소. 재미있군. 내가 9시 반에 만나기로 한 작가와 같은 이름이라니."

그의 미소가 어떤 의미였는지 이제 알 것 같다. 매력적이긴 하지만 더 이상의 인연은 사양하고 싶은데.

그는 방금 구글 검색으로 나에 대해 알아보았다. 미팅 시간이 9시 반이 아니라 9시였긴 하지만, 그 외에 그는 우리의 미팅에 대해 나보다 많은 것을 알고 있다. 우리가 정말 같은 미팅에 가는 거라면, 길에서 만나게 된 것은 우연이 아니다. 그러니 알고 보면 예상할 수 없는 일이 일어난 것도 아니지 않은가. 같은 미팅에 가기 위해 같은 시간 같은 방향으로 가고 있던 두 사람이 사고를 함께 목격한 것은 어쩌면 당연한 일이기도 하니까.

제러미가 옆으로 비켜서 주었고 내가 먼저 엘리베이터에서 내렸다. 뭔가 말을 하려고 입을 여는데 그가 몇 걸음 뒤로 물러서며 말했다. "잠시 후에 만납시다."

나는 그를 모른다. 내가 곧 참석하게 될 미팅에 그가 어떤 관계로 오게 되었는지도. 하지만 오늘 아침 미팅에 대해 자세한 내막을 모르는 채로, 나는 이미 그에게 호감을 느끼게 되었다. 그는 입고 있던 셔츠를 벗어 내게 주었다. 그런 사람이 악질적인 인성을 가졌을 리는 없지 않은가.

나는 그가 모퉁이를 돌기 전에 미소를 지으며 응답했다. "네. 조금 있다가 봬요."

그가 미소를 지어 보였다. "그럽시다."

나는 그가 모퉁이를 완전히 돌아서 보이지 않을 때까지 바라보았다. 그의 시선에서 완전히 벗어나자 나는 비로소 긴장을 풀었다. 오늘 아침은 정말 많은 일이 일어나는군. 교통사고를 목격하던 시점부터 미지의 남자와 좁은 엘리베이터 안에 있게 되기까지 나는 시종 처음 느껴보는 감정에 휩싸였던 것 같다. 손바닥으로 벽을 짚었다. 내게 무슨 일이…….

"시간을 잘 맞춰 왔네." 코리의 음성에 깜짝 놀라 돌아보니 그가 복도 반대편에서 걸어오고 있었다. 그가 다가와 볼에 키스했다. 순간 나도 모르게 몸이 뻣뻣하게 굳어졌다.

"한 번도 시간을 지킨 적이 없었던 것 같은데 말이야."

"더 일찍 올 수도 있었는데……." 나는 입을 다물었다. 왜 좀 더 일찍 오지 못했는지까지 설명할 필요는 없다. 코리는 전혀 알고 싶지 않다는 듯 제러미가 간 방향으로 걸어갔다.

"사실 미팅은 9시 반이었어. 그런데 로웬이 늘 늦게 오는 편이어서 일부러 9시라고 말했던 거지."

나는 잠시 멈춰 서서 코리의 뒤통수를 노려보았다. 이게 무슨 빌어먹을 소리야? 미팅이 9시 반이라고 말했더라면, 나는 길 건너에서 교통사고를 목격하지 않았을 것이다. 그렇다면 낯선 남자의 피를 뒤집어쓸 일도 없었을 거란 말이다.

"안 와?" 코리가 걸음을 멈추고 나를 돌아보며 물었다.

나는 화가 솟구치는 걸 애써 감췄다. 그와 함께 있을 때면 나는 종종 그래야 했다.

빈 회의실로 들어갔다. 코리가 등 뒤로 문을 닫는 동안 나는 테이블에 자리를 잡았다. 그는 나와 모서리를 사이에 두고 테이블의 상석에 앉았다. 나를 본격적으로 바라보기 좋은 자리를 잡은 것이다. 몇 달의 공백기를 보낸 후 느껴지는 그의 시선이 불편했지만 내색은 하지 않았다. 그는 조금도 변하지 않았다. 여전히 깨끗하고 말끔하다. 넥타이도, 안경도, 미소도. 언제나 그랬듯이 나와는 극명한 대조를 이룬다.

"오늘 좀 후줄근해 보이네." 나는 그가 전혀 후줄근해 보이지 않음에도 일부러 그렇게 말했다. 그는 단 한 번도 후줄근했던 적이 없다. 그도 알고 있을 것이다.

"로웬은 눈이 부시게 생기가 도는군." 그는 한 번도 생기가 돌거나 빛났던 적이 없는 내게 이렇게 말했다. 나는 늘 피곤했다. 어쩌면 지루했던 건지도 모르겠다. 무표정일 때 화가 난 것 같다는 말을 듣곤 했는데, 사실은 무료함에 지친 얼굴이라는 게 더 정확한 표현이었을 것이다.

"어머니는 좀 어떠셔?"

"지난주에 돌아가셨어."

그런 답변을 듣게 될 줄은 몰랐던지, 코리는 의자 등받이에 기대어 고개를 갸우뚱하며 말했다. "그런데 왜 내게 말하지 않았어?"

왜 진작 물어볼 생각은 못 한 건데? 나는 어깨를 한 번 들썩여 보이며 말했다. "아직 마음의 정리가 안 돼서."

어머니는 대장암 4기 진단을 받고 9개월간 나와 함께 지내다가 마지막 3개월은 호스피스의 간호를 받았고, 결국 지난 수요일에 돌아가셨다. 마지막 몇 개월은 물 마시는 것에서부터 음식 섭취, 침대에서 돌아눕는 것까지 전적으로 내게 의존하셨기 때문에 나는 잠시도 외출할 수가 없었다. 그러다가 상태가 더 악화되었을 때는 한순간도 어머니한테서 눈을 뗄 수가 없어서 자연히 몇 주 동안 아파트 문밖으로 발을 디뎌보지 못했던 것이다. 다행히 맨해튼에서는 와이파이와 신용카드만 있으면 아파트에 갇혀 지내는 일이 그다지 불편하지는 않았다. 필요한 것은 무엇이든 집으로 배달시킬 수 있으니까.

세계적인 대도시 맨해튼이 광장공포증을 가진 나 같은 사람에게도 낙원일 수 있다는 게 재미있었다.

"괜찮은 거야?" 코리가 물었다.

물론 형식적으로 묻는 말이겠으나 나는 저절로 마음이 울컥해졌고, 그것을 감추기 위해 미소를 지었다. "괜찮아. 예상한 일이어서 그런지 견딜만하더라고." 나는 그가 듣고 싶을 거라고 생각되는 말을 해주었다. 사실은 어머니가 돌아가시고 나는 해방을 맞은 셈이었지만, 내 진실에 그가 어떤 반응을 보일지 알 수 없었다. 어머니는 내게 늘 죄책감을 느끼게 했다. 다른 이유로 나를 더 힘들게 하지도, 행복하게 하지도 않았지만 끊임없이 죄책감을 안겨주었다.

코리는 아침 식사용 페이스트리와 물, 커피가 차려져 있는 카운터로 향하며 물었다. "시장하지 않아? 목이 마르거나?"

"물이면 됐어."

그는 물 두 병을 집어서 하나를 내게 주고 다시 자리에 앉았다. "어머니의 유서에 관해서 도움이 필요한가? 에드워드가 도와줄 수 있을 텐데.”

에드워드는 코리의 출판 에이전시에서 일하는 변호사다. 작은 에이전시다 보니 작가들은 여러 잡다한 일에 에드워드의 전문적인 도움을 받는다. 아쉽게도 나는 그의 도움이 필요할 만한 일이 없다. 일 년 전에 내가 방 두 개짜리 아파트 임대 계약을 할 때, 코리는 내가 임대료를 감당하기 벅찰 것이라고 했다. 그렇지만 어머니는 양로원이나 병원보다는 자기 방에서 최소한의 품격을 갖추고 돌아가시고 싶다고 했고 나는 원룸에서 지내던 형편이었으니 어쩌겠는가. 어머니는 자기 물건들이 갖추어진, 자신의 방을 원했다.

어머니는 당신이 돌아가신 후에 은행 계좌에 남은 돈으로 내가 그동안 어머니를 돌보느라 글을 쓰지 못해서 쌓인 적자를 메꾸라고 했다. 지난 일 년, 나는 마지막으로 출간 계약을 하고 받았던 돈을 아껴가며 생활했다. 이제 그 돈도 다 떨어졌으며, 어머니의 은행에도 사실은 남은 게 없었다. 어머니는 암에 굴복하고 세상을 떠나기 직전에야 다른 몇 가지 일들과 함께 그 사실을 내게 고백했었다. 어머니가 경제적으로 어떤 상황이었든 나는 어머니를 돌봐드렸을 것이다. 내 어머니니까. 하지만 어머니가 내 집에 들어와 보살핌을 받기 위해 내게 돈이 있는 척 거짓말을 해야 한다고 생각했다는 건 그만큼 어머니와 내가 정서적으로 단절되어 있었음을 입증한다.

나는 물을 한 모금 마시고는 고개를 저었다. “변호사는 필요하지 않아. 어머니가 남긴 건 빚밖에 없으니까. 하지만 말이라도 고마워.”

코리는 입술을 삐죽이 내밀었다. 그는 내 재정 상태를 누구보다 잘 알고 있다. 나의 출판 대리인으로서 인세를 보내주는 사람이니까. 그가 지금 동정의 눈길로 나를 보고 있다. "곧 해외에서 인세가 들어올 거야." 코리는 마치 내가 향후 6개월간 내 손에 들어올 수입을 모르고 있기라도 한 듯이 말했다. 나는 벌써 그에 상응하는 만큼의 지출을 이미 해 버렸다.

"알아. 난 괜찮을 거야." 내 재정문제에 대해서는 더 이상 말하고 싶지 않았다. 코리하고든, 다른 누구하고든.

코리는 믿어지지 않는 표정으로 어깨를 들썩여 보였다. 그러더니 고개를 숙이고 넥타이를 바로 잡으며 말했다. "이번 일이 우리 둘에게 좋은 기회가 되어주면 좋겠군."

대화의 주제가 바뀌니 비로소 마음이 조금 편해졌다. "왜 출판사와 대면 미팅을 하는 거지? 내가 이메일을 선호한다는 걸 너도 잘 알고 있잖아."

"어제 그쪽에서 만나자는 제의를 해왔어. 일이 들어왔는데 너와 의논을 하고 싶다면서. 전화로는 자세한 얘기를 안 하더라고."

"지난번에 내 책을 냈던 출판사와 새로운 계약이 추진 중인 걸로 생각하고 있었는데."

"책이 괜찮게 팔리기는 하지만, 새 책을 계약하려면 로웬도 그만큼 시간 투자를 해야 할 것 같아. 소셜미디어 활동도 하고, 북 투어도 하고, 독자층도 확보해야 해. 영업만으로는 현재 시장에서 살아남기가 힘들다고."

바로 내가 우려하는 점이기도 했다. 현재로서는 지난 책을 출간해 준 출판사와 재계약을 하는 것만이 유일한 희망이었다. 먼저 출간한 책에서 나오는 인세는 점점 줄어들고 있는데 나는 지난 일 년간 어머니에게 매달리느라 거의 글을 쓰지 못했고, 따라서 출판사들에 넘길

만한 글이 없다.

"팬텀에서 어떤 제안을 하려는지 모르겠어. 그 제안이 당신이 솔깃해할 만한 일일지도 알 수 없고." 코리가 말했다. "자세한 이야기를 듣기 전에 기밀 유지 합의서에 서명해야 한다네. 그렇게까지 기밀 유지에 신경을 쓰는 것 같으니 더 호기심이 당기기는 해. 너무 큰 기대는 하지 않는 게 좋겠지만 대박 가능성이 있어. 느낌이 좋거든. 우리 이번 일은 꼭 잘해보자고."

그가 우리라고 하는 이유는 내가 일을 맡게 되면 그가 15퍼센트를 가지게 되기 때문이다. 에이전트와 작가의 전형적인 수익 분배율이 그렇다. 그와 나의 관계에서 전형성에 위배되는 것이 있다면 처음 만나 6개월간 사귄 것과 그 후로 헤어지기 전까지 2년간 섹스를 나눈 사실이다.

섹스 파트너로서 우리의 관계가 그 정도나마 이어진 것은 그도 나도 따로 진지하게 사귀는 사람이 없었기 때문이다. 그러다가 그가 다른 여자를 사랑하게 되면서 우리의 관계는 끝이 났다.

우리의 관계에 끼어든 다른 여자도 결국은 또 하나의 '나'였다는 사실은 중요하지 않다.

작가를 만나기도 전에 작가의 글과 사랑에 빠지게 되면 일이 복잡해진다. 가끔 작중 인물과 그 인물을 만들어낸 사람을 혼동하는 사람들이 있는데, 놀랍게도 문학 에이전트라는 코리가 바로 그런 사람이었던 것이다. 그는 나의 첫 소설인 '오픈 엔디드'의 여주인공과 사랑에 빠졌다. 나와 말 한마디 나눠 보기도 전에 말이다. 그는 내 작중 인물의 성격이 내 실제 성격을 반영한 것이라 믿었다. 하지만 실제의 나는 오히려 정반대의 성격이었다.

당시 나는 여러 출판사에 출간 문의 메일을 보냈고, 그중 유일하게 답을 해준 사람이 코리였다. 몇 달이 지난 후에 보내온 그의 이메일은 단 몇 문장의 짧은 내용이었으나, 스러져가는 내 희망에 다시 불을 붙이기에는 충분했다.

당신의 원고, '오픈 엔디드'를 단 몇 시간 만에 다 읽었습니다.

충분한 가능성이 있다고 생각합니다. 아직 에이전트를 찾는 중이라면 연락 주세요.

목요일 아침에 그의 이메일을 받았다. 두 시간 후 전화로 원고에 대해 심도 있는 대화를 나누고, 금요일 오후에 커피숍에서 만나 계약서에 서명했다.

그리고 토요일 밤, 우리는 세 번이나 섹스를 나눴다.

우리의 관계가 윤리적으로 바람직하지 않은 것이었기는 하지만, 그 때문에 오래 지속될 수 없었다고는 생각하지 않는다. 코리는 내가 소설 속 인물과 다르다는 사실을 파악하자마자 우리는 서로 맞지 않는다는 결론을 내렸으니까. 난 영웅적이지도, 단순하지도 않았고, 한마디로 어려운 여자였던 것이다. 코리는 나로 인해 직면해야 했던 감정적 퍼즐들을 풀어볼 준비가 되어있지 않았다.

하지만 상관없었다. 나 역시 어떤 해법을 원하는 건 아니었으니까.

그와 연애를 하는 동안은 참 힘들고 불편했는데, 에이전트와 작가의 관계로 돌아오니 놀라울 만큼 호흡이 잘 맞았다. 그와 헤어지고 나서도 에이전트를 바꾸지 않았던 건 바로 그런 이유 때문이었다. 일에 관한 한 코리는 충실했고 편견이 없었다.

"로웬, 당신 무척 피곤해 보여." 코리의 음성에 정신이 번쩍 들었다. "걱정돼서 그래?"

나는 고개를 끄덕였다. 피곤해 보이는 이유를 설명하고 싶지 않았으므로, 미팅이 걱정돼서 그러는 걸로 이해해 주기를 바랐다. 아침에 아파트에서 나온 후로 두 시간 정도가 지났는데 올 한해를 다 보낼 만큼 많은 일이 일어난 느낌이었다. 혹시라도 핏자국이 남아 있는지 확인하기 위해 손과 팔을 살폈다. 핏자국은 남아 있지 않았지만 그 느낌은 여전했다. 그 냄새도.

손이 여전히 약간 떨리고 있었으므로 나는 두 손을 테이블 밑에 숨기고 있었다. 회의실까지 오고 나서야 차라리 오지 않는 게 나았을 것 같다는 생각이 들었지만, 계약을 할 수 있는 기회를 놓칠 수는 없었다. 이런 제안이 줄지어 들어오는 것도 아니었으니까. 조만간 일을 맡지 못하면 일용직이라도 찾아봐야 하는 형편이었다. 그렇게 되면 밀린 청구서들을 지불할 수는 있겠지만 글을 쓸 수 있는 시간은 거의 갖지 못할 것이다.

코리는 주머니에서 손수건을 꺼내 이마에 흐르는 땀을 닦았다. 코리가 땀을 흘리는 건 긴장하고 있다는 뜻이다. 그가 긴장했다는 사실이 나를 더욱 불안하게 했다. "저쪽의 제안이 맘에 들지 않으면 내게 신호를 보내주기로 정해놓을래?" 코리가 물었다.

"우선 들어보고 나서 잠시 우리끼리 의논을 해보겠다고 해도 되잖아."

코리는 펜을 딸깍거리며 의자에 앉은 채 자세를 가다듬었다. 마치 전쟁에 임하기 위해 총에 장전하는 사람처럼. "말은 내가 할게."

나도 어차피 그렇게 생각하고 있었다. 코리는 카리스마도 있고 매력적이니까. 나는 누가 봐도 그런 부류는 아니다. 그러니 뒤로 빠져 구경이나 하는 게 최선이다.

"입고 있는 옷은 왜 그래?" 코리는 15분이나 마주 앉아 있다가 드디어 내 셔츠가 눈에 띄었는지 눈을 동그랗게 뜨며 물었다.

나는 너무 커서 겉도는 셔츠를 내려다보았다. 잠시 셔츠에 대해 잊고 있었는데. "아침에 입었던 옷에 커피를 엎질러서 갈아입었어."

"누구 셔츠인데?"

나는 어깨를 들썩이며 얼버무렸다. "당신 거겠지 뭐. 옷장에 있더라고."

"집에서 그걸 입고 나왔단 말이야? 입을 만한 옷이 그렇게 없어서?"

"독특한 하이패션 같지 않아?" 내가 일부러 냉소적으로 받아쳤지만 그는 모르는 척 얼굴을 잔뜩 찡그리며 되물었다. "전혀. 그렇게 봐줘야 하는 거야?"

'재수 없는 자식.' 그러나 대부분의 재수 없는 남자들이 그렇듯 잠자리에서는 훌륭하다. 드디어 회의실 문이 열리고 여자 한 명이 들어오자 나는 차라리 마음이 편안하게 가라앉았다. 그녀 뒤로 나이 지긋한 남자가 따라 들어왔다. 어찌나 바짝 붙어서 들어왔는지 그녀가 멈춰 서자 그녀의 등에 부딪히고 말았다. 마치 한 편의 코미디를 연출하고 있는 것 같았다.

"갓 데밋. 배런, 뭐 하는 거야." 그녀가 낮은 소리로 내뱉는 소리가 들렸다.

나는 그 남자의 이름이 정말 '갓 데밋 배런'이라면 어떨까 상상을 하며 거의 웃음을 터트릴 뻔했다.

마지막으로 제러미가 들어왔다. 그는 다른 사람이 눈치채지 못하도록 나를 향해 아주 살짝 고개를 끄덕였다.

여자의 옷차림은 나무랄 데 없이 완벽했다. 정작 오늘 신경을 썼어야 하는 사람은 나였는데. 짧은 머리의 여자는 아침 9시 반 회의에는 조금 과하다 싶게 빨간 립스틱을 바르고 있었다. 그녀는 오늘 이 자리를 주관할 사람답게 먼저 코리에게 악수를 청하고, 그다음에 나와 악수를 나누었다. 그러는 동안 '갓 데밋 배런'은 멀뚱히 보고만 있었다. "저는 팬텀 프레스의 편집장 아만다 토마스입니다. 이 사람은 저희 변호사인 배런 스티븐스, 그리고 이분은 의뢰인이신 제러미 크로퍼드."

제러미와 나도 악수를 나누었다. 그는 오늘 아침 우리가 함께 겪은 기상천외한 상황이 마치 일어나지 않았던 듯 무심하게 나와 테이블을 사이에 두고 마주 앉았다. 되도록 그를 쳐다보지 않으려고 했지만 나도 모르게 시선이 자꾸 그에게로 향했다. 내가 왜 오늘 이 미팅 보다 그에게 더 많은 관심을 쏟고 있는지 나 자신도 이해할 수가 없었다.

아만다가 서류 가방에서 폴더들을 꺼내더니 나와 코리 앞으로 밀어주었다.

"오늘 미팅에 와주셔서 감사합니다." 그녀가 말했다. "시간을 아껴드리는 의미에서 바로 본론으로 들어가겠어요. 저희 작가 중 한 분이 의료상의 문제로 인해 더 이상 계약을 이행할 수 없게 되었습니다. 그래서 같은 분야에 경험이 있는 작가들 중에서 그녀가 쓰던 시리즈 중 남은 세 권을 마무리해 줄 사람을 찾고 있어요."

나는 제러미를 힐끗 보았으나 감정이 전혀 드러나지 않는 얼굴을 하고 있어서 이 미팅에서 그가 맡은 역할을 짐작할 수 없었다.

"작가가 누구인데요?" 코리가 물었다.

"기밀 유지 합의서에 서명하시고 나면 기꺼이 자세한 내용을 말씀 드리겠습니다. 작가의 현재 상태가 언론에 공개되는 일은 원치 않아서요."

"물론 그래야지요." 코리가 말했다.

나도 당연히 동의하는 입장이었으므로 조용히 서류들을 읽어보고 서명했다. 코리는 우리가 서명한 서류들을 아만다 쪽으로 밀었다.

"작가의 이름은 베러티 크로퍼드입니다." 아만다가 말했다. "그녀의 작품들은 잘 알고 계실 거예요."

코리는 베러티라는 이름을 듣는 순간 다시 긴장하는 것 같았다. 그녀의 작품이라면 당연히 잘 알고 있다. 모르는 사람이 있겠는가. 나는 다시 용기를 내어 제러미를 힐끗거렸다. 베러티가 그의 아내일까? 성이 같은 것을 보면 그런 것 같은데. 아래층에서 만났을 때 자기 아내가 작가라고 하지 않았던가. 그런데 그녀의 일에 관한 미팅에 왜 그가 온 걸까? 정작 그녀는 참석하지도 않았는데?

"많이 들어본 이름이네요." 코리가 말했다.

"베러티가 쓰고 있는 시리즈는 대박 가능성이 매우 높은 작품이에요. 미완성으로 남겨지게 된다면 정말 애석한 일이죠." 아만다가 말을 이었다. "우리 계획은 그 일을 맡아서 계속해 줄 작가를 찾아서 시리즈를 완성하는 겁니다. 그리고 북 투어와 언론 발표 등 베러티가 늘 해 왔던 일들도 계속해서 진행하고요. 우리는 베러티의 개인적인 사정은 가능한 한 보호하면서 새로 영입하는 공동 작가를 언론에 소개할 예정이에요."

북 투어? 언론 발표?

코리가 나를 보고 있었다. 내가 그런 것들을 달가워하지 않는다는 것을 아니까. 독자와 만나는 걸 좋아하고 잘하는 작가들도 많지만, 나는 독자들이 나를 직접 만나고 나면 다시는 내 책을 읽지 않을 것이라는 두려움을 가지고 있었다. 딱 한 번 사인회를 한 적이 있었는데 그후로 일주일 동안 불면의 밤을 보내야 했기 때문이다. 사인회를 진행하는 동안에도 어찌나 긴장했는지 말도 제대로 안 나올 정도였다. 그리고 다음 날 한 독자로부터 이메일을 받았는데 내가 자기에게 도도하게 굴었다면서 다시는 내 책을 읽지 않겠다고 했던 것이다.

그다음부터는 집에 틀어박혀 글만 쓰기로 했다. 나에 대한 환상이 실제의 나보다 훨씬 괜찮은 것 같으니까.

코리는 아무 말 없이 아만다가 건네준 폴더를 열어보았다. "베러티 크로퍼드는 남은 세 권의 소설에 대해 위약금을 얼마나 지불해야 하나요?"

이 질문에는 갓 데밋 배런이 대답했다. "베러티 크로퍼드와 출판사 간의 계약은 그대로 유효할 것입니다. 그리고 당연히 밝힐 수는 없고요. 모든 인세는 베러티 크로퍼드에게 돌아갈 것입니다. 그리고 저의 의뢰인이신 제러미 크로퍼드께서 한 권 당 7만5천 달러를 지급하실 것입니다."

돈의 액수를 듣는 순간 뱃속에 소용돌이가 치는 것 같았다. 그러나 기분이 하늘로 솟구치는 것도 잠시, 어마어마한 일의 중압감을 생각하니 다시 마음이 땅속으로 내려앉았다. 무명의 작가인 내가 출판계의 혜성으로 떠오른 작가와 공동 집필을 하게 된다는 것은 너무도 비현실적인 도약이었기 때문이다. 생각하는 것만으로도 이미 불안감에 압도되는 느낌이었다.

코리가 두 팔을 테이블 위에 올려 팔짱을 끼고 몸을 앞으로 기울였다. "원고료는 협상 가능한 것이겠죠."

나는 코리와 눈을 마주치기 위해 신호를 보내고 싶었다. 협상 자체가 필요하지 않은 상황이 아닌가. 내가 베러티의 원고를 이어서 쓴다는 생각만으로도 견디기 힘든 중압감이 밀려오는데 말이다. 이 제안은 받아들일 수 없다.

갓 데밋 배런이 자리에 앉은 채 등을 곧추세우며 말했다. "귀하의 의견을 존중하는 바이지만, 베러티 크로퍼드는 지난 십여 년간에 걸쳐 명성을 쌓아왔습니다. 그녀의 노고가 없었다면 불가능했을 가치인 거지요. 이번 제안은 세 권을 완성하는 것입니다. 한 권 당 7만5천 달러면 모두 합해서 22만5천 달러가 되고요."

코리가 테이블에 펜을 내려놓고 심드렁한 표정으로 의자 등받이에 기대앉았다. "언제까지 끝내야 하는 거죠?"

"이미 일정보다 늦어졌기 때문에 계약서에 서명한 시점으로부터 6개월 후에 첫 번째 책이 나와 주었으면 합니다."

아만다가 말을 하는 동안 나는 그녀의 치아에 번진 빨간 립스틱에서 시선을 뗄 수 없었다.

"그다음 두 권의 작업 일정은 추후 논의할 수 있고요. 저희는 계약 후 24개월 이내에 모든 일정이 끝났으면 하고 바라고 있기는 합니다만."

코리가 머릿속으로 계산기를 돌리고 있는 것이 보였다. 자기 몫을 계산하고 있는 걸까, 아니면 내 몫을 계산하고 있는 걸까. 코리의 몫은 15퍼센트다. 이 미팅에 내 에이전트로 참석하는 것만으로 3만4천 달러를 받게 되는 것이다. 나머지 금액의 절반은 세금으로 내야 하고, 그러면 내 은행 계좌에 들어오는 것은 10만 달러가 조금 못 될 것이다.

일 년에 5만 달러.

내가 그동안 소설 원고료로 받은 것들에 비하면 거의 두 배가 되는 돈이다. 그런데도 나는 이미 대박 가능성을 인정받고 있는 이 시리즈에 나를 얽매어 둘 만큼의 보상이 되는지에 대해서는 확신이 서지 않았다. 나는 이미 제안을 거절하기로 마음을 먹은 채, 잠시 요점 없는 대화를 주고받았다. 그러다가 아만다가 계약서를 꺼내자 비로소 목청을 다듬고 내 생각을 말했다.

"제안은 감사합니다." 나는 진지한 마음으로 하는 말임을 전달하기 위해 제러미를 똑바로 바라보며 말했다. "진심이에요. 하지만 부인이 쓰시던 시리즈에 새 작가를 영입하실 생각이시라면 저보다 훨씬 더 좋은 작가들을 찾으실 수 있을 거라고 생각합니다."

제러미는 아무 말 하지 않았지만, 내가 입을 열기 전보다 훨씬 더 호기심 가득한 눈으로 나를 바라보았다. 나는 이만 가야겠다는 생각으로 자리에서 일어났다. 미팅의 내용도 실망스러웠지만, 그보다 더 나를 실망시킨 것은 몇 주 만에 처음 외출한 날이 결국 이렇게 끝까지 엉망으로 틀어져 버렸다는 사실이었다. 집에 가서 샤워나 해야겠다고 생각하고 있는데 코리가 벌떡 일어서며 말했다.

"제 의뢰인과 잠시 얘기를 좀 하고 싶은데요."

아만다가 서류 가방을 닫으며 고개를 끄덕였다. "저희가 잠시 나가 있겠어요. 폴더에 계약에 관한 자세한 내용이 들어 있습니다. 저희 제안이 마음에 들지 않으실 경우, 저희가 염두에 두고 있는 두 명의 작가가 더 있어요. 그러니 늦어도 내일 오후까지는 답변을 주시면 좋겠습니다."

이제 자리에 앉아 있는 사람은 제러미뿐이었다. 미팅이 시작되고 지금까지 한마디도 하지 않은 유일한 사람. 아만다가 내게 악수를 청했다. "의문 사항 있으시면 연락 주세요. 기꺼이 도와드리겠습니다."

"감사합니다." 내가 대답을 하자 아만다와 갓 데밋 배런이 밖으로 나갔다. 그러나 제러미는 여전히 내게 시선을 고정한 채 자리를 지키고 있었다. 코리가 돌아보더니 나와 제러미의 중간쯤 되는 위치에 섰다. 코리는 제러미가 나가주기를 기대하고 있는 것 같았지만 제러미는 내 쪽으로 몸을 기울이며 말했다.

"우리 잠시 따로 얘기 좀 할 수 있을까요?" 나에게 묻는 거였다. 코리에게 짧게 시선을 보내기는 했지만, 그의 양해를 구한다기보다는 나가 달라는 신호였다.

코리는 제러미의 당돌한 요청에 당황한 듯 그를 빤히 바라보고 있었다. 그러더니 눈을 가늘게 뜨고 천천히 내 쪽으로 고개를 돌렸다. 내가 그의 청을 거절하길 바라는 것이다. "이 사람 믿을 수 있어?" 코리는 눈으로 묻고 있었다.

내가 제러미와 이 방에 단둘이 남겨지기를 간절히 원하고 있다는 걸 코리는 모르고 있었다. 코리를 비롯해서 모두가 이 방에서 나가주었으면 좋겠다고 생각하던 중이었다. 제러미에게 묻고 싶은 말이 너무 많아졌기 때문이다. 그의 아내는 어떤 사람인지, 출판사에서는 왜 나를 선택했는지, 그리고 그의 아내는 왜 자기 작품을 계속 쓸 수 없게 되었는지.

"괜찮을 것 같아." 내가 코리에게 말했다.

코리는 이마에 핏줄이 붉어질 정도로 불쾌한 기색이 역력했지만 어금니를 꽉 다문 채 조용히 회의실에서 나갔다.

이제 회의실 안에는 제러미와 나만 남았다.

또다시 한 공간에 둘만 있게 되었다.

엘리베이터까지 합하면 아침에 길에서 마주친 후로 세 번째다. 하지만 이렇게까지 긴장이 되는 건 처음인 것 같았다. 물론 나만 긴장하고 있는 거겠지만. 제러미는 조금 전 길 건너에서 피를 닦아내던 나를 도와줄 때와 마찬가지로 침착하고 평온해 보였다.

제러미가 몸을 뒤로 기대고 두 손으로 얼굴을 감싸며 말했다. "맙소사, 출판 관계자들과 하는 회의는 늘 이렇게 딱딱한 거요?"

내가 조용히 웃으며 대답했다. "나도 모르죠. 이런 일은 주로 이메일을 통해서 하니까요."

"왜 그래야 하는지 알 것 같군." 제러미가 자리에서 일어나더니 생수 한 병을 집었다. 나는 앉아 있고, 그는 서 있는 데다가 키가 커서 그런지 화장실에 함께 있을 때보다도 내가 더 작아진 듯한 느낌이 들었다. 그가 베러티 크로퍼드와 결혼한 남자라는 사실을 알고 난 지금, 나는 치마에 브래지어만 걸치고 그의 앞에 서 있을 때보다도 훨씬 더 주눅이 드는 것 같았다.

그는 발목을 겹쳐 다리를 꼰 채 캐비닛에 기대서 있었다. "괜찮소? 길 건너에서 목격했던 충격적인 사건을 떨쳐 버릴 시간도 없이 회의에 들어왔을 텐데 말이오."

"당신도 마찬가지잖아요."

"나는 괜찮소." 그가 아침에도 했던 말이었다. "물어보고 싶은 것들이 있을 거라 생각했소."

"너무 많아요." 내가 대답했다.

"알고 싶은 게 뭐요?"

"부인은 왜 시리즈를 끝낼 수 없게 된 거죠?"

"교통사고를 당했소." 그가 무덤덤한 어조로 대답했다. 애써 어떤 감정에도 휩싸이지 않으려 노력하는 것 같았다.

"아, 그렇군요. 정말 유감이에요. 그런 말은 못 들었거든요." 나는 달리 무슨 말을 해야 할지 몰라 잠시 당황했다.

"처음에는 아내의 작품을 다른 사람이 이어서 쓰게 하자는 의견에 동의하지 않았소. 아내가 쾌차하기를 바랐으니까. 그런데……." 그는 잠시 말을 끊었다가 다시 이었다. "결국 이렇게 된 거요."

비로소 그의 어두운 표정이 이해되었다. 말이 없고 조용한 사람처럼 보였던 것이 이제 보니 슬픔 때문이었던 것이다. 만져질 듯 생생한 슬픔, 그 절절함이 그의 아내 때문인지, 아니면 아침에 화장실에서 얘기한 딸의 죽음 때문인지는 알 수 없었다. 하지만 대부분의 사람이 경험하는 것보다 훨씬 무거운 결정을 내려야 했던 이 남자가 오늘 이 자리에서 참 힘들었을 거라는 생각이 들었다. "정말 유감이네요."

그는 고개를 끄덕이더니 아무 말 없이 자기 자리에 가서 앉았다. 그는 내가 아직 그의 제안을 마음에 두고 있다고 생각하는 걸까? 그렇다면 더 이상 그의 시간을 빼앗지 말아야 한다는 생각이 들었다. 나는 이미 마음을 정했으니까.

"제러미, 당신의 제안은 고마워요. 그렇지만 솔직하게 말해서 제가 맡기에는 너무 부담스러운 일이에요. 저는 아직 출판계에서 성공한 작가가 못 되거든요. 부인의 출판사에서 왜 저를 선택했는지 모르겠어요."

"당신이 쓴 '오픈 엔디드'라는 작품 때문이오." 제러미가 말했다.

그가 내 작품을 말하는 순간 온몸이 경직되는 것 같았다.

"베러티가 그 작품을 좋아했소."

"부인이 내 작품을 읽었다고요?"

"당신은 곧 유명 작가가 될 거라고 하더군. 그러면서 당신의 문장 스타일이 자기와 비슷하다고 했소. 그래서 내가 아내의 출판사에 당신 이름을 알려준 거요. 베러티가 인정하는 사람이 그녀의 작품을 이어가는 게 좋겠다고 생각했으니까."

나는 고개를 저었다. "그렇게 말해주니 정말 기쁘네요. 그렇지만 제안을 받아들일 수는 없어요."

제러미가 말없이 나를 바라보았다. 왜 이 여자는 대부분의 다른 작가들처럼 이런 기회를 잡으려고 들지 않는 거지? 궁금해하고 있는지도 모르겠다. 그는 내 마음을 결코 알 수 없을 것이다. 다른 때 같았으면 속마음을 완벽하게 감출 수 있는 나를 스스로 대견해했을 것이다. 쉽게 속마음을 읽히는 게 기분 좋은 일은 아니니까. 그렇지만 오늘 같은 날은 마음을 감추는 것이 옳지 않은 느낌이었다. 좀 더 투명하게 내 마음을 보여주는 게 도리인 것 같았다. 아마도 아침에 그가 보여준 호의 때문이었을 것이다. 그렇지만 어디서부터 솔직해져야 한다는 말인가.

제러미는 몸을 앞으로 기울인 채 의문이 가득한 눈으로 나를 바라보다가 주먹으로 책상을 몇 번 톡톡 두드리더니 일어섰다. 나는 우리의 대화가 끝났다는 뜻으로 알아듣고 자리에서 일어났다. 그러나 제러미는 문으로 향하는 대신 상장 액자들이 즐비하게 걸려 있는 벽으로 다가갔다. 나는 다시 자리에 앉았다. 제러미는 내게 등을 돌린 채 상장들을 들여다보았다. 그러다가 상장 하나에 손가락을 대고 스치듯 읽어갈 때에야 그것이 그의 아내가 받은 것임을 알아차렸다. 그는 한숨을 내쉬고는 다시 나를 향해 돌아섰다.

"만성 애도자라고 불리는 사람들에 대해서 들어보았소?" 그가 물었다.

나는 고개를 저었다.

"그 말을 처음 사용한 사람은 베러티였는지도 모르겠소. 딸들을 잃은 후에 베러티는 우리가 만성 애도자라고 하더군. 만성적인 비극을 앓아야 한다고 말이야. 한 가지 비극을 겪고 나면 또 다른 비극이 이어지는 거지."

나는 잠시 그를 바라보며 그의 말을 되새겨 보았다. 딸을 잃었다는 말은 아침에도 했었다. 그런데 지금은 복수형을 사용하지 않았나. "딸들이라고요?"

그는 숨을 들이마시더니 힘없이 내뱉었다. "그렇소. 쌍둥이였지. 하퍼가 죽기 6개월 전에 채스틴을 먼저 잃었소." 이번에는 감정을 완벽하게 숨기지 못했다. 손으로 얼굴을 문지르더니 자리로 돌아와 앉았다. "비극적인 사건을 한 번도 겪지 않고 살아가는 가정도 있겠지. 하지만 일이 잘못되려고 들면 막을 도리가 없는 것 같소. 그러고 나면 점점 더 깊은 수렁 속으로 빠지는 거요."

제러미가 왜 나에게 이런 일들을 이야기하는지 이해할 수는 없었지만 굳이 물어보지는 않았다. 그의 입에서 나오는 말들은 암울했지만 나는 그의 이야기를 듣고 있는 이 순간이 좋았다.

제러미는 생수병을 책상에서 빙글빙글 돌리면서 생각에 잠긴 채 바라보고 있었다. 그는 나를 설득하기 위해 단둘이 얘기를 하고 싶다는 게 아니었다. 그저 나와 함께 있고 싶었던 거다. 아내의 일을 두고 사무적인 이야기들이 오가는 것을 참을 수 없었고, 그래서 모두 나가게 했던 것이다. 나와 단둘이 있는 걸 편안하게 느꼈다고 생각하자 나도 뭔가 위로를 받는 것 같았다.

어쩌면 제러미도 늘 혼자인 것처럼 느끼는 사람인지 모르겠다. 예전에 우리 옆집에 살던 사람처럼 말이다. 그 사람도 제러미의 표현을 빌리자면 만성 애도자였으니까.

"저는 리치먼드에서 자랐어요." 내가 말했다. "예전에 우리 옆집에 살았던 사람은 2년도 안 되는 기간 동안 가족 셋을 잃었어요. 아들은 전쟁터에서 죽고, 6개월 후에 아내가 암으로 세상을 떠났죠. 그리고 딸은 교통사고로 잃고요."

제러미가 생수병을 세워놓더니 몇 인치 정도 앞으로 밀어냈다. "그 사람은 지금 어디 살고 있소?"

나는 멈칫했다. 그런 질문을 하리라고는 생각하지 못했는데.

사실을 말하자면 자기의 모든 것이었던 가족을 잃은 그 남자는 딸이 죽고 나서 몇 개월 후에 스스로 목숨을 끊었다. 그렇지만 딸들을 잃은 슬픔에서 아직 헤어 나오지 못하고 있는 제러미에게 그 말을 하는 건 너무 잔인할 것 같았다.

"여전히 같은 동네에 살고 있어요. 몇 년 전에 재혼했고요. 재혼한 아내의 아이들과 손주들이 새 가족이 되었죠."

나는 이렇게 말하면서도 내가 거짓말을 하고 있다는 걸 그가 알고 있다는 느낌이 들었다. 나를 바라보는 눈빛이 그렇게 말하고 있었다. 하지만 내가 거짓말을 해 주어서 다행이라고 생각하는 것 같았다.

"베러티의 서재에서 그녀가 써 놓은 것들을 훑어보는 시간을 가져야 할 거요. 수년 동안 메모를 하고 윤곽을 잡아 놓은 것들이 있으니까. 나는 읽어봐도 도무지 뭐가 뭔지 모르는 것들이지만 말이오."

나는 고개를 저었다. 이 남자는 내 말을 못 알아들은 거야? "제러미, 내가 말했잖아요. 난 할 수 없어요."

"변호사가 지나치게 낮은 액수를 부른 것 같소. 당신 에이전트에게 50만 달러를 제시하라고 하시오. 당신은 언론 홍보에 참여하지 않을 것이며, 필명을 쓰겠다고 하시오. 철저한 기밀 유지 합의서를 작성하고. 그렇게 해야 당신이 감추고 싶은 것들을 감출 수 있을 테니까."

나는 단지 마음이 내키지 않으며 부담스럽다는 사실 말고는 달리 감출 것이 없다는 걸 말하고 싶었다. 하지만 내가 말하기 전에 그는 이미 문으로 향하고 있었다.

"우리는 버몬트에 살고 있소." 그가 말했다. "계약서에 서명하고 나면 주소를 알려주겠소. 베러티의 작업실에 있는 자료들을 살펴볼 동안, 얼마가 됐든 우리 집에 머물러도 좋소."

그는 문고리를 잡고 잠시 그대로 서 있었다. 나는 거절 의사를 다시 한번 분명히 말해야 한다고 생각했다. 하지만 내 입술을 비집고 나온 말은 '알겠어요'였다.

그도 더 할 말이 있는 듯 나를 바라보더니 "알았소"라고 말했다.

제러미는 문을 열고 코리가 기다리고 있는 복도로 나갔다. 코리는 제러미를 스치듯 지나쳐 회의실로 들어왔다.

나는 방금 무슨 일이 일어났는지 모르겠다는 어리둥절한 기분으로 책상을 내려다보고 있었다. 내가 할 수 있는지 확신할 수도 없는 일에 그렇게 많은 돈을 제시하는 이유가 뭘까 하는 생각에 머릿속이 혼란스러웠다. 50만 달러? 더구나 필명을 사용할 수 있고 투어나 언론 홍보를 안 해도 된다니? 내가 무슨 말을 해서 이렇게 된 거지?

"저 친구 마음에 안 들어." 코리가 의자에 털썩 주저앉으며 말했다. "무슨 얘기 했어?"

"출판사 측에서 지나치게 낮은 액수를 불렀다면서 50만 달러를 요구하라네. 언론 홍보는 안 하는 걸로 하고."

코리가 사레들린 듯 캑캑거리더니 내 생수병을 집어 들고 물을 마셨다. "와, 대박!"

3

이십 대 초반에 아모스라는 남자친구를 사귄 적이 있었는데 그는 섹스하는 중에 목이 졸리는 걸 좋아했었다.

우리가 헤어진 이유도 자기 목을 졸라달라는 그의 청을 내가 거절했기 때문이었다. 그런데 가끔, 그의 요구를 내가 받아주었더라면 우린 어떻게 되었을까 궁금해질 때가 있다. 지금쯤 우리는 결혼했을까? 아이를 낳았을까? 아모스는 좀 더 위험하고 아찔한 성적 유희를 즐기려고 했을까? 아모스와 사귀는 동안 내가 가장 꺼려졌던 건 바로 이 부분이었다. 20대 초반에는 별다른 성적 도구를 사용하지 않고 평범한 섹스만으로도 충분히 만족감을 끌어낼 수 있지 않은가. 더구나 사귀기 시작한 지 얼마 되지도 않았을 때였는데 말이다.

그 후로 나는 현재의 삶이 초라하다는 생각이 들 때면 아모스를 떠올리곤 했다. 코리가 들고 있는 분홍색 퇴거 명령서를 보는 지금도, 아모스와 결혼했으면 이보다 더 안 좋은 상황에 봉착했을 수도 있다는 생각으로 위안을 삼는다. 여전히 아모스와 사귀고 있었으면 어쩔 뻔했어.

나는 아파트 문을 좀 더 활짝 열어 코리가 들어올 수 있게 했다. 코리가 오게 될 줄은 몰랐다. 그랬더라면 현관문에 퇴거 명령서가 붙어 있는 걸 그가 보게 하지는 않았을 텐데. 벌써 3일째 계속 퇴거 명령서가 날아오고 있었다. 나는 코리가 들고 있는 종이를 받아서 서랍에 던져 넣었다.

코리가 샴페인 병을 들어 보였다. "계약 맺은 거 축하해야 할 것 같아서." 코리는 이렇게 말하며 병을 내게 건네주었다. 퇴거 명령서에 대해 언급하지 않는 코리가 고마웠다. 이제는 수입 전망이 생긴 만큼 그렇게 암담한 상황은 아니다. 하지만 돈이 내 손에 들어올 때까지 어떻게 버텨야 할지…… 그건 아직 정해지지 않았다. 며칠 호텔에 묵을 정도의 돈은 남아 있을 것 같은데.

어머니의 유품 중 몇 가지를 전당포에 잡힐 수도 있다.

코리는 어느새 코트를 벗고 넥타이까지 느슨하게 풀어 헤쳤다. 어머니가 내 아파트로 들어오기 전까지 우리는 늘 이런 식이었다. 아파트에 들어오면 곧장 옷을 하나씩 벗기 시작했고, 그러다 보면 어느새 둘이 함께 침대에 들어가 있곤 했다.

그러다가 내가 소셜 미디어를 통해 코리가 레베카라는 여자와 몇 번이나 데이트를 했다는 사실을 알게 되면서 더 이상 그와 아무것도 하고 싶지 않아졌던 것이다. 질투가 나서라기보다는 아무것도 모르고 있을 레베카라는 여자에 대한 도리가 아닌 것 같아서였다.

"레베카는 잘 있어?" 그릇장을 열어 잔 두 개를 꺼내며 물었다. 넥타이를 고쳐 매던 코리가 동작을 멈췄다. 내가 자기 연애사를 알고 있다는 사실에 놀란 것 같았다. "난 스릴러 작가야, 코리. 너의 여자 친구에 대해 알고 있다는 사실이 별로 놀랄 일은 아닐 텐데."

그의 반응을 지켜보는 대신 나는 샴페인을 따서 잔에 따랐다. 샴페인 잔을 들고 다가가자 코리가 바에 앉았다. 나는 반대편에 마주 선 채 잔을 들었다. 하지만 그가 축배사를 읊조리기 전에 나는 다시 잔을 내렸다. 생각해 보니 돈이 들어오게 되었다는 사실 말고는 축배를 들 이유가 없었다.

"내 소설도 아닌데 뭐." 내가 말했다. "내가 만들어낸 인물들도 아니고. 게다가 이 책의 성공을 이뤄낸 작가는 부상을 당했고 말이야. 그런 상황에 축배를 든다는 건 옳지 않은 것 같아."

코리는 여전히 허공에 잔을 든 채로 어깨를 들썩이더니 단숨에 잔을 비우고 내게 건네주었다. "어떤 연유로 이 일을 맡게 되었는지는 생각하지 마. 오로지 결승점만 바라보라고."

나는 그의 빈 잔을 개수대에 내려놓으며 눈알을 굴렸다.

"그 작가의 작품을 읽어본 적은 있어?" 코리가 물었다.

나는 고개를 저으며 수돗물을 틀었다. 설거지를 하는 게 좋겠다. 지금부터 48시간 이내에 아파트를 비워줘야 하고, 그릇들은 가지고 가야 하니까. "아니. 당신은 읽었어?" 세척제를 물에 풀고 스펀지를 집었다.

코리가 웃었다. "아니. 내 취향이 아니야."

내가 돌아보자 비로소 자기 말이 나를 비하하는 것으로 들렸을 수 있다는 사실을 알아차리는 것 같았다. 제러미의 말에 의하면 나를 선택한 이유가 글의 분위기가 비슷해서라고 하지 않았던가.

"내 말은 그러니까……." 코리가 일어나더니 바를 돌아 내 옆으로 왔다. 그러더니 내가 비누칠을 끝낸 접시를 받아서 헹구기 시작했다.

"아직 짐을 전혀 안 싼 것 같은데. 이사 갈 아파트는 정했어?"

"창고 공간을 마련해서 내일 중으로 짐은 거의 옮겨 놓을 거야. 브루클린에 있는 아파트에 입주신청서도 내놓았고. 그런데 2주 안에는 빈집이 나올 것 같지 않다네."

"퇴거 명령서에 의하면 2일 안에 비워야 한다잖아."

"나도 알아."

"그럼 어디로 가려고? 호텔?"

"결국은 그래야지. 일요일에 베러티 크로퍼드의 집으로 들어갈 거니까. 시리즈를 시작하기 전에 자기 집에서 지내면서 베러티의 집무실에 있는 자료들을 훑어보는 게 좋을 거라고 했어."

오늘 아침 계약서에 서명하자마자 제러미가 이메일로 자기 집 주소를 보내주었다. 나는 일요일에 가면 어떻겠느냐 물었고, 다행히 그도 좋다고 했다.

코리는 내가 비누칠 한 접시를 또 하나 받아 갔다. 나를 쳐다보는 그의 눈길이 느껴졌다. "그 집에서 먹고 자고 하려고?"

"그러지 않으면 어떻게 베러티의 글들을 볼 수 있겠어?"

"그녀의 남편한테 우편으로 보내달라고 하면 되잖아."

"10년 넘는 기간 동안 모아놓은 메모와 개요들이야. 제러미는 어디서부터 시작해야 할지도 모르겠다고 했어. 내가 직접 가서 정리해가며 읽어보는 게 나아."

코리는 더 이상 아무 말 하지 않았지만 몹시 못마땅해 하는 게 틀림없었다. 나는 스펀지로 칼에 비누칠을 한 다음 그에게 건네주었다.

"무슨 말이 하고 싶은 건데?" 내가 물었다.

코리는 칼을 헹구어 건조대에 놓더니 개수대를 잡고 나를 돌아보았다. "그 남자는 두 딸을 잃었어. 그리고 아내는 교통사고로 부상을 당했고. 로웬이 그 집에서 지내는 게 왠지 마음에 걸려."

코리의 말을 듣는데 갑자기 물의 온도가 차게 느껴졌다. 양쪽 팔에 소름이 끼쳤다. 나는 물을 잠그고 손에 묻은 물기를 닦았다. 개수대에 기대며 물었다. "그가 가족들의 불행에 뭔가 작용을 했을 거라는 뜻이야?"

코리가 어깨를 한 번 들썩여 보이더니 말했다. "뭐라고 확실하게 말할 수 있는 근거는 없지만, 로웬은 그런 생각이 안 들었어? 어쩌면 위험해질 수도 있다는 생각? 그들이 어떤 사람들인지 모르잖아."

나도 그런 생각을 전혀 하지 않은 것은 아니다. 오늘 아침에 인터넷에서 알아볼 만큼은 알아봤다. 첫째 딸은 집에서 15마일 떨어진 친구 집에 1박 2일로 놀러 갔다가 알레르기 반응을 일으켰다고 했다. 당시 제러미도 베러티도 함께 있지 않았다. 둘째 딸은 집 뒤에 있는 호수에 빠져 죽었다고 했다. 제러미가 집에 도착했을 때는 이미 시신 수색작업이 진행 중이었다고 했다. 두 딸의 죽음이 모두 사고였다. 코리가 무엇 때문에 신경을 쓰는지는 알 것 같았다. 솔직히 나도 그랬으니까. 하지만 깊이 알아보면 알아볼수록 의심의 여지는 줄어들었다. 두 사건은 비극적이지만 서로 무관한 사고였다.

"그럼 베러티의 교통사고는?"

"그것도 사고였어." 내가 말했다. "나무를 들이받았대."

코리는 믿을 수 없다는 표정을 지었다. "타이어 자국의 흔적이 남지 않았다던데. 그렇다면 급브레이크를 하지 않았다는 거잖아. 사고 순간에 졸고 있었거나, 일부러 그랬다는 뜻이야."

"그럴 수 있었던 상황이었지 않아?" 코리의 근거 없는 의심에 짜증이 나려고 했다. 나는 설거지를 마저 하려고 돌아섰다. "딸 둘을 모두 잃었는데 말이야. 누구라도 그런 끔찍한 일을 겪었다면 도피하고 싶어질 수 있어."

코리는 마른행주로 손의 물기를 닦더니 의자에 걸쳐두었던 재킷을 집어 들었다. "사고든 아니든, 그 집안엔 불행이 끊이지 않았어. 정서적으로 깊은 트라우마를 겪었을 거고. 그러니 조심하란 말이야. 가서 필요한 것들만 챙겨오는 게 좋을 것 같아."

"당신은 계약 사항들만 걱정하는 게 어때? 자료 정리와 글 쓰는 일은 내가 알아서 할 테니까."

코리가 재킷을 입으며 말했다. "로웬이 걱정돼서 하는 말이야."

내가 걱정돼서라고? 내 어머니가 죽어가는 걸 알면서도 두 달이나 연락도 없었으면서. 나를 걱정하는 게 아니겠지. 옛날 생각이 나서 오늘 밤 나와 섹스 한 번 해보려다가 조용히 거절당한 주제에, 내가 다른 남자의 집에서 지내게 될 거라는 걸 알고 걱정해주는 척 질투하는 거지.

나는 현관까지 그를 배웅했다. 그가 내 집에서 서둘러 나가 줘서 다행이라는 생각이 들었다. 왜 일찍 일어나고 싶지 않았겠는가. 나도 어머니와 함께 살기 시작하면서 이 공간의 분위기가 싫어졌는데. 굳이 임대 계약을 연장하려고 애쓰지 않았던 것도, 지금이라도 집주인에게 연락해서 2주 후에 돈이 생길 거라는 말을 하지 않는 것도 그런 이유 때문이다. 나도 코리 못지않게 어서 이곳을 떠나고 싶었다.

"아무튼 축하해." 코리가 말했다. "비록 당신이 시작한 작품은 아니라고 해도, 당신의 글솜씨 덕분에 이 일을 맡게 된 거니까 말이야. 그

점에 대해서는 자랑스러워해도 돼."

내가 잔뜩 짜증 나 있을 때 이런 식으로 친절한 말을 해 주는 건 정말 질색이다. "고마워."

"일요일에 그 집에 가면 내게 문자 해."

"그럴게."

"짐 옮기는 데 도움이 필요하면 연락하고."

"도움은 필요하지 않을 거야."

코리는 가볍게 웃으며 받았다. "그렇다면 됐고." 작별의 포옹은 하지 않았다. 걸어가면서 손을 들어 인사를 대신했다. 그를 알게 된 이후로 가장 어색한 작별 인사였다. 이제야 비로소 우리 사이가 작가와 에이전트의 관계로 돌아왔다는 실감이 들었다. 그 이상의 무엇도 남아 있지 않았다.

4

내가 여섯 시간 동안 운전을 하면서 시간을 보내는 방법에는 여러 가지가 있었다. '보헤미안 랩소디'를 60번 정도 반복해서 들을 수도 있었고, 옛 친구 나탈리에게 전화해서 그동안 나누지 못한 이야기들을 나눌 수도 있었다. 지난 6개월 동안 가끔 문자는 주고받았지만, 그래도 음성을 들으며 얘기를 나누는 게 훨씬 더 좋으니까 말이다. 아니면 운전에 집중하면서 마음의 준비를 할 수도 있었다. 제러미 크로퍼드의 집에서 지내는 동안 그와 지나치게 가까워지지 말아야 할 이유들을 생각하면서 말이다.

그런데 그런 것들을 하는 대신, 나는 베러티 크로퍼드의 시리즈 중 첫 번째 소설을 오디오북으로 들었다.

방금 마지막 부분이 끝났다. 운전대를 잡은 손에 어찌나 힘을 주었던지 손마디가 하얗게 질려 있었다. 물 한 모금 마시지 않아서 입술이 바싹 말라 있었고, 내 자존감은 저 멀리 북쪽 올버니(미국 뉴욕 주의 주도. 허드슨 강변에 위치하고 있다)쯤으로 200마일은 달아나 있었다.

베러티는 대단한 작가다. 정말 글을 잘 쓴다.

계약서에 서명한 것이 후회되었다. 기대에 부응할 수 있을 것 같지 않았다. 이런 작품을 이미 여섯 권이나 썼다니. 그것도 모두 악인의 관점에서. 한 사람의 머리에서 어떻게 이렇게 풍부한 창의성이 나올 수 있을까?

차라리 이후의 다섯 권이 형편없기를 바라고 싶었다. 그러면 남은 세 권에 대한 기대도 그다지 크지 않을 테니까.

하지만 그게 무슨 말도 안 되는 소리란 말인가? 베러티의 소설은 출간될 때마다 〈뉴욕 타임스〉의 베스트셀러를 장식하는데.

결과적으로 베러티의 오디오북을 듣고 나서 맨해튼을 떠날 때보다도 더 긴장되면서 주눅이 들었다.

남은 시간 동안은 당장에라도 꼬리를 감추고 뉴욕으로 돌아가고 싶은 마음과 싸워야 했다. 하지만 내 글이 부족하다는 자각도 글을 쓰는 과정의 일부라는 생각으로 버텼다. 어차피 그런 점도 나의 일부이니까. 책 한 권을 완성하기까지 나는 늘 세 단계를 거친다.

새 작품을 시작한다. 내가 쓰는 모든 문장이 마음에 들지 않는다.

그럼에도 불구하고 계속 쓴다.

작품을 끝내고 만족스러운 척한다.

작품을 마치고 나서 내가 마음먹은 만큼 해냈다거나, 마침내 독자들에게 읽히고 싶은 글을 썼다는 뿌듯한 성취감을 느꼈던 적은 없었다. 대부분의 경우 샤워를 하면서 울거나, 좀비처럼 컴퓨터 화면을 바라보면서 다른 작가들은 어떤 마음으로 그렇게 자신 있게 자기 책을 홍보할 수 있을까 의아해한다. "지난번 책보다 훨씬 잘 된 작품이에요! 꼭 읽어보세요!"

나는 소셜 미디어에 새로 출간된 책을 소개하면서도, "괜찮은 작품이에요. 아무튼 활자는 채워져 있으니, 원하시면 한 번 읽어보세요"라고 하는 게 고작인 사람이었다.

내가 맡은 이 일이 상상했던 것보다 더 힘들거나 안 좋은 결과를 초래하면 어쩌나 두려운 마음이 들었다. 그동안은 독자가 많지 않은 관계로 부정적인 비평을 별로 많이 받지 않아도 됐었다. 하지만 내 글이 베러티의 이름과 함께 세상에 나가면 수십만 명의 독자들이 읽게 될 것이다. 더구나 그들은 앞서 출간된 시리즈의 책들을 읽으며 기대치를 축적해왔을 것 아닌가. 그에 부응하지 못하면 코리가 먼저 나의 실패를 알게 될 것이다. 출판사도, 제러미도 나의 실패를 알게 될 것이다. 베러티가 정신적으로 어떤 상태인지는 모르지만, 그녀 역시 나의 실패를 알게 될 수 있다.

지난번 회의 때 제러미가 베러티의 부상 정도에 대해 정확하게 말하지 않았기 때문에 나는 그녀가 의사소통을 할 수 없을 정도로 심하게 다쳤는지는 알지 못한다. 인터넷상에도 그녀의 사고에 대해서는 한두 개 모호한 기사 외에는 검색되는 게 없었다. 사고 직후 그녀의 출판사에서 공지문을 발표했는데, 거기에도 생명에 지장이 없는 상태라는 간략한 내용뿐이었다. 그리고 2주 전에 다시 한번 공지문이 발표되었는데, 베러티는 현재 자택에서 회복 중이라는 내용이 실려 있었다. 하지만 편집장인 아만다가 베러티의 상태를 언론에 밝히지 않을 방침이라고 한 걸로 봐서 되도록 모든 것을 최대한 희망적인 방향으로 전하려는 의도임은 분명하다.

아니면 지난 2년간 겪은 깊은 슬픔으로 인해 더 이상 글을 쓰고 싶지 않아졌는지도 모른다.

시리즈를 완성하려는 의도는 충분히 이해할 수 있다. 출판사의 입장에서는 엄청난 수익을 올릴 기회를 물거품으로 만들고 싶지는 않을 테니까. 그 일을 마무리할 기회를 나에게 주었다는 건 영광스러운 일이나, 굳이 나 자신을 대중의 시선이 집중될 수 있는 자리에 밀어 넣고 싶지는 않았다. 내가 글을 쓰기 시작한 것은 유명해지기 위해서가 아니었으니까. 적당한 수의 독자를 가진 작가가 되어 생활을 유지할 수 있을 만큼의 수입을 올리는 것이 목표였을 뿐, 부와 명예를 꿈꿔본 적은 없었다. 그런 성공은 극소수의 작가들에게나 해당하는 일이었으므로 내게 그런 일이 일어날 수 있다고는 처음부터 생각하지 않았다.

이 시리즈에 내 이름이 실리면 앞서 출간된 내 책들도 좀 더 팔릴 수 있을 것이고 향후에 출간될 책들도 더 많은 관심을 받게 되리라는 생각도 들었다. 하지만 베러티는 작가로서 최고의 인기를 누리고 있으며, 내가 떠맡게 된 이 시리즈도 지금까지 많은 관심을 받아 왔다. 그 작품에 나의 실명을 얹는 것은 내가 평생 두려워서 피해 온 대중의 관심 속으로 나 자신을 밀어 넣는 일이다.

내가 원하는 건 인기가 아니라 실질적인 노동의 대가인데.

하지만 돈을 받게 되기까지는 아직 한참을 기다려야 한다. 수중에 남았던 돈은 이 차를 빌리고, 창고를 임대해서 짐을 옮기고, 새로 이사 갈 아파트의 보증금을 지급하느라 거의 다 썼다. 하지만 새 아파트에는 다음 주, 또는 그다음 주는 되어야 입주할 수 있다. 크로퍼드 부부의 집에서 나오면, 나는 남은 돈을 몽땅 털어서 호텔로 가야 한다.

이게 나의 현실이다. 마지막 남은 가족을 잃은 지 일주일 반 만에 집 없는 신세가 되었다. 여기서 더 나빠질 게 있을까? 하기는, 언제라도 아모스 같은 남자와 결혼하는 불상사가 생길 수도 있겠지. 인생이란 언제든 더 깊은 나락으로 떨어질 수 있는 법이니까.

'이게 무슨 바보 같은 생각이니, 로웬.' 내가 지금 쥐고 있는 기회를 얻기 위해 생사를 걸고 매달릴 작가들이 얼마든지 있어. 그런데도 여전히 신세 한탄이나 하고 있다니.

감사할 줄 모르는 인간.

이제 어머니의 방식으로 내 삶을 바라보는 일은 그만하잔 말이다. 이 시리즈만 성공적으로 마치고 나면 모든 것이 나아질 테니까. 더 이상 아파트를 옮겨 다니며 전전하지 않아도 되는 거야.

조금 전 이미 크로퍼드 저택으로 가는 길로 들어섰다. 내비게이션이 이끄는 대로 양옆에 산딸나무가 늘어선 길고 구불구불한 길을 따라 들어가니 집들이 점점 커지고 집과 집 사이의 간격이 넓어졌다.

마침내 크로퍼드 저택의 진입로에 이르렀다. 나는 렌터카를 잠시 세우고 끝이 보이지 않는 진입로를 감상했다. 진입로의 입구 양쪽에 두 개의 높은 벽돌 기둥이 서 있었다. 나는 목을 길게 빼고 진입로의 길이를 가늠해 보았지만 짙은 아스팔트가 깔린 진입로는 나무들 사이로 구불구불 이어져 있었다. 저 길 너머 어딘가에 집이 있을 것이고, 그 집 어딘가에 베러티 크로퍼드가 누워있겠지. 그녀는 내가 오는 걸 알고 있을까? 손바닥에 땀이 나기 시작했다. 핸들에서 손을 떼어 환풍구 앞에 대고 말렸다.

보안 문이 열렸다. 나는 다시 차를 몰고 육중한 대문을 통과했다. 철제 대문의 윗부분이 거미줄 형태의 문양을 이루고 있는 것을 보면서 나는 겁먹지 말자고 다짐했다. 곡선으로 이어지는 길을 지나는데 온몸에 전율이 느껴졌다. 나무들이 점점 더 크고 울창해지다가 드디어 집이 보였다. 경사진 진입로를 올라가니 성난 먹구름처럼 짙푸른 회색 지붕이 먼저 눈에 들어오고 잠시 후 집 전체가 모습을 드러냈다. 나는 헉하고 숨을 들이마셨다. 집의 전면은 짙은 색의 벽돌로 마감되어 있었으며 중간에 피 색깔처럼 빨간색 문이 하나 있었다. 온통 회색 톤의 저택에 유일한 유채색이었다. 왼편의 벽은 담쟁이덩굴이 무성하게 덮고 있었는데 싱그럽고 아름답다기보다는 위협적으로 보였다. 마치 사람의 몸을 서서히 잠식해가는 암세포 같다고 할까.

내가 떠나온 아파트를 떠올려보았다. 칙칙한 벽들과 좁은 주방. 거기 놓여 있는 1970년대에 나온 올리브색 냉장고. 그 공간 전체가 이 거대한 저택의 현관에 들어갈 수도 있을 것 같았다. 어머니는 집에도 영혼이 있다는 말을 자주 했는데 정말 그렇다면 베러티 크로퍼드 저택의 영혼은 그 외관만큼이나 어두울 것 같았다.

온라인에 올라와 있는 사진들은 이 저택의 실제보다 훨씬 못하다는 걸 알 수 있었다. 이곳에 오기 전에 인터넷으로 집에 대해 알아보았다. 부동산 업체의 웹사이트에 나와 있는 정보에 의하면 크로퍼드 부부는 이 집을 5년 전에 2백50만 달러에 샀다고 한다. 현재 시가는 3백만 달러.

보는 사람을 압도하는 듯한 거대한 저택은 외부로부터 충분히 떨어진 한적한 공간에 여유롭게 자리 잡고 있었는데, 이 정도 수준의 저택들에서 느낄 수 있는 일반적인 분위기와는 뭔가 달랐다. 우월함이나 당당함 같은 것이 서려 있지 않다고 할까.

나는 어디쯤 주차를 해야 할지 망설이면서 진입로를 따라 계속 차를 몰았다. 진입로 너머로는 손질이 잘 된 짙푸른 잔디가 깔려 있었는데 그 넓이가 3에이커는 족히 될 것 같았다. 집 뒤편엔 호수가 집의 한쪽 끝에서 반대편 끝까지 펼쳐져 있었고, 그 뒤로는 녹음이 짙은 산들이 그림처럼 아름다운 배경을 이루고 있었다. 이런 집에 사는 사람들이 그런 끔찍한 비극을 겪었다는 게 믿어지지 않았다.

다행히 차고 옆에 콘크리트로 포장된 주차 공간을 찾을 수 있었다. 나는 비로소 안도의 숨을 쉬며 주차를 한 다음 시동을 껐다.

내가 타고 온 자동차는 이 집에 전혀 어울리지 않았다. 싼 차를 빌린 것이 몹시 후회되었다. 하루에 30달러. 베러티는 이렇게 작은 경차를 타본 적이 있을까? 인터넷 기사에 의하면 사고가 날 당시 그녀가 타고 있던 차는 레인지로버라고 했다.

보조석에 팔을 뻗어 휴대전화를 집어 들고 코리에게 도착했음을 알리는 문자를 보냈다. 등이 뻣뻣해져서 손을 위로 올리고 힘껏 기지개를 켰다. 그리고 나서 문을 열려고 창문을 향해 고개를 돌렸다.

"쌍"

'염병, 빌어먹을, 누구야?'

가슴을 쓸어내리면서 창밖에서 나를 들여다보고 있는 얼굴을 마주 보았다. 상대가 어린아이라는 사실을 깨닫자 나도 모르게 손으로 입을 막았다. 방금 전에 내뱉었던 상스러운 단어를 아이가 처음 들어본 것이 아니길 바라면서…… 아이는 웃지도 않고 나를 빤히 바라보기만 했다. 그러자 더욱 소름이 끼치면서 이 아이가 나를 놀라게 하려고 일부러 이러는 건가 하는 생각이 들었다.

아이는 제러미를 축소해 놓은 듯 그를 쏙 빼닮았다. 그의 입과 그의 초록빛 눈동자. 그동안 인터넷 검색을 하면서 읽어본 기사들 중에 베러티와 제러미가 세 자녀를 두었다는 내용이 있었는데 이 아이가 세 번째인가 보다.

내가 차 문을 열자 아이는 한 발 뒤로 물러섰다.

"안녕." 아이는 아무 반응도 보이지 않았다. "여기 사니?"

"네."

그의 뒤로 우뚝 서 있는 저택을 바라보면서 이런 집에서 어린 시절을 보낸다는 건 어떤 느낌일까 상상해 보았다. "좋겠다."

"예전엔 좋았어요." 아이는 이렇게 말하고는 돌아서서 현관을 향해 걷기 시작했다. 그 아이가 가엾다는 생각이 들었다. 내가 그동안 이 집 사람들이 겪은 슬픔을 제대로 헤아리지 못한 것 같았다. 다섯 살 정도밖에 되지 않았을 이 어린아이는 누나 둘을 모두 잃은 것 아닌가. 그런 슬픔을 겪은 그의 어머니는 어떤 상태였을까? 제러미가 받은 충격은 어느 정도 이미 알고 있지만 말이다.

짐 가방은 나중에 옮기기로 하고 일단 차 문을 닫고 아이를 따라갔다. 아이는 나 보다 두 발짝 정도 앞서서 현관문을 열고 안으로 들어갔다. 그러고는 내 면전에서 문을 닫았다.

나는 이 아이가 장난을 치는 건가 싶어서 잠시 기다렸다. 하지만 현관문에 달린 반투명 유리를 통해 어른거리는 모습으로 봐서는 다시 돌아와 문을 열어줄 것 같지는 않았다.

못돼먹은 녀석이라고 욕을 해주고 싶지는 않았다. 어린아이고 큰 슬픔을 겪었으니까. 그렇지만 버릇없는 녀석 같기는 했다.

초인종을 누르고 기다렸다.

조금 더 오래 기다렸다.

그리고 조금 더.

초인종을 다시 한번 눌렀다. 그래도 아무도 나오지 않았다. 제러미가 보낸 이메일에 그의 연락처가 적혀 있었으므로 나는 그의 전화빈

호를 찾아 문자를 보냈다. '로웬이에요. 지금 현관에 와 있어요.'

문자를 보내고 조금 더 기다렸다.

잠시 후 계단을 내려오는 발소리가 들렸다. 반투명 유리를 통해 제러미의 그림자가 보이고, 현관으로 다가오는 동안 그림자는 점점 커졌다. 그리고 문을 열기 전, 잠시 멈춰 서서 심호흡을 하는 것 같았다. 왜 그러지? 나만 긴장하고 있는 건 아닌 것 같다는 생각이 들었다.

그도 긴장하고 있는 것 같다고 생각하자 갑자기 마음이 편안해졌다. 그런 내 마음을 나도 이해할 수 없었다.

제러미가 문을 열었다. 며칠 전에 만났던 사람임은 틀림없으나 전혀 다른 사람처럼 보였다. 정장에 넥타이를 매지 않아서인지 신비감이라는 게 전혀 느껴지지 않았다. 운동복 바지와 파란색 바나나피쉬 캐릭터가 그려진 티셔츠 차림에 양말을 신고 있었다. "어서 오시오."

이런 순간에 가슴이 설레는 나 자신이 민망해서 애써 무심한 척 그를 향해 미소를 지어 보였다. "안녕하세요."

제러미는 잠시 나를 바라보다가 옆으로 비켜서며 문을 좀 더 열었다. 그리고 나를 향해 들어오라는 손짓을 했다. "기다리게 해서 미안하오. 이 층에 있느라고. 크루에게 문을 열어주라고 했는데 못 들은 모양이오."

나는 현관으로 들어섰다.

"짐 가방이 있소?" 제러미가 물었다.

나는 그를 보며 말했다. "네. 뒷좌석에 있어요. 내가 나중에 들여오면 돼요."

"차 문은 열려 있소?" 나는 고개를 끄덕였다.

"내가 금방 가져오겠소." 그는 신발을 신고 밖으로 나갔다. 나는 서 있는 자리에서 천천히 집 안을 둘러보았다. 온라인에서 본 것과 많이 다르지 않았다. 부동산 업체의 웹사이트에서 이미 모든 방의 사진을 보고 와서 그런지 기분이 이상했다. 방금 현관에 발을 들여놓았을 뿐 인데 내부를 잘 알고 있는 듯한 느낌이 들었다.

현관에서 오른쪽으로 가면 주방이고, 왼쪽으로 가면 거실이다. 그 사이에 이 층으로 올라가는 계단이 있다. 사진에 소개된 주방에는 짙은 체리 나무 캐비닛이 설치되어 있었는데, 그 후로 개조를 해서 캐비닛을 떼어버리고 간단한 선반을 설치했으며, 조리대 위에 밝은 색 나무로 된 캐비닛이 두 개 정도 설치되어 있었다.

오븐이 두 개나 있었으며 냉장고 문은 유리로 되어있었다. 몇 피트 떨어진 거리에서 냉장고를 바라보고 있는데 꼬마 녀석이 계단을 통통거리며 내려왔다. 그러고는 나를 지나쳐 냉장고로 달려가더니 닥터 페퍼 병을 꺼냈다. 병뚜껑을 열려고 낑낑거리는 걸 바라보다가 내가 물었다.

"내가 열어줄까?"

"네, 열어주세요." 꼬마 녀석이 초록색 눈을 동그랗게 뜨고 나를 올려다보았다. 이 어린아이를 나쁘게 생각했다니 말도 안 돼. 이렇게 착하고 순한 음성에 작은 손을 가진 아이를. 아직 음료수병도 따지 못하는 어린아이인데. 나는 병을 받아서 마개를 열었다. 크루에게 음료수병을 건네주는데 현관문이 열렸다.

제러미가 눈을 가늘게 뜨고 크루를 보며 말했다. "탄산음료는 안 된다고 말했을 텐데." 제러미는 내 가방을 벽에 기대놓고 크루에게 다가가 음료수병을 빼앗았다. "가서 샤워할 준비 해. 아빠도 곧 갈 테니."

크루는 고개를 뒤로 젖혀 한 바퀴 빙 돌리더니 타박타박 계단을 올라갔다.

제러미가 눈썹을 치켜올리며 말했다. "저 녀석 믿지 말아요. 우리 둘의 머리를 합친 것보다 영리하니까." 그러더니 음료수병을 냉장고에 넣기 전에 한 모금 마시고는 물었다. "뭐 좀 마시겠소?"

"아니, 괜찮아요."

제러미는 내 짐 가방을 들고 복도를 걸어가며 말했다. "이상하게 생각할지 모르겠는데, 당신이 마스터 베드룸을 사용하게 될 거요. 우리는 요즘 모두 이 층 침실을 사용하고 있어요. 마스터 베드룸이 아내의 서재에서 가까워서 당신이 편리할 것 같기도 하고."

"제가 이곳에서 지낼지는 아직 정하지 못했어요." 내가 그를 따라 걸으며 말했다. 이곳에 온 후로 줄곧 왠지 음산한 기운이 느껴졌기 때문에 나는 필요한 것들만 챙겨서 호텔로 가는 게 나을 것 같다고 생각하던 중이었다. "베러티의 서재를 둘러보며 상황을 파악하려고요."

제러미가 침실 문을 열면서 큰 소리로 웃었다. "내 말이 맞을 거요. 적어도 이틀은 걸릴 테니까. 아니면 더 오래 걸리거나." 제러미는 침대 발치에 가방을 놓고 벽장을 열어 빈 공간을 가리켰다. "혹시 걸어야 하는 옷이 있을지 몰라 공간을 좀 만들어 놓았소." 그러고는 욕실을 가리키며 말했다. "욕실은 혼자 사용하면 될 거요. 세면도구가 있는지 모르겠네. 필요한 게 있으면 말해줘요. 뭐든 집에 다 있을 테니까."

"고마워요." 방 안을 둘러보면서도 이상한 느낌은 가시지 않았다. 더구나 그들 부부가 쓰던 침대에서 자야 한다니. 나도 모르게 침대 헤드보드로 눈길이 갔다. 그중에도 상단 중앙에 남겨진 이빨 자국 같은 것에 특히 신경이 쓰였다. 내가 그것을 보고 있는 걸 제러미가 눈치채지 않도록 얼른 시선을 돌렸다. 만약 그가 내 얼굴을 보았다면 두 사람 중 누가 섹스 중에 터져 나오려는 신음을 죽이기 위해 헤드보드를 물어야 했는지 궁금해하는 내 표정을 알아챘을 것이다. 나도 그렇게 강렬한 섹스를 한 적이 있었던가?

"방에서 혼자 잠시 시간을 보내는 게 좋겠소? 아니면 바로 다른 공간들을 둘러보는 게 좋겠소?" 제러미가 물었다.

"집을 둘러보고 싶어요." 내가 대답하자 제러미는 복도로 나갔다. 나는 그를 따라 복도로 나가려다 멈춰 서서 방문을 보며 물었다. "이 문은 잠글 수 있나요?"

제러미는 다시 방 안으로 들어서서 문의 손잡이를 내려다보며 말했다. "모르겠네. 잠가 본 적이 없어서." 그러더니 손잡이를 잡고 몇 번 흔들어 보았다. "필요하다면 열쇠를 찾아보겠소."

나는 열 살 이후로 방문을 잠그지 않고 자 본 적이 없었다. 반드시 열쇠를 찾아달라고 말하고 싶었지만, 이미 너무 많은 폐를 끼치고 있는 듯한 기분이 들어서 차마 그것까지 요구할 수가 없었다.

"아니요. 괜찮을 것 같아요."

제러미는 손잡이를 놓고 복도로 다시 나가려다가 물었다. "이 층에 올라가기 전에 한 가지 묻고 싶은 게 있는데, 이번 시리즈를 쓸 때 사용할 필명을 정했소?"

팬템 출판사가 제러미의 제안에 동의했다는 소식을 들은 후로 아직 필명에 대해서는 생각해 보지 않았다.

나는 어깨를 한 번 들썩여 보이고는 말했다. "아직 생각해 보지 않았어요."

"당신이 이번 시리즈에 관여했다는 사실을 세상에 알리고 싶지 않을 경우, 베러티를 돌보는 간호사에게 당신을 필명으로 소개할까 하는데."

베러티의 부상 정도가 전임 간호사를 필요로 할 정도로 심각하단 말인가?

"좋아요. 그렇다면⋯⋯." 얼른 떠오르는 이름이 없었다.

"어렸을 때 살았던 거리 이름이 뭐요?" 제러미가 물었다.

"로라 레인."

"처음 키웠던 반려동물의 이름은?"

"체이스. 요크셔테리어였어요."

"로라 체이스." 제러미가 말했다. "좋은 것 같은데."

나는 고개를 갸우뚱해 보였다. 그건 페이스북에서 흔히 사용되는 수법 아닌가.

"그건 좋아하는 포르노 배우의 별명을 지을 때 쓰는 방식이지 않아요?"

제러미가 웃었다. "필명, 포르노 배우 이름, 두루 쓰이지." 그러더니 나를 향해 따라오라는 시늉을 했다. "베러티를 먼저 만납시다. 그다음에 그녀의 서재로 안내하겠소."

제러미는 한 번에 두 계단씩 올라갔다. 주방을 지나고 나니 새로 설치한 듯한 휠체어용 승강기가 나타났다. 베러티가 휠체어를 사용하는가 보다. 세상에, 얼마나 답답할까.

제러미는 계단 위까지 가더니 내가 올라올 때까지 기다렸다. 이 층 복도는 양 갈래로 나뉘어 있었고, 한쪽에는 방문이 세 개, 다른 한쪽에는 방문이 두 개 있었다. 그는 왼쪽 복도로 들어섰다.

"여긴 크루의 방이오." 제러미가 먼저 나오는 방문을 가리키며 말했다. "나는 이 방을 쓰고 있소." 크루의 옆방을 가리키며 말했다.

방 두 개를 마주 보고 반대편에 또 하나의 방이 있었다. 제러미는 닫혀 있는 방문을 가만히 노크하고는 문을 열었다.

그 순간 내가 어떤 장면을 기대하고 있었는지는 모르겠다. 하지만 분명 이건 아니었다.

베러티는 침대에 똑바로 누워있었다. 시선은 천장에 고정시키고 베개 위에 금발을 늘어뜨린 채. 침대 발치에서는 파란 수술복을 입은 간호사가 베러티의 발에 양말을 신기고 있었으며, 크루는 베러티의 침대에 나란히 누워 아이패드를 들여다보고 있었다. 베러티의 눈빛은 텅 비어 있었다. 주변의 상황을 전혀 의식하지 못하는 것 같았다.

간호사도, 나도 알아보지 못했다. 물론 크루도, 제러미도. 제러미가 몸을 굽혀 베러티의 이마에 흘러내린 머리칼을 쓸어 넘겨주었다. 베러티는 눈을 깜박거렸을 뿐, 그 외의 반응은 보이지 않았다. 함께 자식을 셋이나 낳은 남편의 손길이 닿고 있음을 전혀 알아차리지 못하다니. 나는 팔에 소름이 돋는 것을 애써 감춰야 했다.

간호사가 제러미를 보며 말했다. "베러티가 오늘은 좀 피곤한 것 같아요. 일찍 잠자리에 들게 하는 게 좋겠습니다." 간호사는 베러티의 담요를 좀 더 높이까지 끌어올려 덮어주었다.

제러미는 창문으로 다가가 커튼을 닫았다. "저녁 식사 후 약은 먹었소?"

간호사는 베러티의 발을 들고 밑으로 담요를 끼워 넣으며 대답했다. "네. 자정에 한 번 더 먹으면 됩니다."

간호사는 제러미보다 나이가 많은, 50대 중반 정도로 보였다. 붉은 머리를 짧게 자른 간호사가 나를 힐끗 보더니 니를 소개하기를 기다리는 듯 제러미를 바라보았다.

제러미는 내가 있다는 사실을 잠시 잊어버렸다는 듯 고개를 흔들었다. 그러더니 나를 가리키며 간호사를 향해 말했다. "이분은 로라 체이스요. 내가 말했던 작가. 로라, 이분은 베러티의 간호사인 에이프릴이오."

나는 에이프릴과 악수를 나눴다. 그러는 동안 그녀의 눈이 나를 아래위로 훑었다. "좀 더 연세가 있는 분일 줄 알았어요."

이럴 땐 어떤 대답을 해야 하지? 나를 훑어보는 눈길과 함께 던져진 이 한 마디가 못마땅함을 표하는 듯 들리기도 했다. 나는 간호사의 말에 응대하는 대신 미소를 지어 보였다. "만나서 반가워요, 에이프릴."

"나도 반가워요." 간호사는 이렇게 말하고는 서랍 위에 놓인 가방을 집어 들더니 제러미를 향해 돌아섰다. "아침에 뵙죠. 오늘 밤엔 별일 없을 거예요." 간호사는 이렇게 말하고는 침대 위로 몸을 굽혀 크루의 허벅지를 살짝 꼬집었다. 크루가 키득거리며 몸을 피했다. 나는 에이프릴이 나갈 수 있도록 옆으로 비켜섰다.

침대를 힐끗 보았다. 베러티의 눈은 여전히 열려 있었으나 아무것도 보고 있지는 않았다. 간호사가 방금 방에서 나갔다는 사실도 모르고 있는 것 같았다. 의식이 있기는 한 걸까? 크루가 가엾다는 생각이 들었다. 그리고 제러미도. 베러티도.

이런 집에서 지내는 것이 좋을지 확신이 서지 않았다. 제러미가 이런 삶에 얽매여 있다는 사실이…… 너무도 암울했다. 이 집과 여기 사는 사람들이 겪은 비극, 그리고 현재 그들이 안고 있는 시련.

"크루, 아빠 화나게 하지 마. 샤워하라고 말했지."

크루는 제러미를 올려다보며 미소를 지었지만, 침대에서 일어나지는 않았다.

"셋까지만 셀 거야."

크루는 아이패드를 손에서 내려놓았으나 여전히 제러미와 대치하고 있었다.

"셋…… 둘……" 그리고 하나를 세는 것과 동시에 제러미는 크루에게 달려들더니 크루의 발목을 잡고 공중으로 들어 올렸다. "좋아, 오늘 밤은 공중에 거꾸로 매달기다!"

크루가 깔깔거리며 몸을 틀었다. "이제 그만! 싫어!"

제러미가 나를 보며 말했다. "로라, 얼마나 오래 거꾸로 매달려 있으면 뇌가 뒤집혀서 말을 거꾸로 하게 되는 거죠?"

나는 부자의 장난치는 모습에 절로 웃음이 지어졌다. "20초라고 들었어요. 하지만 15초 만에 그렇게 될 수도 있죠."

크루가 소리쳤다. "아니야, 아빠. 가서 샤워할게! 뇌가 뒤집히는 건 싫어!"

"그럼 귀도 씻을 거야? 아까 내가 샤워하라고 했을 때 내 말을 잘 못 듣는 것 같았거든."

"씻을 거야!"

제러미는 공중에서 크루의 몸을 돌려 발을 침대에 딛게 하고 내려놓았다. 그런 다음 크루의 머리를 거칠게 쓰다듬으며 말했다. "어서 가."

크루가 방을 나가 복도 건너편에 있는 욕실로 들어가는 모습을 바라보았다. 제러미가 크루와 장난치는 모습을 보니 조금은 사람을 받아들이는 온기가 느껴졌다. "귀엽네요. 몇 살이죠?"

"다섯 살이오." 제러미는 이렇게 말하면서 베러티가 누워있는 병원용 침대 옆으로 팔을 뻗어 침대 상부를 약간 들어 올려 베러티가 비스듬히 앉을 수 있도록 했다. 그러더니 침대 옆 탁자에서 리모컨을 집어 TV를 켰다.

우리는 베러티의 방에서 나와 문을 닫았다. 복도 중간에 선 채 그가 나를 마주 보았다. 그러더니 회색 운동복 바지 주머니에 손을 넣었다. 뭔가를 좀 더 설명하려는 듯 보였으나 말은 하지 않고, 베러티의 방을 돌아보며 깊은 숨을 내쉬었다.

"크루가 혼자 자는 걸 무서워해서 말이오. 씩씩한 아이긴 한데 밤에는 아직 겁을 내는 것 같소. 제 엄마 옆에 있고 싶어 하는데 아래층에서 자는 건 싫어해서 할 수 없이 베러티와 내가 이 층으로 옮겨 온 것이오." 제러미는 다시 복도를 따라 걷기 시작했다. "그래서 밤 동안에는 아래층에 당신 혼자뿐일 거요." 그러더니 복도에 불을 밝히며 물었다. "베러티의 서재를 보겠소?"

"좋아요."

다시 그를 따라 아래층으로 내려왔다. 계단을 내려오니 바로 근처에 두 짝 문이 달린 방이 있었다. 제러미가 한쪽 문을 밀었다. 그러자 베러티의 가장 사적인 공간이 눈앞에 펼쳐졌다.

그녀의 서재.

서재에 들어서니 마치 베러티의 속옷 서랍을 뒤지는 느낌이 들었다. 바닥부터 천장까지 닿는 책장에는 칸마다 책들이 가득했고, 벽을 따라 즐비하게 늘어선 상자들에는 인쇄한 종이들이 가득 담겨 있었다. 그리고 책상…… 맙소사. 베러티의 책상은 방의 한쪽 벽에서 시작해 반대편 벽의 거의 끝까지 닿아 있었으며, 책상이 면하고 있는 벽에 나 있는 커다란 창문으로는 뒤뜰의 전경이 내다보였다. 책상 위에는 일 인치의 여백도 없이 종이와 파일들이 쌓여 있었다.

"아내가 워낙 정리하는 데는 소질이 없소." 제러미가 말했다.

나와의 닮은 점을 발견한 것 같아 나도 모르게 미소가 지어졌다. "작가들이 대부분 그런 편이죠."

"시간이 걸릴 거요. 내가 할 수 있었으면 좋았겠지만, 내게는 모두 그리스어만큼이나 낯선 것들이어서 말이오."

나는 가까운 책장으로 다가가 손으로 책 몇 권을 만져보았다. 외국에서 출간된 베러티의 소설들이었다. 그중에 독일어로 된 번역본을 꺼내 펼쳐보았다.

"랩톱과 데스크톱을 함께 사용하고 있소." 제러미가 말했다. "당신이 볼 수 있도록 포스트잇 메모지에 비밀번호들을 적어놓았소." 제러미는 베러티의 컴퓨터 옆에 있는 노트를 집어 들었다. "베러티는 늘 메모를 했소. 생각들을 적어두는 거지. 갑자기 생각이 떠오르면 냅킨에 적어두기도 하고. 샤워 중에 메모해야 할 때는 방수 노트패드를 이용했지." 제러미는 노트를 책상 위에 내려놓고 말을 이었다. "한 번은 유성 펜으로 크루의 기저귀에 소설 속 등장인물의 이름을 적은 적도 있었소. 동물원에 갔을 땐데 메모지를 가지고 있지 않았거든."

제러미는 오랜만에 들어와 보는 듯, 서 있는 자리에서 천천히 돌면서 서재를 둘러보았다. "어디든 공간만 있으면 메모를 해놓곤 했으니까. 메모할 수 없는 공간은 없었지."

제러미가 베러티의 창의적인 작업 과정을 존중해 주는 모습을 보니 마음이 훈훈해졌다. 나는 지금 이 상황을 담아두려는 듯 방안을 둘러보며 말했다. "여기 오기 전까지는 내가 어떤 상황 속으로 들어가는 건지 전혀 알지 못했어요."

"당신이 이 집에서 밤을 지낼 필요까지는 없을 거라고 말했을 때 실례인 줄 알면서도 웃을 수밖에 없었소. 최소한 이틀 이상은 걸릴 거요. 하지만 얼마가 걸리든 마음 편히 지내도 좋소. 일을 완전히 파악하기 전에 성급히 뉴욕으로 돌아가기보다는 시간을 갖고 천천히 필요한 자료들을 정리하는 게 더 나을 것 같다는 생각이오."

내가 이어가야 할 시리즈도 책장에 꽂혀 있었다. 총 9권으로 기획된 소설이었다. 그중 6권이 출간되었고, 이제 3권이 더 나와야 한다. 시리즈의 제목은 《고귀한 미덕》이었으며 권마다 각기 다른 미덕을 주제로 삼고 있다. 내가 써야 할 세 가지 덕목은 용기, 진실, 명예였다.

지금까지 출간된 여섯 권의 책들이 각각 몇 권씩 꽂혀 있었다. 그중에서 두 번째 책을 뽑아 훑어보았다.

"이 시리즈를 읽어보았소?" 제러미가 물었다.

나는 고개를 저었다. 오디오북을 들었지만 굳이 말하고 싶지 않았다. 그러면 작품에 대해 물어볼 테니까. "아직 읽어보지 못했어요. 계약서에 서명하고 여기 오기까지 시간이 별로 없었거든요." 나는 책을 다시 책장에 꽂으며 물었다. "이 중에서 가장 좋아하는 건 몇 번째죠?"

"나도 읽어보지 않았소. 하나도. 첫 작품부터 말이오."

나는 돌아서서 그를 보았다. "정말이에요?"

"아내의 머릿속에 들어가고 싶지 않아서 말이오."

웃음이 나오려는 걸 애써 참았다. 그건 코리가 할 법한 말인데. 아내가 만들어낸 세계와 그녀가 사는 세계를 분리해서 생각할 수 없어서였겠지. 하지만 제러미는 코리에 비해 자신의 그런 면을 정확하게 인지하고 있는 것 같다.

다시 한번 방 안을 둘러보는데 조금 압도되는 기분이 들었다. 하지만 압도되는 이유가 제러미라는 사람 때문인지, 내가 이제부터 헤쳐나가야 하는 방 안의 대혼란 때문인지는 알 수 없었다. "어디서부터 시작해야 할지 모르겠네요."

"그럴 거요. 충분한 시간을 갖고 해 보시오." 제러미가 서재 문을 가리키며 말했다. "나는 크루에게 가봐야 할 것 같소. 집처럼 편안하게 생각해 주시오. 음식이든, 마실 거든, 뭐든 편하게."

"고마워요."

제러미가 나가고 나는 베러티의 책상에 앉았다. 책상 의자 하나만 해도 내 아파트 한 달 임대료보다 비쌀 것 같았다. 내가 꿈꾸던 창작 환경을 갖출 수 있는 돈이 있는 사람은 글을 쓰는 게 더 쉬울까 생각해 보았다. 편안한 가구, 전문 안마사를 집으로 부를 수도 있는 돈, 여러 개의 컴퓨터. 그러면 글을 쓰는 일이 훨씬 더 쉽고, 스트레스도 적을 것 같았다. 나는 키보드 자판이 몇 개나 빠진 랩톱으로 글을 쓰고, 이웃 중에 비밀번호 설정을 하지 않은 사람이 있어야 와이파이를 쓸 수 있는데 말이다. 아마존에서 25달러에 산 접이식 플라스틱 탁자에 낡은 식탁 의자가 나의 작업 공간이다.

프린터 잉크나 인쇄용 종이를 살 돈이 없을 때도 허다하다.

베러티의 서재에서 며칠 작업을 해 보면, 돈이 많을수록 더 창의적인 글을 쓸 수 있다는 내 지론이 맞는지 틀리는지 알 수 있을 것 같다.

책장에서 시리즈의 제2권을 꺼내 펼쳤다. 대충 훑어만 볼 생각이었다. 1권이 끝나고 2권으로 어떻게 이어지는지 보고 싶었다.

그런데 세 시간을 내리읽고 말았다.

앉은 자리에서 움직이지도 않았다. 한 챕터씩 끝날 때마다 스토리를 이끌어 가는 음모와 정신병자 같은 인물들. 어쩜 그렇게 철저하게 병적일 수가 있을까. 그들의 정신세계를 이해하는 데만도 많은 시간을 할애해야 할 것 같았다. 제러미가 아내의 작품을 읽지 않는 이유를 알 것 같았다. 책들은 모두 악당의 관점에서 쓰였다. 그 역시 내겐 새로웠다. 여기 오기 전에 모두 읽었어야 했다는 생각이 들었다.

허리를 펴기 위해 일어섰다. 웬일로 허리가 아프지 않았다. 의자가 너무 편해서 엉덩이가 눌리지도 않았던가 보다.

컴퓨터에 저장된 파일들을 살펴봐야 할까 생각하면서 방 안을 다시 한번 둘러보았다.

데스크톱을 먼저 살펴보기로 했다. 베러티가 주로 사용한 것으로 보이는 마이크로소프트 워드에 저장된 파일들 중 몇 개를 읽어보았다. 대부분의 파일들이 이미 쓴 책들에 관계된 것이었다. 그것들은 나중에 살펴봐도 될 것 같았다. 앞으로 써야 할 책들에 대한 계획 같은 것을 적어 놓았는지 궁금했다. 랩톱에 있는 파일들은 대체로 데스크톱에 있는 파일들과 동일한 것들이었다.

작품 개요를 손으로 적어 놓는 작가들이 있는데, 어쩌면 베러티도 그런 스타일일지 모른다는 생각이 들었다. 나는 벽장 근처 벽을 따라 놓여 있는 상자들을 살펴보기로 했다. 상자에 담긴 종이들 위에는 얇은 층의 먼지가 쌓여 있었다. 상자 몇 개에 담긴 초고들을 훑어보았다. 하나의 이야기를 여러 단계에 걸쳐 수정한 것들이었는데 모두 이미 출간된 책들의 초고였다. 앞으로 출간되어야 할 책들에 대한 기안이나 아이디어를 엿볼 수 있는 흔적은 전혀 없었다.

여섯 번째 상자를 뒤지던 중에 낯선 제목의 초고가 눈에 띄었다.

'그대로 이루어지기를'

　이것이 7권의 개요이기를 바라며 처음 몇 페이지를 대충 훑어보았다. 하지만 곧 그런 행운은 일어나지 않았다는 걸 알 수 있었다. 작품의 초고라기보다는 개인적인 기록 같았다. 나는 다시 첫 장으로 돌아가 첫 줄부터 읽기 시작했다.

　　가끔 제러미를 처음 만나던 날 밤을 떠올리곤 한다. 그날 서로의 눈빛이 마주치지 않았다면 지금 나의 삶이 달라졌을까?

　제러미의 이름을 보자 나는 조금 더 읽어볼 수밖에 없었다. 자서전이었다.

　내가 찾는 것과는 전혀 상관없는 글이었다. 출판사가 내게 돈을 줘가면서 기대하는 건 자서전이 아니었으니까. 그러니 계속해서 원고 더미를 뒤져야 했다. 그런데도 나는 호기심을 내려놓을 수 없었고, 어깨 너머로 방문을 돌아보며 닫혀 있는지 확인했다. 어떤 면에서는 이 글을 읽는 것도 작업 준비 과정의 하나라고 할 수 있지 않을까. 베러티의 마음을 이해하면 그녀가 작가로서 어떠한 글을 쓰려고 했는지 파악하는 데 도움이 될 테니까 말이다. 그래도 이건 여전히 내 호기심에 대한 변명일 뿐이지만……

　나는 원고를 들고 소파로 가서 편안하게 자리를 잡고 읽기 시작했다.

그대로 이루어지기를

지은이: 베러티 크로퍼드

작가 노트 :

자서전을 쓰는데 가장 꺼려지는 점은 문장 하나를 쓸 때마다 각색하고 싶은 유혹이 따라붙는다는 사실이다. 자신의 영혼과 작품 사이에 켜켜이 들어서 있는 보호막을 철저하게 걷어낼 생각이 아니라면 자기 이야기를 쓰겠다는 생각 따위는 하지 말아야 한다. 한 마디 한 마디가 심중에 담겨 있는 것이어야 하며, 뼈와 살을 뚫고 자유롭게 솟아나야 한다. 흉측하지만 정직하게, 피를 토하듯, 두려움이 일어도 온전히 드러내야 한다. 작자에 대한 독자의 호감을 끌어내려는 자서전은 자서전이 아니다. 영혼의 민낯을 낱낱이 드러내 보이고도 사랑받을 수 있는 사람은 없다. 결국 독자는 작자에 대한 불편한 거부감을 안고 멀어지게 된다.

하지만 나는 쓸 것이다.

지금부터 당신이 읽게 될 내용은 사악하다. 때때로 너무 역겨워서 내뱉고 싶어질 수도 있다. 하지만 당신은 결국 받아들이게 될 것이며, 그것들은 당신의 일부가 될 것이다. 그리고 그것들 때문에 고통받을 것이다.

그렇지만 나의 간곡한 경고에도 불구하고, 당신은 내가 써 내려가는 한 마디 한 마디를 반추하며 읽어갈 것이다. 왜일까.

당신은 인간이고,

인간은 호기심의 동물이니까.

그러니 그렇게 살 밖에.

그대로 이루어지기를
1장

"좋아하는 일을 찾아 죽을 만큼 빠져보라"
_ 찰스 부코스키

　가끔 제러미를 처음 만나던 날 밤을 떠올리곤 한다. 그날 서로의 눈빛이 마주치지 않았다면 지금 나의 삶이 달라졌을까? 나의 운명은 처음부터 이렇게 비극적인 결말을 준비하고 있었던 걸까? 아니면 운명이 아니라 잘못된 선택의 결과였을까?

　아직 비극적 결말은 오지 않았다. 어쩜 나는 그러한 결과가 어디에서 연유했는지 끝까지 알아내지 못할지도 모른다. 그런데도 끝은 다가오고 있다. 채스틴의 죽음을 감지했듯이, 나는 그것이 다가오는 것을 느낀다. 그리고 채스틴의 운명을 받아들였듯이, 나는 나의 운명을 받아들일 것이다.

　제러미를 만나기 전까지 내가 방황하고 있었던 것은 아니지만, 그날 나와 정 반대편에 앉아 있던 제러미의 시선이 나에게 와 닿는 순간 내 삶의 방향이 정해진 것은 분명한 사실이다.

　제러미를 만나기 전에도 연애는 했었다. 하룻밤 섹스 상대를 찾아

즐겨본 적도 있고. 하지만 누군가와 함께 하는 삶을 꿈꿔본 것은 그날이 처음이었다. 제러미를 보는 순간 우리가 함께 보낼 첫날밤이 떠올랐고, 결혼식과 신혼여행, 우리가 함께 낳을 아이들을 그려보았다.

그때까지 내가 생각하던 사랑은 홀마크 카드사의 상술 같은 것에 불과했다. 밸런타인데이 카드나 연하장 판매를 위해 부추기는 분위기 같은 것. 사랑은 나의 관심사가 아니었다. 그날 밤 내가 노렸던 것도 공짜 술, 그리고 내게 지갑을 열어 주고 함께 밤을 보낼 부자 남자였으니까. 이미 자선 행사에서 제공하는 모스크바 뮬을 석 잔이나 비웠으므로 목표 지점의 절반에는 도달한 셈이었다. 제러미 크로퍼드의 고급스러운 풍모로 볼 때 나는 그날 밤 나머지 절반 그 이상의 수확을 얻게 될 것이 거의 확실하다고 생각했다. 그는 부유해 보였고, 그날 그곳에선 자선 행사가 열리고 있었으니까. 모금 행사에서 일하는 것이 아니라면 가난한 사람들은 자선 행사에 오지 않는다.

물론 그곳에 모인 사람들이 다 그렇다는 말은 아니다. 나 같은 부류도 있을테니까.

그는 다른 몇 사람과 이야기를 나누면서 이따금 내 쪽으로 시선을 돌렸다. 나는 그의 시선이 내게 닿을 때마다 그곳에 그와 나, 단 둘뿐인 느낌이 들었다. 그는 그렇게 나를 바라보다가 미소를 지어 보이곤 했다. 당연하지. 나는 그날 메이시 백화점에서 슬쩍 집어 온 빨간색 드레스를 입고 있었으니까. 그렇다고 나를 비난하지는 말기 바란다. 나는 가난한 예술가였고, 그 드레스는 말도 안 되게 비쌌으니까. 돈이 생기면 언젠가 보상을 하리라 마음먹었다. 자선단체에 기부를 하거나 위험에 처한 아기를 구하는 등의 선행을 통해서 말이다. 속죄와 관련해 좋은 점 하나는 반드시 즉시 용서를 구할 필요는 없다는 것이다. 그

빨간 드레스는 못 본 척 지나치기에는 너무나 완벽했다.

　게다가 입은 채로 섹스를 하기에도 안성맞춤이었다. 남자들이 당신의 다리 사이를 탐하고 싶을 때 쉽게 걷어 올릴 수 있으니까. 그날 밤과 같은 행사에 입고 갈 옷을 고를 때 여자들이 흔히 하는 실수는 남자들의 관점을 고려하지 않는다는 것이다. 여자들은 가슴이 풍만해 보이거나 몸매를 받쳐 주는 옷을 좋아한다. 섹스할 때 불편할 수 있다거나 벗기기 힘들 것이라는 사실은 고려하지 않는다. 하지만 남자들이 여자의 옷을 볼 때는 엉덩이를 받쳐 주거나 허리를 잘록하게 조여 주거나, 등에 달린 화려한 지퍼나 리본 같은 것에 점수를 주지 않는다. 그보다는 얼마나 쉽게 벗길 수 있는가를 가늠한다. 테이블에 나란히 앉았을 때 손을 넣어 허벅지에 올릴 수 있는지? 차 안에서 섹스할 때 지퍼나 코르셋 같은 것들 때문에 곤욕을 치르지는 않을 것인지? 화장실 같은 데서 옷을 완전히 벗기지 않고도 섹스를 할 수 있는지?

　이 모든 질문에 내가 훔친 드레스는 예스, 예스, 당연히 '예스'였다.

　그 드레스를 입고 있는 한, 나는 그가 내게 다가오지 않고 자리를 뜨는 일은 없을 것임을 확신할 수 있었다. 나는 그에게 무관심한 태도를 취하기로 했다. 더 절실하게 나를 원하도록 만들기 위해서. 적어도 그 상황에서 나는 쥐가 아니라 치즈였으니까. 나는 그가 내게 올 때까지 그 자리에 그대로 있기로 했다.

　결국 그는 내게로 왔다. 그가 있는 방향으로 등을 돌린 채 바에 앉아 있는 내 어깨에 손을 얹으며 몸을 앞으로 기대고 바텐더에게 손짓했다. 나에게는 시선을 주지 않으면서 마치 내가 자기 여자임을 알리려는 듯 어깨에 손만 얹고 있었다. 바텐더가 다가오자 나는 기대감에 부푼 채 그가 어떻게 하는지 지켜보았다. 제러미는 나를 향해 고개를 까닥해 보이며 말했다. "이제부터 이분한테는 물만 드리도록 하시오."

나는 이 뜻밖의 지시에 한쪽 팔을 바에 기대고 고개를 돌려 그를 보았다. 그는 내 어깨에 얹었던 손을 자연스럽게 내리면서 손가락으로 팔꿈치까지 훑었다. 짜릿한 전율이 퍼지는 중에도 불쾌감이 치밀어 올랐다.

"술을 그만 마셔야 할 때가 언제인가는 내가 결정해요."

제러미가 나를 보며 씽긋 웃어 보였다. 그 모습이 건방져 보여 괘씸하면서도 잘생겼다는 생각이 들었다. "물론 그렇겠죠."

"오늘 밤엔 아직 석 잔밖에 마시지 않았다고요."

"그렇군요."

나는 자리에서 일어나며 바텐더를 불렀다. "모스크바 뮬 한 잔 더 줘요."

바텐더는 나와 제러미를 차례로 한 번씩 힐끗 쳐다보더니 다시 나를 보며 말했다. "죄송합니다만, 손님께는 물만 드리라는 요청이 있어서요."

나는 눈알을 한 번 굴리고 말했다. "저 남자가 당신에게 하는 말은 들었어요. 나도 여기 서 있었으니까. 그렇지만 난 이 사람을 모르고, 이 사람은 나를 몰라요. 난 모스크바 뮬을 한 잔 더 마셔야겠어요."

"아니, 이분은 물을 마실 거요." 제러미가 말했다.

그에게 대책 없이 끌리고 있기는 했지만, 그렇게까지 막무가내로 나서는 데는 그 매력조차 흐려질 지경이었다. 결국 바텐더가 고개를 뒤로 젖히며 말했다. "무슨 일인지는 모르겠지만 저는 빠지겠습니다. 꼭 마시고 싶으시다면 저쪽 바에서 주문하세요." 바텐더가 연회장 건너편에 있는 바를 가리켰다. 나는 지갑을 집어 들고 당당하게 돌아섰다. 건너편 바로 간 나는 바텐더가 다른 고객의 주문을 받을 동안 의자에 앉아 기다렸다. 그때 제러미가 다가왔다. 이번에는 바에 팔꿈치를 대고 몸을 기댔다.

"왜 내가 당신에게 물만 주라고 했는지 설명할 기회도 주지 않았잖소."

나는 그가 있는 방향으로 고개를 갸우뚱하며 말했다. "미안하지만, 당신에게 시간 낭비하고 싶지 않아요."

제러미는 등이 바에 닿을 정도로 몸을 뒤로 젖히며 크게 웃더니 고개를 갸우뚱 한 채 나를 뚫어지게 바라보았다. 그러고는 온 얼굴을 잔뜩 찡그리며 어색한 미소를 지어 보였다. "나는 여기 들어오는 순간부터 당신을 보고 있었소. 지난 45분 동안 석 잔을 마시더군. 그런 식으로 간다면 여기서 나갈 때 나와 동행해 달라고 청할 수가 없을 것 같았소. 그래서 당신이 맑은 정신일 때 그 문제에 대해 선택을 해 주길 바랐던 거요."

제러미의 음성은 꿀을 바른 듯 달콤했다. 나는 마치 연극의 한 장면을 보는 듯한 느낌으로 그의 눈을 마주 보았다. 이렇게 잘생기고 당연히 부자일 것 같은 남자가 배려심까지 있다는 말인가? 그의 배려심이라는 것 역시 주제넘기가 그지없었지만, 나는 그의 그런 당당함에 빠져들었다.

바로 그 결정적인 순간에 바텐더가 다가왔다. "뭐로 드릴까요?"

나는 제러미의 눈을 마주 보며 자세를 가다듬었다. 그리고 바텐더를 보며 말했다. "물 한 잔 주세요."

"나도 한 잔." 제러미가 말했다.

그게 시작이었다.

그 후로 몇 년이 흘렀다. 자세한 느낌들은 기억나지 않지만 첫 만남에서 내가 제러미에게 빠져들 때의 느낌은 다른 남자를 만날 때 한 번도 느껴보지 못한 감정이었다. 그의 음성이 좋았고, 그의 자신감이 좋았다. 그의 가지런하고 흰 치아도 좋았고, 턱에 까칠하게 자란 수염도 좋았다. 내 허벅지를 스칠 때 완벽한 황홀감을 줄만한 적당한 길이였다. 너무 오래 머물다간 상처를 남길 수도 있겠지만.

대화를 하는 동안 나를 애무하는 데 주저함이 없는 태도도 좋았다. 그의 손가락이 스칠 때마다 내 온몸에는 짜릿한 전율이 퍼졌다.

물 잔을 비운 후 제러미는 내 허리에 손을 얹어 드레스 위로 부드럽게 애무해 주면서 나를 출구로 안내했다.

리무진까지 걸어가자 그는 뒷문을 열어주었고, 나는 안으로 들어갔다. 제러미는 옆에 앉지 않고 대각선으로 마주 앉았다. 차 안에는 꽃향기가 가득했는데, 향수 냄새였다. 오늘 밤 이미 다른 여자가 이 리무진에 탔다는 것을 알아차렸지만 그 향이 나쁘지 않았다. 반쯤 남은 샴페인 병과 잔 두 개가 있었는데, 그중 하나에는 빨간 립스틱이 묻어 있었다.

'어떤 여자였을까? 왜 이 남자는 그 여자가 아닌 나를 데리고 가기로 했을까?'

하지만 굳이 물어보고 싶지는 않았다. 어쨌든 제러미는 마지막에 나를 선택했고, 그게 중요하니까.

우리는 잠시 아무 말 하지 않고 강렬한 눈빛으로 서로를 마주 보았다. 그는 내 마음이 자기에게 열려 있음을 확신하는 듯 자신 있게 손을 뻗어 내 다리를 들어 올리더니 그가 앉은 맞은편 좌석에 걸쳐놓았다. 그의 손이 내 무릎을 어루만졌다. 그러는 동안 눈으로는 가슴을 주시했다. 그의 손길에 따라 내 가슴이 터질 듯 부풀었다 가라앉았다.

"몇 살이오?" 그가 물었다. 나는 잠시 망설였다. 그가 나보다 훨씬 위로 보였기 때문이다. 20대 후반이나 30대 초반. 내 나이를 사실대로 말하면 그가 당황해서 멀어질 것 같았다. 나는 스물다섯 살이라고 거짓말을 했다.

"나이보다 어려 보이는군."

그는 내가 거짓말을 하고 있다는 걸 알고 있었다. 나는 다리를 뻗은 채 신발을 벗어 던지고 발가락으로 그의 허벅지 바깥쪽을 자극했다. "사실은 스물둘."

제러미가 웃으며 응대했다. "당신 거짓말쟁이야, 그렇지?"

"필요할 때는 진실을 조금 확장시키기도 하니까. 나는 작가거든."

그의 손이 종아리로 내려갔다.

"당신은 몇 살인데?"

"스물넷." 내가 진실을 확장한 만큼 그도 그런 것 같았다.

"그렇다면……. 사실은 스물여덟?"

그가 미소를 지으며 대답했다. "스물일곱."

그의 손이 다시 무릎으로 올라갔다. 나는 그가 좀 더 높이까지 올라오기를 바랐다. 허벅지 안쪽을 애무하다가 좀 더 깊은 곳을 탐색해 주기 바랐다. 그를 좀 더 받아들이고 싶었다. 그렇지만 차 안은 아니었으면. 그와 함께 그가 사는 곳으로 가고 싶었다. 그의 침대는 편안한지, 시트에서는 어떤 냄새가 나는지, 그의 살갗은 어떤 맛인지 알고 싶었다.

"운전기사는 어디 있지?" 내가 물었다.

제러미는 고개를 돌려 리무진 앞 좌석을 돌아보았다. "모르겠는데." 그러고는 다시 나를 보며 말했다. "내 리무진이 아니어서." 그의 표정에 장난기가 가득해서 나는 그가 거짓말을 하고 있는지, 사실을 말하고 있는지 알 수가 없었다.

이 남자는 정말 자기 소유도 아닌 리무진에 나를 데리고 들어온 건가? 내가 눈을 가늘게 뜨며 물었다. "그럼 누구의 리무진인데?"

제러미는 시선을 돌려 내 무릎에 원을 그리고 있는 자기 손을 내려다보았다. "모르지." 그가 부자가 아닐지도 모른다는 사실에 그를 향한 나의 욕망이 시들해질 법도 하건만, 어찌 된 일인지 나는 무심히 자기 현실을 인정해버리는 그의 모습에 미소를 지었다. "난 이 분야에서는 초짜야." 그가 말했다. "그냥 내 차로 이곳에 왔어. 혼다 시빅. 주차 서비스비 10달러가 아까워서 주차는 내가 직접 했고."

남의 리무진에 나를 데리고 들어간 그의 무모한 행동에 호감을 느끼는 나 자신이 너무 놀라웠다. 그는 부자가 아니다. 부자가 아니야. 그래도 나는 여전히 그와 섹스를 하고 싶어.

"난 시내에서 사무실 청소를 하고 있어." 나도 솔직히 고백했다. "휴지통에서 이 파티 초대장을 슬쩍했고. 정식으로 초대를 받은 게 아니야."

그의 입가에 미소가 번졌다. 나는 그 누구의 미소를 보았을 때보다도 지금 그의 입가에 번지는 미소를 음미하고 싶었다. "아주 영리한 여자군." 그는 이렇게 말하면서 내 무릎 뒤로 두 손을 넣어 나를 자기 쪽으로 바짝 당겼다. 나는 의자에서 미끄러지면서 그의 무릎 위로 옮겨갔다. 내가 입고 있는 드레스의 장점이 바로 그런 동작이 용이하다는 거였다. 다리 사이로 그의 흥분이 고조되는 걸 느낄 수 있었다. 그와 동시에 그의 엄지손가락이 내 아랫입술을 지그시 눌렀다. 나는 혀로 그의 두툼한 엄지손가락을 핥았다. 그가 낮은 신음처럼 긴 숨을 내쉬었다. 고통이나 불쾌감의 표현이 아닌, 지금까지 느껴보지 못한 짜 릿함이었음을 말해주는 깊은 숨소리였다.

"이름이 뭐지?" 그가 물었다.

"베러티."

"베러티. 베러티." 그가 내 이름을 연달아 두 번 되뇌었다. "아주 예 쁘네." 그의 시선이 내 입술에 닿았다. 그가 몸을 앞으로 숙여 키스하 려는 순간 내가 몸을 뒤로 젖히며 물었다.

"그쪽 이름은?"

그가 눈을 깜박이며 나를 보았다. "제러미." 그는 마치 시간 낭비이 며, 우리의 키스에 불필요한 방해요인이라는 듯 서둘러 자기 이름을 말했다. 가능한 한 짧게 한 마디를 내뱉은 그의 입술이 내 입술에 닿았 다. 그때 머리 위에 실내등이 켜졌고, 우리는 둘 다 얼어붙은 듯 동작 을 멈췄다. 입술이 얼얼한 채 온몸이 굳어졌다. 누군가 운전석에 들어 와 앉은 것이다.

"젠장," 제러미가 내 입술에 대고 속삭였다. "하필 이때 돌아올 게 뭐람." 그는 나를 떼어 내고 문을 열었다. 제러미의 부축을 받으며 급 히 차 밖으로 나오려는데 운전기사가 비로소 누군가 뒷좌석에 타고 있었다는 걸 알아챈 것 같았다.

"이 봐!" 운전기사가 뒷좌석을 향해 소리쳤다.

제러미는 내 손을 잡고 나를 차 밖으로 끌어당겼다. 그리고 달리기 시작했다. 나는 우선 구두를 벗어야 했으므로 멈춰서기 위해 그의 팔 을 잡아당겼다. 그러자 그가 잠시 서서 기다렸고, 나는 구두를 벗었다. 리무진 운전기사가 우리 쪽으로 달려오는 게 보였다. "이 봐! 너희들 내 차에서 뭐 했어?"

제러미가 한 손으로 내 구두를 집어 들었고 우리는 거리를 따라 달렸다. 허리가 아프도록 웃으며 어둠 속을 달려 그의 차까지 갔다. 그의 말은 전부 사실이었다. 그의 차는 혼다 시빅이었다. 그래도 새 모델인 걸 보면 완전 빈털터리는 아닌 것 같았다. 그는 나를 앞 좌석 문에 기대 세우더니 내 신발을 콘크리트 바닥에 던지고 한 손으로 내 머리칼을 부드럽게 쓸어 내렸다.

나는 어깨 너머로 내가 기대고 있는 차를 돌아보며 물었다. "이건 정말 당신 차 맞아?"

그는 빙긋이 웃더니 정장 재킷 주머니에서 자동차 열쇠를 꺼내 차 문을 열었다. 그의 차라는 게 증명되었고, 나는 큰 소리로 웃었다.

둘의 입술이 거의 닿을 듯한 상태에서 그가 나를 내려다보았다. 나는 그가 나와 함께 하는 삶을 그리고 있음을 직감할 수 있었다. 자기가 지나온 삶 전체를 걸고 나를 바라보았기 때문이다. 함께 하는 미래를 꿈꾸지 않고는, 그런 눈빛으로 누군가를 바라볼 수 없는 법이니까.

그는 눈을 감고 내게 키스했다. 나를 향한 욕망과 존중하는 마음을 가득 담아서. 많은 남자들은 이 두 가지가 함께 갈 수 있다고 생각하지 못하는데 말이다.

내 머리를 애무하는 그의 손길이 좋았고, 내 입속을 유영하는 혀의 감촉도 좋았다. 그도 나의 모든 것을 좋아하고 있었다. 내게 키스할 때 전해져오는 그의 만족감이 그렇게 말하고 있었다. 우린 그 순간까지도 서로에 대해 아는 게 거의 없었는데, 그래서 더 좋았던 것 같다. 모르는 사람과 그렇게 깊은 키스를 나누는 것은 '난 당신을 몰라. 하지만 당신을 알았다고 해도 당신을 좋아했을 거야'라고 속삭이는 것 같으니까.

그가 나라는 사람을 알았어도 나를 좋아했을 거라는 그 느낌이 좋았다. 나도 누군가가 좋아할 수 있는 사람이라는 생각이 위로가 되었다.

그가 내게서 떨어질 때 나는 그를 따라가고 싶었다. 내 입술이 그의 입술에 닿은 채, 내 손가락이 그의 손가락을 감싼 채. 차를 운전하는 그의 옆자리에 앉아 있는 시간은 괴롭고 슬펐다. 가슴 속에 그를 향한 불꽃이 타오르고 있었다. 그는 내 마음에 불을 질렀고, 나는 그 불이 꺼지지 않도록 하리라 다짐했다.

그는 섹스를 나누기 전에 우선 나를 배불리 먹였다.

스테이크앤셰이크에 가서 부스의 한쪽에 나란히 앉아 감자튀김과 초콜릿 셰이크를 먹으며 간간이 키스를 했다. 레스토랑엔 손님이 별로 없었기 때문에 우리는 구석진 부스에서 조용히 우리만의 시간을 즐길 수 있었다. 다른 손님들과 멀찍이 떨어져 앉은 덕분에 아무도 제러미의 손이 내 허벅지를 타고 올라와 다리 사이로 들어가는 걸 눈치채지 못했고, 내가 지르는 가벼운 신음 소리도 듣지 못했다. 역시 아무도 듣지 못하게, 제러미는 내게서 손을 떼며 스테이크앤셰이크에서 오르가슴에 이르게 할 수는 없다고 속삭였다.

'나는 괜찮은데.'

"그럼 당신 침대로 날 데려가줘." 내가 말했다.

그는 그렇게 했다. 제러미의 원룸은 브루클린에 있었는데 공간 한가운데에 침대가 놓여 있었다. 제러미는 부자가 아니었다. 스테이크앤셰이크에서도 가진 돈을 탈탈 털어 내게 저녁을 사준 것 같았다. 하지만 상관없었다. 나는 그의 침대에 똑바로 누워 그가 옷을 벗는 모습을 바라보았다. 그때서야 나는 사랑의 행위로서의 섹스는 처음이라는 사실을 깨달았다. 물론 전에도 섹스는 했지만 육체적인 쾌락을 위한 행위였을 뿐이다.

하지만 제러미의 침대에서 처음으로 사랑을 나누려는 그 순간, 나는 내 안의 많은 것들을 기꺼이 내놓아도 좋다는 생각이었다. 생소한 충만감으로 가슴이 벅차올랐다. 이전에 만난 남자들과 지내는 밤엔 늘 텅 빈 듯한 마음이었는데.

몸과 마음이 함께 하는 섹스가 주는 황홀감은 놀라웠다. 내 모든 감각과 마음, 희망이 온전히 행위에 집중되었다. 나는 그 순간으로 빠져들었다. 사랑을 했다기보다는 빠져들었다는 표현이 정확하다.

지금까지의 삶은 마냥 절벽 끝에 서 있기만 했던 것 같은 느낌이었다. 그러다가 제러미를 만나 비로소 뛰어오를 용기가 생겼다고 할까. 처음으로 나는 절벽 아래로 떨어지지 않을 거라는 확신을 가질 수 있었다. 계속 날아오를 것 같았다.

지금 다시 생각해 보면 나는 그때 제정신이 아니었던 것 같다. 그렇게 빨리 그에게 빠져들다니. 하지만 정작 문제가 된 것은 그에 대한 몰입을 멈추지 않았다는 사실이었다. 다음 날 아침에 잠에서 깨어 조용히 그의 아파트를 빠져나왔더라면, 그 일은 그저 하룻밤의 쾌락으로 끝났을 것이고, 이렇게 긴 세월이 지난 후 다시 그때를 떠올리는 일도 없었을 것이다. 하지만 나는 다음 날 아침에도 그의 곁을 떠나지 않았고, 처음 만난 날 밤의 일들은 더 많은 의미를 갖게 되었다. 하루하루 시간이 지날수록 그와 함께 보냈던 첫날밤은 더욱 소중해졌다. 첫눈에 반한다는 건 그런 것이다. 오랜 시간을 함께한 후에야 비로소 자기들이 첫눈에 반했었다는 걸 깨닫게 된다.

우리는 사흘 동안 그의 아파트에서 나오지 않았다.

중국 음식을 시켜 먹고, 사랑을 하고, 피자를 시켜 먹고, 사랑을 나눴다. 그리고 TV를 보다가 다시 섹스를 했다.

월요일에는 둘 다 직장에 병가를 냈다. 그리고 화요일이 되었을 때 나는 이미 그에게 완전히 중독되어 있었다. 그의 웃음과 그의 남성과 그의 입, 섹스의 기술, 살아온 이야기 그리고 그의 손. 그의 자신감, 부드러움 그리고 그를 만족시키고 싶다는 새롭고 강렬한 욕망.

나는 끊임없이 그를 만족시키고 싶었다.

나는 그가 미소 짓고, 숨을 쉬고, 아침에 눈을 뜨는 유일한 목적이자 의미가 되고 싶었다.

한동안 나는 그런 존재였다. 그는 다른 누구보다도, 다른 어떤 것보다도 나를 사랑했다. 그가 살아가는 단 하나의 이유였다.

그에게 나보다 더 큰 의미가 된 대상이 나타나기 전까지는.

5

베러티의 속옷 서랍을 여는 단계는 이미 지난 셈이었다. 나는 이제 서랍 속 실크와 레이스들 사이를 헤집어 보고 있었다. 읽지 않는 게 도리라는 걸 너무 잘 알고 있었다. 내가 온 목적은 이게 아니라는 것도. 그런데도……

소파 옆자리에 원고를 내려놓고 바라보았다. 베러티에 대한 의문들이 샘솟았다. 하지만 베러티는 내 질문에 답을 해 줄 수 없고, 제러미는 답을 해주고 싶지 않을 것 같았다. 베러티의 생각을 알기 위해서는 그녀를 좀 더 이해할 수 있어야 한다. 그러기에 이 자서전보다 더 좋은 자료가 어디에 있겠는가. 더구나 그녀의 원고는 무자비할 정도로 정직하다.

나는 지금 이곳에 온 목적을 벗어나고 있다. 멈춰야 한다. 필요한 자료들을 찾아서 이곳을 떠나야 한다. 이미 너무 많은 일이 일어난 이 집에 또 한 명의 침입자가 나타나 속옷 서랍을 헤집는 일은 없어야 한다.

베러티의 거대한 책상으로 가서 휴대전화를 집어 들었다. 어느새 밤 열한 시다. 이 집에 도착한 건 일곱 시였는데, 벌써 이렇게 시간이 흐른 줄은 몰랐다. 방문 밖에서는 아무런 소리도 들리지 않았다. 마치 방음 장치가 되어있는 것처럼.

어쩌면 그럴지도. 방음 장치가 된 방에서 작업을 할 수 있다면, 당연히 나도 좋을 것 같다.

배가 고프다.

낯선 집에서 배가 고파지다니. 기분이 이상했다. 그렇지만 제러미가 내 집처럼 편하게 지내라고 하지 않았던가. 나는 주방으로 가보기로 했다.

하지만 멀리 가지는 못했다. 서재 문을 열자마자 멈춰 섰기 때문이다.

서재는 방음 장치가 돼 있는 게 분명했다. 그렇지 않았다면 밖에서 나는 이 소리를 들었을 테니까. 이 층에서 들려오는 소리에 온 신경을 집중했다. 내가 듣고 있는 소리가 내가 짐작하는 소리가 아니길 바라면서.

나는 되도록 조용히 조심스럽게 계단 밑으로 갔다. 분명히 베러티의 방에서 나는 소리였다. 침대가 삐걱거리는 소리. 규칙적이고 반복적이었다. 여자 위에 남자가 포개져 있을 때 나는 소리처럼.

오, 하느님, 맙소사. 나는 떨리는 손으로 내 입을 막았다. 아니, 아니야, 안 돼!

이와 비슷한 상황을 다룬 기사를 읽은 적이 있다. 어떤 여자가 교통사고를 당해서 혼수상태에 빠졌는데, 그녀가 있는 요양원으로 매일 그녀의 남편이 찾아왔다. 요양원 직원들은 그가 혼수상태에 있는 아내와 섹스를 나누는 것 같다는 의심을 하게 되었고, 그가 모르게 카메라를 설치했다. 그 남자는 결국 강간죄로 체포되었다. 그의 아내가 동의할 수 없는 상태에서 관계를 했기 때문이다.

지금 베러티도 그런 상황인 게 아닐까.

내가 뭔가 해야 한다. 그렇지만 뭘, 어떻게?

"시끄러울 거요."

나는 기절할 듯 놀라며 돌아보았다. 제러미였다.

"방해가 된다면 끄겠소."

"갑자기 나오셔서 놀랐어요." 내가 들은 소리가 내가 상상한 그 소리가 아니라는 사실에 안도의 숨을 내쉬며 말했다. 제러미가 내 어깨 너머로 소리가 나는 이 층 방을 올려다보았다.

"침대에 타이머가 맞춰져 있어서 두 시간마다 매트리스가 움직이며 들썩이는 거요. 몸에 압박이 가해지는 부분들을 풀어주기 위해서지."

나는 혼자 민망해서 목덜미가 화끈거렸다. 그 소리를 들으며 내가 무슨 상상을 했는지 그가 영원히 모르기를 바라는 마음이었다. 가슴까지 화끈거리는 걸 그가 눈치채지 못하도록 손을 가슴에 얹었다. 피부가 흰 편인 나는 긴장을 하거나 숨이 차거나 당황할 때마다 피부에 발진이 돋듯 울긋불긋해진다. 어찌나 민망한지 털이 촘촘한 부잣집 카펫 사이로 사라져 버리고 싶을 지경이었다.

나는 태연하게 목청을 가다듬고 물었다. "그런 침대도 나오나 보죠?" 어머니가 호스피스의 간호를 받을 때 그런 침대를 사용할 수 있었으면 얼마나 좋았을까. 나 혼자 어머니를 이리저리 돌려 누이느라 죽을 고생을 했단 말이다.

"그렇소. 하지만 가격이 터무니없이 비싸지. 새것을 사려면 몇천 불은 줘야 하거든. 의료보험 혜택도 못 받고 말이오."

가격을 듣는 순간 나도 모르게 헉하고 숨을 들이마셨다.

"음식 남은 걸 좀 데우는 중이오." 그가 말했다. "배고프지 않소?"

"실은 주방으로 가던 길이었어요."

제러미가 뒷걸음질을 치면서 말했다. "피자를 좋아하면 좋겠군."

"좋아요." 피자를 싫어하지만 이렇게 말했다.

전자레인지의 타이머가 멈추자 제러미가 문을 열고 피자가 담긴 접시를 꺼내 내게 주었다. 그러고 나서 다른 접시에 자기가 먹을 피자를 덜었다. "자료 정리는 잘 되어가고 있소?"

"잘되고 있어요." 나는 냉장고에서 생수 한 병을 꺼내 들고 식탁에 앉았다. "당신 말이 맞았어요. 봐야 할 게 많더라고요. 며칠 걸릴 것 같아요."

그는 조리대에 기대서서 피자가 데워지길 기다리며 물었다. "밤에 작업이 더 잘되는 타입이요?"

"맞아요. 밤늦게까지 작업하고 오전엔 주로 자는 편이죠. 실례가 되는 게 아니면 좋겠는데요."

"전혀 문제 될 거 없어요. 실은 나도 야행성이오. 베러티의 간호사가 저녁에 퇴근했다가 아침 일곱 시에 다시 오니까, 자정에 먹어야 하는 약은 내가 깨어 있다가 챙겨 먹이지. 아침에 간호사가 오면 그때부터 간호사가 맡아서 하고." 제러미는 전자레인지에서 데워진 피자 접시를 꺼내 들고 식탁의 맞은편에 앉았다.

나는 그의 눈을 똑바로 볼 수가 없었다. 그와 마주 앉아 있으면서도 머릿속에는 온통 베러티의 원고 생각뿐이었다. 스테이크앤셰이크에서 그녀의 다리 사이를 더듬던 그의 손에 대한 묘사가 떠올랐다. 이를 어쩌면 좋단 말인가. 읽지 말았어야 했다. 그에게로 시선을 돌릴 때마다 얼굴이 붉어질 것 같았다. 게다가 그의 듬직하고 잘생긴 손도 상황을 더 힘들게 만들고 있었다.

생각의 전환이 필요할 것 같았다.

지금 당장.

"베러티가 작업 중이던 시리즈에 대해 얘기한 적이 있나요? 등장인물들을 어떻게 그리고 싶다거나? 아니면 결말에 대해서?"

"들었을 수도 있겠지만 난 기억하고 있는 게 없소." 그가 피자 접시를 내려다보며 말했다. 마치 다른 생각에 빠져 있는 사람처럼 피자를 이리저리 굴리고 있었다. "사고가 나기 전에도 한동안 글을 쓰지 않았소. 글에 대해 얘기하지도 않았고."

"사고가 난 지는 얼마나 되었는데요?" 사실은 이미 알고 있었지만, 구글 검색을 통해 그의 가족사에 대해 알아보았다는 걸 알게 하고 싶지 않았다.

"하퍼가 죽고 얼마 지나지 않아서였소. 사고 후 베러티는 한동안 의학적으로 인위적인 혼수상태로 지내다가 중환자를 위한 재활센터에서 몇 주를 지냈지. 집으로 온 지 이제 2주 정도 되었소." 제러미는 여기까지 말하고 피자를 한 입 베어 물었다. 나는 더 이상 대화를 이어가는 게 미안하다는 생각이 들었으나, 그는 개의치 않는 듯 보였다.

"어머니가 돌아가시기 전에 나 혼자 어머니를 돌봐야 했어요. 형제가 없거든요. 그래서 쉽지 않다는 거 알아요."

"쉽지 않죠." 제러미가 말했다. "당신 어머니의 일에 대해서는 유감이오. 커피숍 화장실에서 당신이 어머니 얘길 했을 때 내가 조의를 표했는지 잘 생각이 나지 않는데."

나는 대답 대신 그를 향해 미소를 지어 보였다. 어머니에 대해서는 더 이상 묻지 않길 바랐다. 화두가 그와 베러티에 머물기를 바랐기 때문이다.

머릿속에 다시 베러티의 원고가 펼쳐졌다. 내 앞에 있는 남자에 대해 아는 게 거의 없으면서도 마치 그를 아는 듯한 느낌이 들었다. 적어도 베러티의 글에 묘사된 제러미는 알게 되었으니까.

두 사람의 결혼생활이 어땠는지 궁금했다. 베러티는 왜 1장 마지막을 그런 문장으로 마무리했을까. '그에게 나보다 더 큰 의미가 된 대상이 나타나기 전까지는.'

그 마지막 문장이 불길한 느낌을 주었다. 마치 다음 장에 이 남자에 관한 끔찍하고 어두운 비밀이 기다리고 있는 것처럼 말이다. 아니면 그저 작문의 기술이었던 걸까? 아무렇지도 않게 제러미가 완벽하게 좋은 사람이고, 두 사람이 낳은 자식을 베러티보다 더 소중하게 여겼다는 얘기가 이어질지도 모른다.

어찌 되었든 나는 제러미를 바라보고 있는 동안에도 어서 다음 장을 읽고 싶다는 생각밖에 없었다. 집중해야 할 일이 산더미처럼 많은 지금, 하필이면 웅크리고 앉아 제러미와 베러티의 결혼생활에 대해 읽고 싶은 마음만이 절실한 나 자신이 답답하고 딱하기까지 했다.

어쩌면 베러티 자신의 이야기가 아닐지도 모른다. 내가 아는 어떤 작가는 초고를 쓸 때 항상 남자 주인공 대신 자기 남편의 이름을 적어놓기도 하니까. 베러티도 그런 걸지 모른다. 또 하나의 소설 습작을 하면서 주인공의 이름을 정할 때까지 임시로 남편 이름을 쓰고 있는 것인지도.

내가 읽은 내용이 사실인가를 확인하는 방법은 딱 하나뿐이었다.

"당신과 베러티는 처음에 어떻게 만났어요?"

제러미가 페퍼로니 한 개를 입 안에 넣고는 빙긋이 웃었다. "파티에서." 그러고는 몸을 뒤로 젖혀 의자 등받이에 기댔다. 그때 아주 잠깐, 슬프지 않은 그의 표정을 볼 수 있었다. "내가 본 중에 가장 매력적인 드레스를 입고 있었소. 빨간색이었는데 바닥에 약간 끌릴 정도로 길었지. 아, 정말 아름다웠소." 제러미의 음성에 아련한 그리움이 서렸다. "우리는 함께 파티장을 나왔소. 밖으로 나오니 근처에 리무진 한대가 잠시 주차되어 있더군. 그래서 무작정 문을 열고 함께 들어가 앉아서 이야기를 나눴소. 하지만 잠시 후 리무진 운전기사가 나타나는 바람에 내 차가 아니라는 걸 밝혀야 했지."

나는 전혀 모르는 이야기를 처음 들은 것처럼 응대해야 했으므로 일부러 큰 소리로 웃었다. "당신의 리무진이 아니었단 말이에요?"

"아니었소. 그녀의 호감을 사고 싶었던 거지. 운전기사가 화를 내는 바람에 우리는 급히 탈출해야 했소." 제러미는 여전히 미소 짓고 있었다. 마치 방금 전까지 그 섹시한 빨간 드레스를 입은 베러티와 함께 있다가 돌아온 사람처럼. "그날 이후로 우리는 한 시도 떨어질 수 없는 사이가 되었소."

나는 제러미의 말에 차마 미소로 화답할 수 없었다. 어떻게 그들을 위해 미소를 짓는다는 말인가. 한때 그렇게 행복했던 사람들이 현재 어떤 모습에 봉착해 있는지를 아는데. 베러티의 자서전에는 A 지점에 있던 그들이 어떻게 B 지점까지 오게 되었는지 설명이 되어있을까? 자서전 첫머리에 채스틴의 죽음에 대한 언급이 나온다. 그렇다면 베러티는 첫 번째 비극이 일어난 후에 그 글을 썼거나, 아니면 그 전에 쓴 원고에 그 일이 있고 난 뒤 그 부분을 추가로 적어 넣었을 것이나.

자서전을 쓰기 시작한 지는 얼마나 되었을까?

"두 분이 만났을 때 베러티는 이미 작가였나요?"

"아니요. 당시 베러티는 대학원에 다니고 있었소. 작가가 된 건 그 후, 내가 두 달 동안 로스앤젤레스에 일 때문에 가 있을 때였지. 그동안 베러티가 첫 번째 책을 쓴 거요. 내가 돌아올 때까지 혼자 시간을 보내는 방편으로 글을 썼던 것 같아. 처음에는 몇 개 출판사에서 거절을 당하기도 했는데, 일단 그 첫 번째 책이 출간되고 나니 모든 것이……. 너무 짧은 시간에 모든 일이 일어났소. 하룻밤 사이에 삶이 완전히 바뀌었다고 할까."

"갑자기 유명해진 것에 대해 베러티는 어떻게 적응했나요?"

"그런 것들 때문에 힘들었던 건 베러티가 아니라 나였던 것 같소."

"당신은 사람들의 관심 밖에서 지내는 걸 좋아하는 타입인가 보죠?"

"그렇게 보이오?"

나는 어깨를 들썩여 보이며 말했다. "저 역시 내향적인 편이거든요."

제러미가 웃었다. "베러티는 당신 같은 타입이 아니었소. 그녀는 스포트라이트를 즐기는 편이었지. 화려한 행사들도. 그 모든 것들이 나는 불편했고. 나는 집에서 아이들과 지내는 게 좋소." 딸들을 현재 시제로 언급했다는 사실을 깨달았는지 그의 표정이 미묘하게 변했다. "내 말은 크루와 말이오." 제러미는 혼자 고개를 젓더니 깍지 낀 손을 목 뒤에 대고 허리를 뒤로 젖혔다. 기지개를 켜는 것 같기도, 편안한 자세를 찾으려는 것 같기도 했다. "가끔 그 애들이 여기 없다는 사실을 잊을 때도 있소." 제러미의 음성이 잦아들면서 초점 없는 시선이 나를 지나 먼 곳으로 날아갔다. "지금도 소파에서 그 애들의 머리카락을 발견할 때가 있으니까. 아니면 세탁물 건조기에서 양말 짝이 나오거나 말이오. 어떨 때는 뭔가를 보여주려고 그 애들의 이름을 큰 소리로 부를 때도 있소. 더 이상 그 애들이 계단을 달려 내려오지 않을 거라는 사실을 깜박 잊고 말이오."

나는 제러미를 주의 깊게 관찰했다. 아직 그를 전적으로 신뢰하지는 않는다. 나는 추리소설을 쓰는 작가다. 의심스러운 상황에 대해서는 누구보다도 잘 알고 있다. 의심스러운 인물들 주변에는 언제나 그런 상황이 따라온다. 나는 제러미의 딸들에게 무슨 일이 있었는지 좀더 알아보고 싶은 마음과 가능한 한 빨리 이 집에서 나가야 한다는 생각 사이에서 고민하고 있었다.

그렇지만 지금 내 앞에 있는 사람은 연민을 끌어내기 위해 연극을 하는 게 아니다. 처음으로 자기 마음을 입 밖으로 내놓고 있는 거였다.

그의 그런 모습을 보니 나도 속에 있는 이야기를 털어놓고 싶어졌다.

"어머니가 돌아가신 지 오랜 시간이 지나진 않았지만, 그래도 당신말이 무슨 뜻인지 알아요. 나도 어머니가 돌아가시고 나서 일주일은 아침에 일어나면 어머니가 드실 아침 식사를 만들게 되더라고요. 그러다가 한참 후에야 그걸 드실 어머니가 이제 안 계신다는 사실을 떠올리곤 했죠."

제러미가 두 팔을 식탁에 얹으며 말했다. "그런 것들이 얼마나 가려는지 모르겠소. 아니면 계속 이래야 하는 건지."

"시간이 지나면 나아지실 거예요. 그렇지만 이사 가는 걸 생각해보는 것도 좋을 것 같은데요. 따님들과 함께 살았던 집을 떠나면 기억도 점점 흐려질 테니까요. 따님들과 함께하지 않는 삶이 새로운 일상으로 자리 잡겠죠."

그러자 그가 턱수염을 쓰다듬으며 말했다. "하퍼와 채스틴의 흔적이 없는 일상이 내가 원하는 삶인지 잘 모르겠소."

"맞아요." 나는 얼른 그의 말에 응수했다. "저라도 그럴 것 같아요."

그는 내게 시선을 고정한 채 아무 말이 없었다. 오래 서로를 마주 보다 보면 기분이 이상해질 때가 있다. 그러면 둘 중 한 사람이 시선을 돌려야 한다.

그래서 나는 시선을 돌렸다.

나는 피자 접시를 내려다보며 손가락으로 올록볼록한 가장자리를 만지작거렸다. 그의 시선은 이제 내 눈을 지나 내 생각에 닿아 있는 것 같았다. 의도적으로 그러는 건 아니겠지만 무척이나 가깝게 다가오는 느낌이었다. 내 가장 깊은 곳을 탐색 당하는 느낌이었다.

"이제 가서 일해야겠어요." 나는 중얼거림에 가깝게 겨우 말했다.

그는 잠시 그대로 앉아 있더니 갑자기 꿈을 꾸다 깨어난 듯 의자를 뒤로 밀며 일어났다. "그렇게 해요." 그러고는 피자 접시를 집어 들며 말했다. "나는 베러티의 약을 준비해야겠소." 주방을 나서는데 그가 등 뒤에서 싱크대에 접시를 내려놓으며 말했다. "잘 자요, 로웬."

그가 내 이름을 소리 내서 부르는 바람에 내가 하려던 밤 인사는 목에 걸려 나오지 못했다. 나는 그저 말없이 미소를 지어 보이고는 주방을 나와 베러티의 서재로 돌아왔다.

제러미와 함께 있는 시간이 길어질수록 다시 베러티의 원고 속으로 들어가 그에 대해 읽고 싶은 마음이 간절해졌다.

나는 소파에 있던 원고를 집어 들고 서재의 불을 끈 다음 침대로 돌아왔다. 방문을 잠글 수 없었기 때문에 침대 발치에 있던 나무 궤짝을 문까지 끌고 가서 막았다.

　온종일 운전을 하고 와서 그런지 몹시 피곤했다. 샤워도 해야 하고. 하지만 잠들기 전에 한 챕터 정도는 더 읽을 수 있을 것 같았다.

　그래야만 할 것 같았다.

그대로 이루어지기를
2장

연애를 시작하고 첫 2년 동안의 이야기만으로도 소설 한 권은 쓸 수 있을 것이다. 재미가 없어서 책이 팔리지는 않겠지만. 모든 것이 순조로웠고 극적인 사연이나 언쟁 같은 것은 전무했다. 특별히 비극적인 사건이 일어나지도 않았다. 둘 사이에 지독히 달콤한 사랑과 애정만이 가득했던 시절이었다.

나는 그에게 완전히 빠져 있었다.

중독되어 있었다.

그렇게까지 의존적이었던 내가 정신적으로 건강했던 건지는 잘 모르겠다. 그런데도 그때는 그랬다. 누군가를 만나서 부정적이던 삶이 변화되었다면 그에게 매달리고 의존하지 않을 사람이 있을까. 나는 내 영혼을 살리기 위해 제러미에게 매달렸다. 그를 만나기 전엔 굶주리고 구겨져 있던 내 영혼이 그와 함께 있으면서 윤택해졌다. 그를 만나지 않았더라면 나는 사람 구실을 제대로 하지 못하고 살았을 거라는 생각이 들 정도였다.

사귄 지 2년 정도 되었을 때 제러미가 로스앤젤레스로 장기 출장을 가게 되었다. 우리가 비공식적으로 동거를 시작하고 얼마 되지 않은 시점이었다. 비공식적이라고 말한 이유는 언제부턴가 내가 더 이상 내 아파트로 귀가하지 않게 된 것이었기 때문이다. 그리고 어느 시점부턴가 내 아파트로 나오는 공과금과 임대료를 지불하지 않게 되었다. 제러미가 이런 사실을 알게 된 때는 내가 아파트를 완전히 비운 지 두 달이 지나서였다. 그때서야 제러미는 내가 돌아갈 아파트가 없다는 사실을 알게 되었던 것이다.

어느 날 밤이었다. 섹스를 하던 중에 제러미가 나에게 자기 아파트에 들어와 함께 살자고 제안했다. 제러미는 종종 그런 식이었다. 섹스를 하다가 우리의 삶에 중대한 결정이 될 수도 있는 말을 불쑥 해버리곤 했다.

"우리 함께 살자." 천천히 내 안으로 자기를 밀어 넣으며 말했다. 그러고는 내 입에 자기 입술을 갖다 댔다. "임대 계약을 해지해."

"그럴 수 없어." 내가 속삭였다.

그러자 갑자기 동작을 멈추더니 몸을 뒤로 젖히고 나를 내려다보았다. "왜 안 되는데?"

나는 두 손으로 그의 엉덩이를 잡고 계속하라는 신호를 보냈다. "벌써 두 달 전에 계약을 파기했거든."

그는 여전히 내 안에 있는 채 강렬한 초록빛 눈과 검은 눈썹으로 나를 빤히 보았다. 그 눈에 입을 맞추면 감초 맛이 날 것 같았다. "우리가 벌써 동거 중이었던 거야?" 그가 물었다.

나는 고개를 끄덕였다. 하지만 그의 반응은 내가 기대하던 것과는 달랐다. 마치 허를 찔린 듯 허탈해하는 것 같았기 때문이다.

나는 어떻게든 상황을 정리하고 그의 주의를 돌려야 했다. 별일 아니라고 생각하게 해야 할 것 같았다. "내가 얘기한 줄 알았는데."

제러미는 내게서 완전히 떨어졌다. 마치 내게 벌을 주려는 것처럼. "우리가 함께 살게 되었다는 말을 나에게 안 했단 말이지. 우리에게 기념이 될 만한 일이었을 텐데."

나는 몸을 일으켜 그의 앞에 무릎을 꿇고 앉았다. 얼굴이 거의 닿을 듯 마주하게 되었다. 나는 그의 양턱을 손가락으로 쓰다듬으며 그의 입을 향해 다가가며 속삭였다. "제러미, 지난 6개월간 단 하루도 떨어져 잔 적이 없잖아. 이미 오래 함께 지내고 있었던 거야." 나는 그의 어깨를 잡고 천천히 밀어서 뒤로 눕혔다. 그의 머리가 베개에 닿았다. 나는 그의 위로 내 몸을 포개려고 했으나 그는 여전히 언짢아 보였다. 나는 이미 끝났다고 생각하는 문제에 대해 제러미는 굳이 이야기하고 싶어 하는 눈치였다.

나는 대화를 하는 대신 그가 어서 나를 절정에 이르게 해 주기를 바랐다.

그의 손이 내 엉덩이를 잡더니 좀 더 가까이 끌어당겼다. 나는 고개를 뒤로 젖히고 달콤한 전율을 기다렸다. '이래서 내가 당신과 함께 살기로 한 거야, 제러미.'

나는 몸을 앞으로 굽혀 침대 헤드보드를 잡았다. 그리고 터져 나오는 신음 소리를 죽이기 위해 헤드보드를 물었다.

그렇게 된 거였다.

제러미가 출장을 가기 전까지 나는 내 생애 그 어느 때보다도 행복했다. 물론 임시로 떨어져 있는 거긴 했으나 유일한 생존 수단이나 마찬가지인 사람과 떨어져서 혼자 제대로 살기를 기대하는 건 무리가 아니었을까.

아무튼 나는 그런 느낌이었다. 영혼을 충족시키는 유일한 대상으로부터 뜯겨 나왔다고 할까. 물론 그와 전화를 하거나, 영상통화를 하면서 조금씩 해소가 되기는 했지만, 혼자 지내야 하는 밤들은 정말 힘들었다.

물론 그런 생각들을 제러미에게 내색할 수는 없었다. 그에게 지독하게 빠져 있기는 했지만, 남자를 곁에 붙잡아 두려면 언제든 그를 떠나도 하루만 지나면 멀쩡할 것처럼 행동해야 한다는 사실을 모르는 여자는 없을 테니까.

그래서 나는 작가가 되기로 했다.

그때 나는 매일 머릿속에 온통 제러미 생각뿐이었기 때문에, 그가 돌아올 때까지 뭔가 매달릴 것을 찾지 않으면 그의 부재가 나를 얼마나 비참하게 만드는지 숨길 수가 없을 것 같았다. 결국 나는 소설 속에 또 하나의 제러미를 만들고 레인이라는 이름을 붙여주었다. 그리고 제러미가 보고 싶을 때마다 레인에 대해 써 내려갔다. 그 후로 한동안 나는 제러미를 생각하는 시간보다 소설 속 인물을 생각하는 시간이 더 많아졌다. 어떤 면에서는 그 역시 제러미이긴 했지만, 그에 대한 생각으로 시간을 죽이는 대신 글로 쓰다 보니 내가 좀 더 생산적인 인간이 되는 느낌이었다.

제러미가 떠나고 두 달쯤 되었을 때 소설 한 편이 완성되었고, 때에 맞추어 제러미도 돌아오게 되었다. 그가 나를 깜짝 놀라게 해 주려고 미리 연락도 하지 않고 현관에 나타났을 때, 나는 마지막 페이지를 수정하고 있었다.

운명적인 타이밍이었다.

나는 혀와 입으로 그의 귀환을 축하해주었다. 처음으로 그의 정액을 마셨다. 그를 맞이한 기쁨이 그만큼 컸던 것이리라.

성숙한 여인처럼 그를 올려다보며 미소 지었다. 그는 여전히 현관 앞에, 옷을 다 입은 채 청바지만 무릎에 걸치고 서 있었다. 나는 일어나서 그의 볼에 키스를 했다. "곧 돌아올게."

그러고는 화장실에 들어가 문을 잠그고, 세면대에 물을 틀어놓은 채 변기에 대고 구토를 했다. 그의 정액을 삼키는 동안 나는 태연한 척하느라 안간힘을 써야 했다.

양치를 하고 방으로 돌아오니 제러미가 내 책상에 앉아 있었다. 손에는 원고 몇 장이 들려 있었다.

"이거 당신이 쓴 거야?" 그가 의자에 앉은 채 나를 향해 빙그르르 돌며 물었다.

"응. 그렇지만 읽지는 마." 나는 손바닥에 고인 땀을 셔츠에 문질러 닦으며 다가갔다. 원고를 빼앗으려는데 그가 원고를 든 손을 머리 위로 올리며 일어났다.

"왜 읽으면 안 된다는 거야?"

나는 원고를 빼앗기 위해 껑충 뛰어오르며 말했다. "더 다듬어야 한단 말이야."

"그럼 어때." 제러미가 뒤로 물러서며 말했다. "그래도 읽어보고 싶어."

"싫어, 읽지 마."

제러미는 책상 위에서 나머지 원고를 집어 가슴속에 끼워 넣었다. 그는 원고를 읽겠다고 작정을 했고, 나는 어떻게든 못 읽게 하려고 했다. 잘 썼다는 확신이 없어서이기도 했지만, 그보다는 제러미가 내 글을 읽고 실망해서 나를 덜 사랑하게 될까 봐 두려웠다. 나는 힘껏 그에게 달려들었다. 하지만 그는 나보다 한발 먼저 화장실로 들어가 문을 잠가버렸다.

나는 화장실 문을 두드리며 소리쳤다.

"제러미!"

대답이 없었다.

제러미는 그렇게 10분 이상 내게 대꾸하지 않은 채 화장실 안에 있었다. 그러는 동안 나는 신용카드와 옷핀 등을 이용해 화장실 문을 열어보려 하기도 했고, 구강 섹스를 한 번 더 해주겠다고 회유하기도 했다.

그리고도 15분 정도가 더 지나서야 제러미의 음성이 들렸다.

"베러티?"

나는 아예 화장실 문에 등을 기대고 바닥에 털썩 주저앉아 있었다.

"왜?"

"잘 썼다."

나는 아무 대꾸도 하지 않았다.

"정말 잘 썼어. 당신이 자랑스러워."

나는 미소를 지었다.

내가 지어낸 이야기를 누군가가 읽고 좋아할 때의 희열을 처음 맛본 순간이었다. 그의 한 마디, 간단하지만 달콤한 그 한 마디 때문에 나는 그가 원고를 끝까지 읽어보도록 허락했다. 그리고 한동안 그를 방해하지 않았다. 먼저 침대에 누워 이불을 덮고 웃는 얼굴로 잠이 들었다.

두 시간쯤 후 제러미가 나를 깨웠다. 어깨에 키스를 하면서 나를 안고 자기 몸을 밀착시켰다. 그런 제러미를 얼마나 그리워했던가.

"깼어?" 그가 속삭였다.

나는 나지막한 신음으로 응답했다.

그가 귓불 아래 키스를 하며 말했다. "당신 무지하게 잘난 여자야." 나는 큰 소리로 웃었다. 지금까지 그렇게 크게 웃어본 적이 없을 정도로. 그는 나를 돌려 똑바로 눕히고 얼굴에 흘러내린 머리칼을 쓸어 올렸다. "준비는 되었겠지."

"무슨 준비?" 내가 물었다.

"유명해질 준비."

나는 다시 큰 소리로 웃었다. 하지만 그는 웃지 않았다. "내가 농담하는 거 같아?" 다시 키스를 한 번 하고 말을 이었다. "이 작품으로 당신은 유명해질 거야. 당신이란 여자는 대단히 매력적인 정신세계를 가지고 있어. 그것과 섹스를 할 수 있다면 하고 싶을 정도야."

"정말 그렇게 생각하는 거야? 아니면 나를 사랑하니까 그렇게 말해주는 거야?"

제러미는 대답하지 않았다. 그 대신 키스를 멈추고 점점 느리고도 강렬하게 행위에 집중했다. 시선을 내게 고정시킨 채. "나와 결혼해줘, 베러티."

나는 잘못 들었다고 생각했다. 그는 지금 정말로 내게 청혼을 하는 건가? 그의 표정이 진지했기 때문에 그 어느 때보다 나를 깊이 사랑하고 있다는 걸 알 수 있었다. 망설일 것도 없이 그러겠다고 말했어야 했다. 나도 진심으로 원하고 있었으니까. 그런데 나는 "왜?"라고 하고 말았다.

"왜냐하면," 그가 빙긋이 웃으며 말했다. "나는 당신의 열혈 팬이니까.”

　나는 또다시 웃었고, 그는 웃음기를 거두고 다시 나를 공략하기 시작했다. 격렬하면서도 빠르게 밀어붙였다. 그렇게 하면 내가 정신을 못 차린다는 것을 제러미는 알고 있었다. 헤드보드가 벽에 계속 부딪혔고, 내 머리는 베개를 벗어나고 있었다. “결혼해 줘.” 제러미는 다시 한번 속삭이면서 내 입안 깊숙이 키스를 했다. 몇 달 만에 나눠 보는 키스다운 키스였다.

　그 순간 우리는 서로를 지독하게 갈구하고 있었다. 더 완벽한 합체를 이루려는 몸부림 때문에 입을 맞추기가 힘들 정도였다. 그러는 중에 나는 그의 청혼을 받아들였다. “할게.”

　“고마워.” 제러미가 말했다. 말이라기보다는 거친 호흡이었다. 그러고도 제러미는 멈추지 않았다. 두 사람 모두 땀으로 흠뻑 젖을 때까지. 입 안에서 피 맛이 느껴졌다. 제러미가 내 입술을 깨문 모양이다. 아니면 내가 그의 입술을 깨물었거나. 아무튼 그건 중요하지 않다. 이제 우린 하나가 되었으니까.

　마침내 그가 절정에 이르렀을 때, 그는 내 안에서 사정을 했다. 콘돔은 사용하지 않았다. 그리고 우리의 영혼은 하나가 되었다.

　섹스를 끝낸 제러미는 바닥에 떨어진 청바지를 집어 들고 뭔가 꺼내더니 다시 내 위로 올라왔다. 그리고 내 손가락에 반지를 끼워주었다.

　처음부터 모든 걸 계획하고 있었던 것이다.

　나는 반지를 낀 채 두 손을 머리 위로 올리고 눈을 감았다. 그의 손이 여전히 나를 애무하고 있었기 때문이다. 내가 기쁨과 함께 절정에 이르는 모습을 지켜보고 싶은 것이다. 나는 그가 지켜보는 가운데 희열을 만끽했다.

그 후로 두 달 동안 우리는 그 밤을 우리의 약혼식으로 생각하고 반추했다. 그 두 달 동안 나는 반지를 볼 때마다 웃었고, 우리의 결혼을 생각하는 것만으로도 눈물을 글썽였다. 결혼 첫날밤을 상상하는 것만으로도.

그런데 사실은 우리가 결혼을 약속하던 밤, 나는 임신을 한 것이었다.

그때부터는 현실적인 문제들을 마주해야 했다. 내 자서전의 실체를 이루는 현실. 이때부터 대부분의 작가들은 좀 더 아름답게 조명하기 위해 노력한다. 있는 그대로의 모습을 엑스선 앞에 드러내기보다는.

하지만 우리의 이야기에 더는 빛이 존재하지 않게 될 것이다. 이건 내 마지막 경고다.

이제부터는 온통 어둠이다.

6

베러티의 서재가 가지고 있는 가장 큰 매력은 창문을 통해 바라다보이는 전경이다. 창문이 바닥부터 천장까지 커다란 통유리로 이루어져 있었으므로 조망에 방해가 되는 요인이 없었다. 모든 것이 한눈에 보였다. 이런 창문은 누가 닦지? 나는 얼룩이나 먼지 같은 것이 묻어 있는지 살피며 생각했다.

하지만 가장 신경에 거슬리는 점 또한 그 창문을 통해 보이는 전경이었다. 간호사는 베러티의 휠체어를 뒤 베란다, 서재 바로 앞에 세워놓았다. 휠체어가 현관의 서쪽을 향하고 있었기 때문에 나는 베러티의 옆모습 전체를 온전히 볼 수 있었다. 바깥 공기를 쏘이기에 좋은 날씨였다. 간호사는 베러티 앞에 앉아서 그녀에게 책을 읽어주고 있었고 베러티는 초점 없는 눈으로 허공을 바라보고 있었다. 알아듣기는 하는 걸까? 만약 그럴 수 있다면 어느 정도나 이해할 수 있을까?

베러티의 가느다란 머리칼이 미풍에 나풀거렸다. 마치 유령의 손가락이 그녀의 머리칼을 가지고 장난을 치는 것처럼.

그녀를 보면 가슴 속에 고여 있던 연민이 저절로 증폭되었다. 그래서 그녀를 보고 싶지 않았다. 그런데 이 통유리 창문은 그걸 불가능하게 만든다. 간호사가 책을 읽어주는 소리는 들리지 않았다. 이 창문도 집의 나머지 부분들처럼 방음이 되어있기 때문이리라. 그렇지만 두 사람이 거기 있는 걸 알고 있는 이상, 일을 하면서도 몇 분에 한 번씩 시선이 가지 않을 수 없었고, 그러다 보니 도무지 작업에 집중할 수가 없었다.

아직 내가 이어가야 할 시리즈에 관한 메모나 초안 같은 것은 찾지 못했다. 하지만 서재에 있는 자료 중 아주 적은 부분밖에 살펴보지 못했으니까. 오늘 아침에는 시리즈의 1권과 2권을 훑어보면서 등장인물들을 정리해볼 작정이었다. 작품에 등장하는 인물들에 대해서 나도 베러티만큼 파악하고 있어야 할 것 같아서 나 나름대로 정리체계를 고안하는 중이다. 인물 별로 그들을 움직이게 하는 동기, 원동력, 인내의 한계점 등을 알아야 하니까.

창밖에 움직임이 느껴졌다. 고개를 들어보니 간호사가 베러티 곁을 떠나 뒷문으로 가고 있었다. 나는 잠시 베러티를 살폈다. 간호사가 책 읽어주기를 멈춘 것에 대해 어떠한 반응을 하는지 궁금했다. 하지만 베러티는 두 손을 무릎 위에 얹고 고개는 한쪽으로 갸우뚱 한 채 전혀 움직이지 않았다. 그러한 자세로 오래 있으면 나중에 목이 아플 텐데, 뇌에서 자세를 바로 하라는 신호를 보낼 수도 없는 상태인 것 같았다.

명석하고 재능 있는 베러티는 이제 거기 없었다. 교통사고 후 살아남은 건 오직 그녀의 신체뿐인 걸까? 달걀의 껍데기가 깨져 내용물은 쏟아져 버리고 딱딱한 껍질 조각만 남은 것처럼?

나는 다시 책상으로 눈길을 돌리고 집중하려고 노력했다. 그런데 이번엔 제러미는 어떻게 이 모든 상황을 헤쳐나가고 있는지 궁금해졌다. 겉으로 보기에는 단단한 기둥 같지만 속은 텅 비어 있을 것이다. 그의 삶이 이렇다는 사실이 참 안타깝고도 실망스러웠다. 속 빈 달걀 껍데기를 품고 사는 것 아닌가.

너무 가혹하다.

너무 모진 소리일지는 모르지만, 차라리…… 사고를 당했을 때 살아나지 못했더라면 모두에겐 더 낫지 않았을까. 이런 생각을 한다는 자체가 미안하기는 하지만, 제러미가 처해 있는 상황은 내가 어머니를 돌보며 지냈던 마지막 몇 달을 떠올리게 했다. 어머니도 암으로 인해 정상적인 삶이 거의 불가능한 상태였기에 살아 있는 것보다는 차라리 죽기를 바랐다. 하지만 그건 어머니 삶의 고작 몇 달, 내 삶의 고작 몇 달이었다. 제러미는 앞으로 남은 인생을 더 이상 아내 노릇을 못하는 아내를 돌보며 살아야 한다. 더 이상 집이라고 할 수 없는 집에 묶여서. 베러티도 제러미가 이렇게 사는 걸 원하지 않을 것이다. 물론 그녀도 이렇게 살고 싶지 않을 것 같았다. 자기 아이와 놀아줄 수도, 아이에게 말을 걸 수도 없지 않은가.

나는 베러티를 위해서 그녀가 차라리 의식이 없기를 바랐다. 만약 정신은 살아 있는데 그것을 표현할 수 있는 신체 기능이 완전히 손상된 거라면 얼마나 끔찍한가. 생각을 표현할 수도, 외부에 반응할 수도 없는 상태. 그건 정말 상상하기조차 무서운 일이다.

나는 다시 고개를 들었다.

그녀가 나를 똑바로 쳐다보고 있었다.

나는 튀어 오르듯 벌떡 일어났다. 의자가 뒤로 밀려서 마룻바닥을 미끄러졌다. 베러티가 나를 향해 고개를 돌리고 창문을 통해 나를 빤히 보고 있었다. 시선을 나에게 고정한 채. 나는 손으로 입을 막고 뒷걸음질을 쳤다. 나를 위협하고 있는 듯한 느낌이었다.

그녀의 시야를 벗어나고 싶었다. 나는 천천히 왼쪽으로 움직여 문으로 갔다. 하지만 그녀의 응시를 벗어나지 못한 느낌이다. 마치 모나리자의 눈처럼 내가 가는 곳으로 나를 따라오는 것 같았다. 그렇지만 서재 문을 잡고 다시 돌아보았을 때는 더는 시선이 마주치지 않았다.

그녀의 시선이 나를 따라오지는 않았다.

나는 손잡이를 잡았던 손을 늘어뜨리고 벽에 기대섰다. 에이프릴이 타월을 가지고 나오는 게 보였다. 그녀는 베러티의 턱을 닦아준 다음 갸우뚱한 머리를 들고 무릎에 얹혀 있던 작은 베개를 어깨와 볼 사이에 끼워 넣어주었다. 고개가 바로 세워지니 더 이상 이쪽을 바라보지 않았다.

"맙소사." 나는 혼자 중얼거리듯 내뱉었다.

움직이지도, 말을 하지도 못하는 여자 때문에 겁을 먹다니. 고개를 돌려 누군가를 바라보지도, 의도적으로 눈을 맞추지도 못하는 여자 때문에 말이다.

목이 탔다.

다시 손잡이를 잡고 문을 열던 나는 짧은 비명을 지르고 말았다. 책상 위에 놓아두었던 전화기가 울렸기 때문이다.

빌어먹을. 이렇게 아드레날린이 마구 날뛰는 상황은 싫단 말이다. 맥박이 줄달음을 쳤지만 심호흡을 해서 마음을 진정시키고 전화기를 들었다. 모르는 번호였다.

"여보세요?"

"미스 애슐레이 계십니까?"

"제가 애슐레이인데요."

"저는 크릭우드 아파트의 도노반 베이커입니다. 며칠 전에 입주신청서 접수하셨죠?"

나는 때맞춰 다른 일에 주의를 돌리게 해 준 전화가 반가웠다. 다시 창가로 다가갔을 때는 간호사가 베러티의 휠체어를 돌려놓아서 이제 그녀의 뒷모습이 보였다.

"네. 그런데요?"

"접수하신 신청서가 오늘 최종 처리되어서 전화 드렸습니다. 처리 결과, 안타깝게도 최근에 퇴거 명령서를 받은 사실 때문에 입주 신청을 승인해 드릴 수가 없을 것 같습니다."

나는 잠시 당황했다. "그렇지만 저의 신청서는 이미 승인되지 않았나요? 다음 주에 입주하기로 되어있고요."

"사실은 사전 승인만 받으신 거였어요. 오늘에서야 완전히 처리된 거고요. 최근에 퇴거 명령을 받았던 신청자를 입주시킬 수 없다는 규정에 대해 이해해 주시기 바랍니다."

나는 한 손으로 목덜미를 잡았다. "부탁합니다." 나는 되도록 비참한 심정을 들키지 않으려고 안간힘을 쓰면서 매달렸다. "퇴거 명령을 받기 전까지는 한 번도 임대료 지급 날짜를 어긴 적이 없었어요. 그리고 이제 막 새 일자리를 구했고요. 그곳에 입주할 수 있게 해 주시면 일 년 치 임대료를 미리 지급하겠어요. 약속드립니다."

"저희 결정에 대해 이의를 제기하실 수는 있습니다." 그가 말했다. "이의 제기를 처리하는데 일 주 걸리겠지만, 피치 못할 사정이 있었던 경우 정상참작이 되어 입주가 승인되는 경우도 있습니다."

"몇 주 동안 있을 곳이 없는데요. 이미 전에 살던 아파트에서 나왔거든요."

"죄송합니다." 그가 말했다. "이메일로 저희 결정을 보내드리겠습니다. 이메일 하단에 진정서를 보내실 수 있는 연락처가 있을 거예요. 그럼 좋은 하루 보내십시오, 미스 애슐레이."

전화가 끊어진 후에도 나는 전화기를 귀에 바짝 대고 내려놓지 못했다. 제발 이 악몽에서 깨어날 수 있기를. 어머니, 이게 다 당신 덕분이에요. 고맙군요.

이제 어떻게 해야 하지?

그때 누군가 열린 서재 문을 조용히 노크했다. 나는 또다시 기절할 듯 놀라며 돌아섰다. '오늘 더 이상은 놀라고 싶지 않은데.' 문턱에 제러미가 서 있었다. 내 심정을 알겠다는 표정으로 나를 바라보면서.

서재 문을 열려다 전화를 받는 바람에 문을 열어놓은 채 통화를 했던가 보다. 제러미가 내용을 다 들은 게 분명했다. 오늘 하루 내 심정을 표현하는 형용사에 '대략 난감'이라는 단어를 하나 더 붙여야 할 것 같다.

책상에 전화기를 내려놓고 의자에 앉았다. "제 인생이 늘 이렇게 막막했던 건 아니에요."

제러미는 가볍게 웃으며 서재로 들어섰다. "내 인생도 마찬가지요."

그렇게 말해주니 고마웠다. 나는 전화기를 내려다보며 말했다. "하지만 괜찮아요." 전화기를 빙그르르 돌렸다. "방법을 찾아야죠."

"당신이 대리인을 통해 돈을 받을 때까지 내가 빌려줄 수 있소. 투자 신탁에서 꺼내야 하는데 3일 정도 걸릴 거요."

내 평생 이렇게까지 민망하고 창피했던 적은 없었다. 제러미도 그런 내 심정을 알아챘을 것이다. 나도 모르게 책상에 엎드려 두 손에 얼굴을 묻었기 때문이다.

"말씀은 정말 고맙지만, 당신에게 돈을 빌릴 수는 없어요."

제러미는 잠시 말이 없더니 소파로 가서 앉았다. 그는 편안히 앉아서 몸을 앞으로 굽히고 두 손을 앞으로 모아 깍지를 꼈다. "그럼 선인세가 당신 계좌에 입금될 때까지 여기 있어요. 일, 이 주 정도면 될 테니까." 그는 서재를 둘러보았다. 어제 도착한 후로 별로 진전된 것이 없음을 알아차렸을 것 같았다. "우리는 상관없어요. 당신 때문에 불편할 이유가 전혀 없으니까."

내가 고개를 가로저으니 그가 다시 말했다.

"로웬, 당신이 하고 있는 작업은 결코 쉬운 일이 아니오. 여기서 충분한 시간을 가지고 준비 작업을 하는 것이 좋을 것 같아요. 급히 뉴욕으로 돌아갔다가 더 있었어야 했다고 후회하게 되는 것보다 이편이 낫다고 생각하는데."

시간이 더 필요한 건 사실이지만, 여기서 2주나 더 지내야 한다고? 나를 무섭게 하는 여자와 내가 읽지 말아야 할 원고, 그리고 깊은 사생활을 너무 많이 알게 된 남자가 있는 이 집에서?

좋은 생각이 아니다. 절대로 좋은 생각이 아니야.

나는 다시 고개를 저었다. 그러자 제러미가 손을 들며 말했다. "더 이상 주변 생각은 하지 말고, 창피하다는 생각도 하지 말고, 그냥 알았다고 하면 되는 거요."

제러미 뒤로 벽을 따라 늘어서 있는 상자들을 보았다. 아직 건드리지도 못한 원고들이다. 그리고 2주 동안 여기 머물면서 베러티가 참고한 책들과 메모해 놓은 것들을 읽고, 어쩌면 앞으로 내가 써야 할 세 권의 책에 대한 개요도 찾을 수 있을 거라는 생각을 해 보았다.

나는 비로소 마음이 놓이면서 긴 숨을 내쉬었다. "좋아요."

제러미는 짧게 웃어 보이고는 일어나 문으로 향했다.

"고마워요." 내가 말했다.

그러자 제러미가 돌아서서 나를 보았다. 그 순간 제러미가 그냥 나가도록 아무 말 하지 않았더라면 좋았을 거라는 생각이 들었다. 그의 얼굴에 한줄기 후회의 기색이 엿보였기 때문이다. 제러미는 뭔가 말을 하려는 듯 입을 열었다. 나는 "천만에"라거나 "괜찮소"라는 말을 기대하고 있었다. 하지만 그는 다시 입을 다물고 애써 미소를 지어 보이더니 등을 돌려 문을 닫고 나갔다.

*

오후에 제러미가 산 너머로 해가 지기 전에 반드시 밖에 한번 나가 보라고 했다. "베러티가 왜 서재에 통유리를 설치하고 싶어 했는지 알게 될 거요."

나는 베러티의 책 중에서 한 권을 들고 뒤 베란다로 나갔다. 열 개 정도의 의자가 있었는데, 나는 옥외용 테이블에 놓인 의자에 앉았다. 물가에 제러미와 크루가 보였다. 낚시 도크에서 낡은 나무판자를 뜯어내고 있었다. 제러미가 뜯어서 건네주는 나무판자를 받아 들고 판자를 쌓아 놓은 더미까지 옮기는 크루의 모습이 귀여웠다. 제러미가 도크의 골조에서 판자를 뜯어내는 시간보다 크루가 판자를 더미에 쌓아 놓고 돌아오는 시간이 더 길었으므로 제러미는 매번 기다려야 했다. 그 모습만 봐도 제러미가 참을성 많은 아버지임을 알 수 있었다.

그런 제러미를 보니 내 아버지가 생각났다. 아버지는 내가 아홉 살때 돌아가셨는데, 그때까지 한 번도 아버지가 화내는 모습을 본 적이 없었다. 입만 열면 독설을 쏟아내고 성질이 급했던 어머니에게조차. 나는 커가면서 아버지의 그런 모습이 원망스러웠다. 아버지의 인내심이 어머니에 대한 아버지의 약점으로 보였기 때문이다.

나는 크루와 제러미를 좀 더 지켜보면서 틈틈이 읽던 챕터를 끝내려고 노력했다. 하지만 조금 전에 제러미가 셔츠를 벗었기 때문에 나는 사실 거의 책 내용에 집중하지 못하고 있었다. 전에도 그가 셔츠 벗은 모습을 보긴 했지만, 내의를 입지 않은 맨몸을 보는 것은 처음이었다. 벌써 두 시간째 도크에서 작업을 한 제러미의 피부는 땀에 젖어 번들거렸다. 망치로 나무를 내려칠 때마다 등줄기에 근육이 튀어나왔다. 그 모습은 베러티의 원고에서 읽었던 부분을 떠올리게 했다. 둘의 관계에 대한 은밀한 묘사들. 글의 내용으로 봐서 그들은 서로에게 매우 적극적임에 틀림없었다. 내가 지금까지 가져본 남자친구들과의 관계하고는 비교가 안 될 정도로.

제러미를 보면서 섹스를 떠올리지 않기는 힘들었다. 그와 섹스를 하고 싶다는 뜻은 아니다. 굳이 싫다는 것도 아니지만. 다만 작가로서 생각하기에 제러미는 베러티가 작품 속 남자 주인공을 그리는데 영감의 원천이었을 것 같다는 뜻이다. 그렇다면 남은 세 권을 쓰는 동안 나도 그를 영감의 원천으로 삼아야 하는 게 아닐지. 그게 아주 나쁜 일은 아니지 않은가. 내가 원하지도 않았는데 어쩔 수 없이 베러티의 입장에서 글을 써야 하는 상황이 되었고, 그러니 나 역시 그녀의 시리즈를 이어 쓰는 24개월 동안 제러미를 바라보며 영감을 얻겠다는 건데 말이다.

뒷문이 쾅 하고 닫히는 소리에 깜짝 놀라 시선을 돌렸다. 에이프릴이 베란다에 서서 나를 보고 있었다. 나를 보던 시선이 내가 보던 곳으로 향했고, 다시 내게로 돌아왔다. 에이프릴은 보았다. 제러미를 보고 있던 나를. 젠장, 하필이면 그때.

얼마나 오랫동안 제러미를 보고 있는 나를 지켜보고 있었던 걸까? 나는 읽던 책으로 얼굴을 덮고 싶었지만 아무렇지도 않은 척 미소를 지었다. 내가 뭘 잘못한 건 아니지 않은가.

"퇴근하는 길이에요." 에이프릴이 말했다. "베러티는 잠자리에 들었고, 텔레비전은 틀어두었어요. 저녁 식사와 약은 먹였고요. 선생님이 물어보시면 그렇게 말씀드리세요."

왜 나에게 이런 말을 하는 건지 의아했다. 내가 상관할 일이 아닌데 말이다. "알았어요. 좋은 밤 맞으세요."

에이프릴은 내 인사에 아무런 대꾸도 하지 않고 집 안으로 들어갔다. 그녀 뒤로 또다시 문이 쾅 하고 닫혔다. 일 분쯤 후, 에이프릴의 자동차 엔진 소리가 들렸고 진입로를 빠져나가 나무들 사이로 사라지는 게 보였다. 나는 다시 제러미와 크루에게로 시선을 돌렸다. 제러미는 또 다른 나무판자를 뜯어내고 있었다.

크루가 판자 더미 옆에 서서 나를 보고 있었다. 미소를 지으며 손을 흔들었다. 나도 화답을 하려고 손을 들었다. 그러다가 손가락을 오므리고 말았다. 크루가 나를 보며 손을 흔든 게 아니라는 걸 알았기 때문이었다. 내 머리 위의 약간 오른쪽을 보고 있었다.

베러티의 방이 있는 곳이었다.

나는 순간적으로 돌아서서 위를 올려다보았다. 베러티 방의 커튼이 막 늘어뜨려지는 찰나였다. 나는 들고 있던 베러티의 책을 떨어뜨렸고, 그 바람에 물병이 넘어졌다. 나는 일어나서 세 걸음 정도 뒤로 물러섰다. 창문이 좀 더 잘 보이도록. 하지만 창문에는 아무도 없었다. 나도 모르게 입이 벌어졌다. 다시 크루를 돌아보았다. 크루는 제러미가 건네주는 또 다른 나무판자를 받기 위해 도크 쪽으로 돌아가고 있었다.

내가 헛것을 본 건가.

그런데 왜 크루는 베러티의 창문을 향해 손을 흔들었을까? 베러티가 거기 없었다면 왜 손을 흔든 걸까?

이해가 되지 않았다. 베러티가 사고 후에 혼자서 걷지도 못하고, 말도 하지 못했다는 사실을 생각해 볼 때, 그녀가 정말로 창밖을 내다보았다면, 크루는 훨씬 더 크게 놀라며 반응했을 것이다.

아니면 자기 엄마가 창문까지 걸어서 오는 일이 기적이라는 사실을 크루가 이해하지 못하고 있거나. 이제 겨우 다섯 살이니까.

바닥에 떨어진 책을 집어 들어 흠뻑 젖어 있는 물을 털어냈다. 숨을 내쉬는데 가슴이 떨렸다. 오늘은 줄곧 벼랑 끝에 서 있는 느낌이다. 서재에 있을 때 나를 보는 것 같았던 베러티의 눈을 생각하면 아직도 가슴이 두근거린다. 조금 전에도 그래서 커튼이 움직이는 것처럼 착각했는지도 모르겠다.

이제부터는 서재에 틀어박혀 모든 것을 잊고 밤새 원고 정리나 하면 좋을 것 같다. 그러면서도 마음 한편으로는 베러티의 상태를 확인하지 않고는 일에 집중할 수 없을 것 같기도 했다. 내가 봤다고 생각하는 것들이 실제론 아니라는 걸 확인해야 할 것 같았다.

나는 젖은 책이 마르도록 베란다 테이블에 펼쳐놓고 집 안으로 들어가 계단을 올라갔다. 되도록 소리를 내지 않으려 조심하면서. 베러티를 보러 가는데 왜 소리를 내지 말아야 한다는 생각이 들었는지 모르겠다. 의식 활동을 거의 하지 못할 수도 있는데 내가 다가가는 걸 알게 한들 무슨 차이가 있다고. 그런데도 나는 되도록 소리를 내지 않기 위해 주의를 기울이며 계단을 올라가 복도를 지나 그녀의 방까지 갔다.

방문이 조금 열려 있어서 뒤뜰이 내려다보이는 창문을 볼 수 있었다. 나는 아랫입술을 지그시 깨물면서 손바닥으로 문을 밀고 고개를 들이밀었다.

베러티는 눈을 감은 채 침대에 누워있었다. 두 손은 양옆으로 내린 채 담요 위에 얌전히 놓여 있었다.

나는 안도의 숨을 쉬고 문을 좀 더 열었다. 그러자 베러티의 침대 옆에 놓인 선풍기가 고개를 창문과 침대 사이를 오가며 돌아가는 것이 보였다. 한결 마음이 편안해졌다. 선풍기가 창문으로 향할 때마다 커튼이 움직였던 것이다.

나는 안도의 숨을 길게 내쉬었다. 선풍기 때문이었잖아. 정신 차려, 로웬.

방 안 공기가 너무 찬 것 같아서 선풍기를 껐다. 에이프릴이 선풍기를 틀어놓고 갔다는 게 의아할 정도였다. 다시 한번 베러티를 살펴보았다. 여전히 자고 있었다. 나는 문으로 향하려다가 멈춰 섰다. 문득 서랍장 위의 리모컨이 눈에 들어왔기 때문이다. 벽에 걸린 텔레비전을 보았다.

켜져 있지 않았다.

에이프릴은 퇴근하기 전에 텔레비전을 켜두었다고 했는데.

다시 베러티에게로 시선을 돌릴 용기가 나지 않았다. 나는 서둘러 문을 닫고 아래층으로 내려왔다.

이제 위층에는 올라가지 않는 게 좋겠다. 아무것도 아닌 일에 자꾸 겁을 먹고 있어. 이 집에서 가장 무력한 사람을 무서워하다니. 말도 안 돼. 베러티는 서재 창문을 통해 나를 보고 있지도 않았고, 창문에 서서 크루를 보고 있지도 않았어. 그리고 자기 방의 텔레비전을 끄지도 않았어. 타이머가 맞춰져 있었을 수도 있지. 아니면 에이프릴이 실수로 전원 버튼을 두 번 누르고 켰다고 생각했거나.

이런 생각들을 머리에 담아둔 채, 나는 베러티의 서재로 가서 문을 닫고 자서전의 다음 챕터를 읽기 위해 원고를 집어 들었다. 그녀의 관점에서 쓰인 글을 좀 더 읽다 보면 그녀가 무해한 사람임을 확인하게 될 것이고, 그러면 무서움도 가라앉을 것 같았다.

그대로 이루어지기를
3장

가슴이 전에 없이 풍만해진 것만 봐도 틀림없이 임신을 하긴 한 거다.

나는 몸 관리에 신경을 많이 쓰는 편이다. 잘 먹고, 영양 상태를 살피고, 늘 좋은 컨디션을 유지하기 위해 노력한다. 어머니가 젊은 시절 점점 나태해지면서 허리가 굵어지는 것을 보고 자라온 나는 매일 적어도 한두 번은 운동을 한다.

인간이 정신이나 육체 하나만으로 살 수 없으며 둘이 균형을 이루어야 한다는 사실을 아주 어린 나이에 깨우쳤다.

우리에게는 정신과 영혼, 그 외에 손으로 만질 수 없는 모든 것들을 담고 있는 의식이라는 게 있다. 동시에 우리는 육체를 가지고 있다. 육체는 기계와 같으며 의식의 존폐는 육체에 달려 있다.

육체라는 기계를 망가뜨리면 우리는 죽는다. 그 기계를 방치하고 관리하지 않아도 죽는다. 의식이 기계를 초월하여 존재할 수 있다고 믿는다면, 당신은 그 생각이 틀렸다는 사실을 깨달음과 동시에 죽게 된다.

아주 간단하다. 그러니 물질적인 존재로서 자신을 돌봐야 한다. 의식이 원하는 것이 아닌, 몸이 필요로 하는 것을 먹어야 한다. 마음이 원하는 대로 끌려가다가 몸을 상하게 하는 것은 의지가 박약한 부모가 아이의 떼를 감당하지 못해 잘못된 길로 인도하는 것과 같다. "아, 오늘 힘들었다고? 그래서 과자 한 통을 다 먹겠다고? 오냐, 그렇게 하렴. 탄산음료도 함께 먹으면 더 좋겠구나."

몸을 돌보는 것은 아이를 돌보는 것과 다르지 않다. 때로는 힘들고, 때로는 짜증 나고, 포기하고 싶어진다. 하지만 그래서 포기하면 결국 18년쯤 후에 그 대가를 치르게 된다.

내 어머니를 보면 알 수 있다. 어머니는 내게 그랬듯이 자기 몸도 거의 방치하고 돌보지 않았다. 가끔 어머니가 지금도 뚱뚱할까 궁금해질 때가 있다. 여전히 자신의 기계를 방치하고 있는지. 지난 몇 년간 어머니와 연락하지 않고 지내고 있으니 알 수는 없지만.

나와 다시는 연락하지 않겠다는 사람에 대해 굳이 얘기하고 싶지는 않다. 내가 여기서 하려는 이야기는 내 아기가 내게서 빼앗아 간 것에 대해서니까.

그것은 바로 제러미였다.

처음엔 내가 잃었다는 사실을 알아채지 못했다.

우리가 결혼을 약속했던 날 임신이 되었다는 사실을 알았을 때 나는 행복했다. 제러미가 기뻐했으니까. 그때는 가슴이 전보다 풍만해졌다는 사실 외에는 임신이 내가 그토록 정성 들여 가꿨던 기계에 얼마나 이롭지 못한 것인지 깨닫지 못했다.

임신 사실을 알고 나서 몇 주 후, 그러니까 임신 3기월부터 변화가 나타나기 시작했다. 작은 주머니 정도에 불과한 그것이 확실한 존재감을 전해왔던 것이다. 막 샤워를 끝내고 거울 앞에 서서 옆모습을 비춰보았다. 손을 펴서 배에 대 보았더니 뭔가 이물감이 느껴졌고, 배도 살짝 나와 있었다.

그 모습이 싫었다. 그래서 운동 시간을 하루 세 번으로 늘려야겠다고 다짐했다. 임신이 여성의 신체를 어떻게 변화시키는지는 그동안 봐서 알고 있다. 그리고 그 대부분의 변화가 마지막 3개월 동안 일어난다는 사실도 알고 있다. 어떻게 해서든 조기 분만을 할 수 있다면, 그러니까 33주나 34주 만에 분만을 할 수 있다면 제일 심한 변화는 피할 수 있을 것 같았다. 지금은 의료 기술이 많이 발달해서 그 정도 단계에서 태어난 미숙아들도 거의 정상적으로 성장할 수 있다.

"와우!"

나는 배에 얹었던 손을 급히 내리고 문턱으로 고개를 돌렸다. 제러미가 미소 띤 얼굴로 팔짱을 끼고 문틀에 기대서 있었다. "이제 티가 나기 시작하는군."

"아니야." 나는 얼른 배를 집어넣었다.

제러미는 큰 소리로 웃으며 내 뒤로 다가와 안아주었다. 두 손으로 내 배를 감싸고 거울 속으로 나를 보며 어깨에 키스했다. "그 어느 때보다도 아름다워."

내 기분을 달래주기 위해 하는 거짓말이었지만 고맙고 듣기 좋았다. 그의 거짓말조차도 내겐 소중했다. 나는 그의 손에 내 손을 포개어 꼭 쥐었다. 그는 나를 돌려세워 키스하더니 뒷걸음질을 치게 하여 욕실 벽에 기대놓았다. 그런 다음 나를 들어 올리고 다리 사이로 바짝 들어왔다.

그는 막 퇴근해서 외출복 차림이었고, 나는 막 샤워를 끝낸 전라의 상태였다. 우리의 섹스는 욕실 세면대에서 시작해 침대에서 마무리되었다.

제러미는 내 가슴에 머리를 얹고 내 배의 둥근 윤곽을 손가락으로 더듬고 있었다. 그때 뱃속에서 꼬르륵 소리가 났고, 나는 민망해서 헛기침을 했다. 제러미가 웃었다. "누군지 배가 고픈가 보네."

나는 고개를 저었다. 제러미가 고개를 들고 나를 보며 물었다. "아기가 뭐 먹고 싶대?"

"아무것도. 나 배고프지 않아."

제러미가 또다시 웃었다. "당신 말고. 아기 말이야." 그러면서 내 배를 톡톡 두드렸다. "임신한 여자들은 온종일 배고파하면서 평소에 먹지 않던 온갖 이상한 것들을 먹고 싶어 하는 거 아니야? 아기 때문에 말이야. 그런데 당신은 거의 먹는 게 없잖아. 그러니까 배에서 꼬르륵 소리가 나지." 제러미가 침대에서 일어나 앉으며 말했다. "내 여자들을 좀 먹여야겠어."

그는 '내 여자들'이라고 했다.

"아직 여자 아기인지도 모르잖아."

제러미가 말했다. "여자 아기야. 느낌이 그래."

나는 뭔가 마음에 들지 않았다. 정확하게 말해서 아직 사람이라고 할 수도 없지 않은가. 남자도 여자도 아닌 작고 말랑한 방울 같은 것에 불과하단 말이다. 임신한 지 얼마나 됐다고, 내 안에서 자라는 그 작은 방울로 인해 배가 고파지거나 특별히 뭐가 먹고 싶어진단 말인가. 하지만 제러미가 아기에 대해 너무 들떠 있었기 때문에 내 상태를 객관적으로 설명하기가 힘들었고, 그가 태아를 그 이상의 존재로 생각하든 말든 상관하지 않기로 했다.

가끔은 그가 들뜨고 기뻐하는 모습에 나까지 즐거워지기도 했으니까.

그 후로 몇 주 동안은 제러미의 신바람이 내가 임신 사실을 받아들이는 데 도움이 되었다. 배가 조금씩 불러올수록 제러미가 나와 태아에게 쏟는 관심도 깊어졌다. 잠자리에서도 더 자주 배에 키스해 주었다.

아침이면 입덧 때문에 구토를 해야 했는데 그럴 때면 제러미는 내 머리를 뒤로 잡아주었다. 출근해서 일을 하는 동안에도 아기 이름이 떠오르면 내게 문자를 보냈다. 내가 제러미에게 집착하는 만큼, 그는 나의 임신에 집착했다. 임신 후 첫 검진에도 함께 갔다.

두 번째 검진에도 함께 가 준 것은 천만다행이었다. 그날 나는 세상이 뒤집히는 것 같은 충격을 맛보았기 때문이다.

쌍둥이라고 했다.

아기가 둘이라는 거다.

그날 진료실에서 나온 후로 나는 침울했다. 아기 하나의 엄마가 되는 것도 두려워하고 있던 차였다. 제러미가 나보다도 더 사랑하는 누군가를 나도 사랑해야 한다는 사실. 그런데 그런 존재가 둘이라니, 게다가 둘 다 여자 아기라니, 제러미에게 세 번째로 중요한 사람이 되었다는 사실이 갑자기 견딜 수 없이 슬퍼졌다.

제러미가 아기들에 대해 이야기를 할 때면 억지로 미소를 지었고, 내 배를 쓰다듬을 때면 기쁨으로 가슴이 벅차오르는 듯 연극을 했다. 그러면서도 제러미가 내게 그렇게 해주는 것은 아기들이 아직 내 몸속에 들어 있기 때문이라고 생각하면 마음이 상했다. 아기가 둘이니 몸이 망가지는 것도 두 배가 되겠지. 나는 매일 내 안에서 두 아이가 자라고 있다는 생각을 하며 몸서리를 쳤다. 피부가 늘어나고 가슴이 미워지고, 배가 나왔다. 매일 밤 제러미가 애정을 퍼부었던 다리 사이의 성소는 신의 섭리로 황폐해졌다.

내가 이런 변화를 겪은 후에도 제러미는 여전히 나를 원할까?

임신 4개월이 되자 자연적으로 유산이 되었으면 좋겠다는 생각이 들기 시작했다. 화장실에 가서 용변을 볼 때면 하혈이 있기를 빌었다. 두 아이를 잃고 내가 다시 제러미의 가장 소중한 존재가 되는 상상을 했다. 제러미는 나를 미친 듯이 사랑하고, 흠모하고, 보살펴주고, 걱정해줄 것이다. 그리고 더 이상은 그 이유가 내 안에서 자라고 있는 생명 때문이 아닐 것이다.

나는 제러미의 눈을 피해 수면제를 먹고, 그가 집에 없을 때면 와인을 마셨다. 나에게서 제러미를 밀어내는 존재를 파괴하기 위해서라면 뭐든 했다. 하지만 어떤 노력도 성공하지 못했다. 아기들은 무럭무럭 자랐고, 내 배는 점점 더 커졌다.

임신 5개월에 접어든 어느 날, 침대에서 옆으로 누운 채 섹스를 할 때였다. 제러미는 뒤에서 나를 안은 자세로 왼손은 내 가슴을 잡고, 오른손은 배에 얹고 있었다. 나는 섹스 중에 제러미가 내 배를 만지는 게 싫었다. 그러면 아기들이 떠오르면서 기분이 상했기 때문이다.

그가 갑자기 움직임을 멈춰서 나는 그가 오르가슴에 이른 줄 알았다. 그런데 알고 보니 태아들이 움직이는 것을 느껴서 가만히 있는 거였다. 그는 내게서 떨어지더니 나를 똑바로 눕히고 내 배에 손을 얹었다.

"당신도 느꼈어?" 그가 물었다. 기쁨에 겨워 눈빛이 흔들리고 있었다. 섹스에 대한 열정은 어느새 완전히 가라앉고, 나와 전혀 상관없는 이유로 기뻐하고 있었던 것이다. 내 배에 귀를 대고 아기들이 다시 한 번 움직여주기를 기다리고 있었다.

"제러미?" 내가 가만히 불렀다.

그는 내 배에 키스를 하고 올려다보았다.

나는 손가락으로 그의 머리카락을 만지작거리며 물었다. "당신, 아기들을 사랑하지?"

제러미가 미소를 지었다. 내가 예스라는 대답을 기대하는 걸로 생각하는 것 같았다. "이 세상 무엇보다도 사랑해."

"나보다 더?"

제러미의 미소가 사라졌다. 여전히 내 배에 손을 얹은 채 몸을 일으키더니 한쪽 팔을 내 목 뒤로 밀어 넣었다. "당신에 대한 사랑과는 다르지." 내 볼에 키스하며 말했다.

"다르다는 건 알겠어. 그렇지만 더 사랑해? 아기들에 대한 사랑이 나에 대한 사랑보다 더 강렬하냐는 말이야."

제러미가 내 눈을 깊이 들여다보았다. 나는 그가 큰 소리로 웃거나 '절대 그럴 수는 없지'라고 대답하기를 기대했다. 하지만 제러미는 웃지 않았다. 진지하고 정직한 표정으로 나를 보며 말했다. "그래."

'정말?' 그의 대답은 나를 무참하게 짓밟았다. 숨을 쉴 수가 없었다. 죽을 것 같았다.

"그렇지만 그게 당연한 거야." 제러미가 말했다. "왜 그래? 당신이 나보다 아기들을 더 사랑하는 것이 나에게 미안해서 그래?"

나는 대답하지 않았다. 이 남자는 내가 정말 자기보다 아기들을 더 사랑한다고 생각하는 건가? 난 아직 그 애들을 모르는데?

"미안하게 생각할 거 없어." 제러미가 말했다. "난 당신이 나보다 아기들을 더 사랑하기를 바라고 있어. 우리가 서로를 사랑하는 건 조건적인 사랑이야. 하지만 아기들을 향한 우리의 사랑은 그렇지 않아."

"당신에 대한 내 사랑도 무조건적이야." 내가 말했다.

그가 미소를 지으며 말했다. "아니, 그렇지 않아. 당신은 내가 하는 행동 중에 어떤 것들은 절대로 용서하지 못할 수도 있어. 하지만 아이들은 언제까지라도 용서할 거거든."

제러미는 틀렸다. 나는 그 아이들의 존재 자체를 이미 용서하지 않고 있으니까. 나를 세 번째로 밀려나게 만든 그 애들을, 결혼을 약속한 그날 밤을 내 인생에서 빼앗아간 그 애들을 용서할 수 없으니까.

아직 태어나지도 않은 아이들이 내 것이었던 것들을 빼앗아가고 있었다.

"베러티." 제러미가 내 눈물을 닦아주며 속삭였다. "당신 괜찮아?"

나는 고개를 저었다. "아직 태어나지도 않은 아이들을 당신이 그렇게 사랑한다는 사실이 믿어지지 않아."

"나도 그래." 제러미가 입가에 미소를 지으며 대답했다.

좋은 의미로 하는 말이 아니었는데 그는 그렇게 받아들였다. 그리고 내 배 위에 머리를 얹고 다시 배를 만지기 시작했다. "아이들이 태어나면 나는 정신을 못 차릴 거야."

'이 남자 지금 울려는 거야?'

나를 위해서는 한 번도 울어본 적이 없다. 나를 얻기 위해서도, 나로 인해서도 울어 본 적이 없다. 우린 울 정도로 심하게 싸워본 적도 없었으니까.

"화장실에 가야 할 것 같아." 내가 나지막이 말했다. 사실은 화장실에 가야 했던 게 아니라 제러미에게서 떨어져야 할 것 같았고, 나 이외의 방향으로 향하고 있는 그의 모든 사랑으로부터 멀어져야 했다.

제러미는 내게 키스를 했고, 내가 침대에서 내려오자 등을 보이며 돌아누웠다. 섹스를 하다가 마무리도 하지 않았다는 사실은 잊어버린 채.

내가 화장실에서 철사 옷걸이를 이용해 그의 딸들을 없애려 시도하는 동안 그는 잠이 들었다. 30분쯤 실랑이를 벌이다 보니 배가 아파오면서 피가 다리를 타고 흘러내렸다. 유산이 되는 거라면 하혈은 좀 더 계속될 것이다.

나는 침대로 돌아와 누워서 유산이 완성되기를 기다렸다. 두 팔이 떨렸다. 한참을 쪼그리고 앉았던 탓에 다리는 마비된 듯 감각이 없었다. 배가 아프고 속이 메슥거렸지만 꼼짝하지 않고 누워있었다. 그 일이 일어나는 순간 그의 곁에 누워있고 싶었다. 까무러치듯 놀라며 그를 깨워서 피를 확인하게 해야 하니까. 그가 겁에 질리고, 걱정하고, 나를 안쓰러워하며, 나를 위해 울어주기를 바랐다.

나를 위해 울어주기를.

7

읽고 있던 챕터의 마지막 페이지가 손에서 스르륵 빠져나갔다.

종이는 펄럭이며 반짝이는 나무 바닥에 떨어져 책상 밑으로 들어가 버렸다. 마치 나에게서 벗어나려는 듯이. 나는 얼른 무릎을 꿇고 책상 밑을 더듬어 마지막 장을 찾아 다시 원고 뭉치에 끼워 넣었다. 감춰 두어야 할 것 같았다. 나는 도저히…… 차마…….

베러티의 서재 한가운데 무릎을 꿇고 앉아 있는데 눈물이 차올랐다. 눈물이 흘러내리지 않도록 깊은숨을 들이마시고 눈을 부릅떴다. 떠오르는 생각들을 떨쳐버리기 위해 딱딱한 바닥에 닿은 무릎의 통증에 신경을 모았다. 북받쳐 오르는 감정이 슬픔인지 분노인지 분간할 수가 없었다. 단지, 이 글은 정신적으로 매우 불안정한 여자가 쓴 것이며, 내가 지금 그녀의 집에서 기거하고 있다는 사실만이 머리에 맴돌았다. 나는 천천히 고개를 들어 천장을 올려다보았다. 저 위에 베러티가 있다. 자고 있거나, 먹고 있거나, 멍한 눈으로 허공을 바라보고 있겠지. 이 집안에 나의 존재를 받아들이지 않으려고 도사리는 그녀의 기운이 느껴졌다.

그 순간, 내가 읽은 것들이 사실이라는 확신이 들었다.

사실도 아니면서 자기 자신에 대해서, 그리고 자기 딸들에 대해서 그런 이야기를 쓸 여자는 없을 테니까. 그런 감정과 생각을 경험해보지 않은 아기 엄마라면 꿈에서라도 떠올릴 수 없을 테니까. 베러티가 아무리 인정받는 대작가라고 해도, 실제 그런 경험을 하지도 않았으면서 그런 끔찍한 내용을 써서 자신의 모성적 이미지를 대외적으로 훼손하지는 않을 것이다.

나는 걱정과 슬픔과 두려움으로 머릿속이 복잡해졌다. 임신 중에 충동적인 질투를 느껴서 태아들의 생명을 해치려고 했던 여자라면, 그밖에 또 어떤 일을 할 수 있었을까?

아이들에게는 어떤 일이 있었던 걸까?

복잡한 머릿속을 정리하느라 한동안 씨름을 하고 나서 원고를 서랍에 집어넣었다. 되도록 다른 것들 밑에 깊숙이 파묻었다. 제러미가 그걸 보는 일은 없어야 하니까. 이 집에서 나가기 전에 내가 그것을 파기시켜 버릴 것이다. 제러미가 그걸 읽는다면 어떤 기분일지 감히 상상할 수조차 없다. 지금도 두 딸의 죽음을 그렇게 애통해하고 있는데. 그 애들이 친모의 손에서 겪었어야 했던 고통을 그가 알게 된다면.

아이들이 태어난 후에는 베러티가 좋은 엄마가 되었기를 간절히 바라는 마음이지만, 그걸 확인하려고 원고를 더 읽기에는 너무 무섭고 혼란스러웠다. 지금으로서는 더 읽어보고 싶은 마음이 들 것 같지 않았다.

마실 것이 필요했다. 물이나 탄산음료, 주스 같은 것 말고. 급히 주방으로 가서 냉장고를 열어보았으나 와인은 없었다. 냉장고 위 캐비 닛에도 술 종류는 없었고, 개수대 아래 캐비닛은 텅 비어 있었다. 다시 냉장고를 열었다. 크루를 위해 준비된 종이팩 주스와 생수들뿐이었 다. 그것들로는 이 혼란스러운 마음을 가라앉힐 수 없는데.

"괜찮소?"

깜짝 놀라 돌아보니 제러미가 식탁에 앉아 있었다. 앞에는 신문을 펼쳐놓고 걱정스러운 표정으로 나를 보고 있었다.

"알코올음료는 없나 보죠?" 나는 손가락의 떨림을 감추기 위해 허 리에 두 손을 얹고 물었다. '자기 아내가 실제로 어떤 여자였는지 전혀 모르고 있어.'

제러미는 잠시 나를 유심히 살피더니 식품 저장실로 갔다. 맨 위 선 반에 크라운 로열이 한 병 있었다. "앉으시오." 여전히 걱정스러운 표 정으로 그가 말했다. 나는 그의 시선이 나를 주시하고 있음을 느끼며 테이블에 앉아 고개를 숙이고 두 손을 내려다보았다.

고개를 숙인 채 제러미가 탄산수 캔을 따서 술과 섞는 소리를 듣고 있었다. 잠시 후 내 앞에 술잔을 놓아주었다. 나는 급히 잔을 들어 마 셨다. 몇 방울이 테이블에 떨어졌다. 제러미는 다시 자기 자리에 앉아 나를 뚫어지게 바라보았다.

"로웬," 내가 천천히 크라운 로열을 삼키는 모습을 지켜보면서 진 지한 표정으로 나를 불렀다. 목이 타는 것 같아 저절로 눈이 찡긋거렸 다. "무슨 일이요?"

'자, 그럼 한 번 얘기해 볼까요? 뇌 손상을 입은 당신 아내가 나와 눈을 마주쳤다고요. 침실 창문으로 다가가 당신 아들에게 손도 흔들 어주었죠. 당신이 침대에서 잠들어 있는 동안 당신의 아기들을 유신

시키려 했었다고요.'

"당신 아내," 내가 말했다. "베러티의 책에 너무 무서운 부분이 있었어요."

제러미는 감정이 섞이지 않은 무심한 얼굴로 나를 잠시 바라보더니 웃었다. "정말? 책 때문에 이런다는 말이오?"

나는 어깨를 한 번 들썩여 보이고 또 한 모금을 마셨다. "베러티는 뛰어난 작가니까요." 잔을 내려놓으며 말했다. "내가 겁이 좀 많은 편인 것 같기도 하고요."

"그렇지만 당신도 베러티와 같은 장르의 글을 쓰지 않소."

"제가 쓴 소설을 읽고도 겁을 먹을 때가 있어요." 이건 거짓말이었다.

"로맨스 장르로 바꾸는 게 좋을 것 같군."

"이번 일 끝나면 그러려고요."

제러미가 또다시 웃으며 고개를 가로저었다. 그리고는 앞에 펼쳐졌던 신문을 모아 접으며 말했다. "저녁 식사를 거르는 것 같던데, 아직 따듯할 테니까 원하면 먹도록 해요."

"그럴게요. 배가 고프네요." 뭘 좀 먹고 나면 기분이 차분해질 것 같았다. 술잔을 들고 스토브 앞으로 갔더니 알루미늄 포일에 덮인 닭고기 캐서롤이 있었다. 먹을 만큼 접시에 담고 냉장고에서 물 한 병을 꺼내 테이블로 돌아왔다. "직접 만드신 거예요?"

"그렇소."

한 입 떠먹었다. "아주 맛이 좋네요." 나는 입 안 가득 캐서롤을 우물거리며 말했다.

"고맙소." 제러미는 여전히 나를 보고 있었다. 하지만 이제 염려보다는 재미있어하는 표정이었다. 분위기가 밝아지니 한결 마음이 가벼워졌다. 하지만 즐길 수는 없었다. 내가 읽은 내용이 베러티에 대한 의혹을 부채질했기 때문이었다. 그녀는 의학적으로 어떤 상태인지. 정직한 사람인지.

"뭐 좀 물어봐도 될까요?"

제러미가 고개를 끄덕였다.

"제가 남의 가정사에 너무 깊이 관여하는 것 같으면 그렇다고 말해줘요. 베러티는 완쾌 가능성이 있는 건가요?"

제러미는 고개를 저었다. "의사의 소견으로는 지금까지 진전을 보이지 않는 걸로 봐서, 앞으로도 걷거나 말을 하기는 힘들 것이라 보고 있소."

"전신마비 상태인가요?"

"아니, 척추 손상은 없소. 하지만 정신적으로……. 그녀는 지금 신생아나 마찬가지요. 기본적인 반사 신경은 살아 있지. 먹고, 마시고, 눈을 깜박거리고, 조금씩 움직일 수는 있으니까. 그렇지만 그런 것들이 의식적으로 일어나는 게 아니라는 거요. 계속 치료하면 조금씩 나아지리라 기대는 하지만……."

제러미는 내게서 시선을 옮겨 주방 입구 쪽을 보았다. 크루가 계단을 내려오는 소리가 들렸다.

스파이더맨 잠옷 차림의 크루가 주방으로 들어오더니 제러미의 무릎에 앉았다.

크루. 베러티의 원고를 읽는 동안 크루에 대해서는 잊고 있었다. 자궁에 들어 있는 태아들을 그토록 저주했던 베러티가 아이들이 태어난 후에도 여전히 같은 마음이었다면, 또 한 명의 아이를 낳았을 리가 없지 않을까.

그렇다면 아이들이 태어난 후에는 모성적 사랑이 생겼던 게 분명하다. 그러니까 그런 글을 쓸 수 있었겠지. 궁극에 가서는 제러미가 그랬듯이 베러티도 아이들을 사랑하게 되었으니까. 임신 중에 품었던 나쁜 생각들에 대해 쓴 것은 나름의 방식으로 그것들을 털어버리고 싶었던 게 아닐까. 천주교 신자들이 죄를 고백하듯이.

그런 생각을 하니 마음이 편안해졌다. 제러미에게 베러티의 상태에 대해서 들은 것도 도움이 되었다. 신체적, 정신적으로 신생아와 같은 상태라고 했다. 내가 이 집의 상황을 실제보다 과장해서 해석하고 있었던 것이다.

아이패드를 든 크루는 제러미의 어깨에 머리를 기대고 있었고, 제러미는 전화기를 들여다보며 화면을 넘기고 있었다. 그런 두 사람의 모습이 사랑스러워 보였다.

나는 그동안 이 집에서 일어난 나쁜 일들에 초점을 맞추려고 했던 것 같다. 그런 일들을 겪었지만 아직 남아 있는 긍정적인 면들을 보도록 하자. 제러미와 크루의 친밀한 관계가 그렇지 않은가. 크루는 제러미를 좋아한다. 그와 함께 있을 때 즐겁게 웃는다. 아버지가 편하고 좋은 거다. 제러미도 크루에게 애정 표현을 하는데 거리낌이 없다. 조금 전에도 크루의 머리에 키스하지 않던가.

"양치했어?" 제러미가 물었다.

"응." 크루가 대답했다.

제러미가 크루를 안은 채 일어섰다. "그럼 이제 자야지." 그러더니 크루를 어깨 위로 올렸다. "로라에게 '안녕히 주무세요' 해."

크루가 나를 향해 손을 흔드는 동안 제러미는 모퉁이를 돌아 이 층으로 올라갔다.

나는 제러미가 다른 사람이 있을 때는 나를 필명으로 부르면서 단둘이 있을 때면 로웬이라고 부른다는 사실을 마음속 깊이 담아 두었다. 그것이 얼마나 내 마음을 들뜨게 하는지. 또 그런 내가 한편으로 얼마나 싫은 지도…….

나는 저녁을 마저 먹고 접시를 씻었다. 그동안 제러미는 이 층에서 크루와 있었다. 설거지를 끝내고 나니 기분이 한결 좋아졌다. 술 때문인지, 음식 때문인지, 아니면 베러티가 그런 끔찍한 이야기를 쓴 것은 그다음에 좋은 결말이 기다리고 있기 때문일 것이라는 생각 때문인지는 모르겠다. 아마도 아이들이 그녀에게 축복이었다는 사실을 베러티가 깨닫는 내용이 이어지지 않을까.

주방에서 나오는데 복도에 걸린 가족사진 액자들이 눈에 띄었다. 대부분 아이들 사진이었지만 베러티와 제러미가 함께 찍은 것도 있었다. 아이들은 놀라울 정도로 자기 엄마를 닮았다. 크루만 아버지를 많이 닮은 것 같았다.

무척 단란해 보였다. 그런 만큼 더 보는 사람의 마음을 아프게 했다. 나는 사진 하나하나를 눈여겨보았다. 쌍둥이 딸 둘은 각자의 개성이 있어서 쉽게 구분할 수가 있었다. 그중 활짝 웃고 있는 아이는 볼에 작은 상처가 있었다. 또 한 명은 표정에 거의 웃음기가 없었다.

아이의 볼에 있는 상처가 언제 생긴 걸까 생각하면서 아이의 얼굴을 만져보았다. 어쩌다 생긴 걸까. 사진들을 따라 시선을 옮기다 보니 유아기에 찍은 좀 더 오래된 사진이 있었다. 환하게 웃는 아이는 그때도 볼에 상처가 있었다. 아주 어렸을 때 생긴 건가 보다.

사진을 보고 있는데 제러미가 내려왔다. 제러미가 옆에 와서 섰을 때 내가 상처 있는 아이를 가리키며 물었다. "이 아이가 누구죠?"

"채스틴이오." 제러미는 이렇게 말하고는 또 한 아이를 가리켰다. "얘가 하퍼."

"둘 다 베러티를 많이 닮았어요."

제러미를 보고 있지는 않았지만, 곁눈으로 그가 고개를 끄덕이는 모습이 보였다.

"채스틴은 어쩌다 상처를 갖게 되었어요?"

"태어날 때부터 있었소." 제러미가 말했다. "의사의 말로는 섬유조직에 의한 상처라고 했소. 쌍둥이들의 경우 좁은 공간에 잔뜩 웅크리고 있기 때문에 드물지 않은 현상이라고 했소."

제러미를 돌아보았다. 채스틴이 정말 그 때문에 상처를 갖게 되었을까? 아니면, 베러티의 실패한 시도의 흔적일까?

"두 아이가 모두 같은 음식에 대해 알레르기가 있었나요?"

이 질문이 입 밖으로 나오는 순간 나는 턱을 감싸고 후회를 했다. 쌍둥이 중 한 명이 땅콩 알레르기가 있었다는 사실을 알 수 있었던 것은 그 아이의 죽음에 관한 기사를 읽었기 때문이었다. 그러니 이제 제러미도 내가 딸들의 죽음에 관한 글을 읽었다는 사실을 알게 된 거다.

"미안해요, 제러미."

"괜찮소." 제러미가 조용히 말했다. "채스틴만 알레르기가 있었소. 땅콩 알레르기였지."

더는 아무 말도 하지 않았지만, 나를 뜯어보는 그의 눈길을 느낄 수 있었다. 고개를 돌리자 눈이 마주쳤다. 잠시 내 눈을 바라보던 제러미는 시선을 떨구어 내 손을 보았다. 그러더니 가는 손가락으로 내 손을 잡고 손바닥이 위로 향하게 돌렸다. "이 상처는 어쩌다 생긴 거요?" 그는 엄지손가락으로 내 손바닥에 있는 상처를 가만히 쓰다듬으며 물었다.

나는 손을 오므렸다. 상처를 숨기려는 건 아니었다. 상처는 이미 희미해졌고, 평소에도 거의 잊고 지내니까. 상처에 대해 생각하지 않으려고 노력하며 살았다. 내가 손을 오므린 이유는 그의 손이 닿을 때의 감촉 때문이었다. 그의 손가락이 뜨겁게 달구어진 인두처럼 내 손에 구멍을 내는 것 같아서였다.

"기억이 안 나요." 내가 허둥대며 대답했다. "저녁 잘 먹었어요. 이제 가서 샤워할까 봐요." 그의 뒤로 보이는 내 침실을 가리키며 말했다. 제러미는 내가 지나갈 수 있도록 옆으로 비켜섰다. 나는 서둘러 방으로 들어와 문을 닫은 다음, 잠시 문에 등을 기댄 채 마음을 진정시켰다.

불편했다거나 불쾌해서가 아니었다. 제러미 크로퍼드는 좋은 사람이다. 내가 당황했던 건 베러티의 원고였다. 나는 제러미가 자신의 세 아이와 아내를 똑같이 사랑한다고 믿는다. 그 점에 있어 제러미는 조금도 거리낌이 없다. 자기 아내가 말을 하지도, 움직이지도 못하는 상태인 지금도 변함없이 이타적인 사랑을 주고 있다.

제러미는 베러티 같은 여자가 쉽게 빠져들 수 있는 남자다. 그렇지만 그렇게까지 맹목적이고 비이성적으로 집착하는 건 이해할 수 없다. 아이들에 대한 그녀의 질투심만큼은 특히 더.

하지만 제러미에 대한 베러티의 사랑은 충분히 이해할 수 있다. 인정하고 싶지 않을 만큼 깊이.

방문에서 떨어지려는데 머리카락이 뭔가에 걸리는 바람에 다시 문으로 당겨졌다. 뭐지? 머리카락이 뭔가에 엉킨 것 같았다. 나는 조심스레 머리카락을 풀고 빠져나와서 머리카락이 엉켰던 자리를 돌아보았다.

자물쇠가 달려 있었다.

제러미가 오늘 달아놓았나 보다. 정말 자상한 사람이다. 나는 자물쇠를 채웠다.

제러미는 내가 이 집이 안전하지 않다고 느껴서 문을 잠그고 싶어한다고 생각했을까? 그러지 않았기를 바란다. 그 때문이 아니니까. 내가 문을 잠그려는 이유는 그들을 나로부터 안전하게 하기 위해서다.

욕실로 들어가 전등을 켰다. 손을 내려다보면서 상처를 더듬어보았다.

내가 가끔 잠결에 돌아다니는 걸 목격한 어머니는 걱정하기 시작했다. 그래서 상담 치료를 받게 했다. 수면제보다 그게 효과적일 것이라 기대했다. 상담 치료사는 환경을 낯설게 하는 게 중요하다고 했다. 잠결에 극복하기 힘든 장애물 같은 것을 설치하면 도움이 될 거라고 했다. 예를 들어 방문 안쪽에 자물쇠를 설치한다던가.

그 후로 항상 자기 전에 문을 잠그곤 했는데, 왜 다음 날 아침에 일어나면 손목이 부러져 있거나 피를 뒤집어쓰고 있는지 알 수가 없었다.

8

베러티의 원고는 당분간 읽지 않기로 했다. 임신 중절을 시도하는 부분까지 읽고 책상 맨 아래 서랍에 넣어둔 지 이틀이 지났지만 다시 손을 대지 않고 있다. 하지만 원고의 존재감까지 외면할 수는 없었다. 내가 덮어놓은 잡동사니들 밑에서 얕은 숨을 쉬면서 내가 있는 이 공간을 채우고 있으니까. 원고를 읽을수록 마음이 복잡해지고, 집중하기가 힘들어진다. 그렇다고 영영 읽지 않겠다는 건 아니고, 일단 어느 정도 내가 해야 하는 일에 진전을 보기 전까지는 또다시 원고를 읽으며 정신을 분산시킬 수는 없다는 뜻이다.

원고를 읽지 않으니 베러티의 존재가 며칠 전처럼 나를 위압하지 않았다. 어제는 온종일 베러티의 서재에서 작업하다가 바람을 쐬려고 나왔더니 베러티와 간호사가 식탁에 앉아 있었다. 크루와 제러미도 함께. 이 집에 와서 며칠이 지나는 동안 저녁 식사 때마다 나는 방에 있었기 때문에 식사할 때 베러티를 휠체어에 태워 식탁에 함께 있게 하는 줄은 몰랐다. 나는 가족의 식사를 방해하지 않기 위해 다시 조용히 서재로 돌아왔다.

오늘은 다른 간호사가 왔다. 이름이 마이어나라고 했다. 에이프릴보다 좀 더 나이가 많아 보였는데 통통한 편이고 명랑했다. 분홍색 볼터치가 선명해서 그런지 옛날에 유행했던 큐피 인형을 닮았다는 생각이 들었다. 한눈에 보기에도 에이프릴에 비해 훨씬 밝고 쾌활한 사람 같았다. 에이프릴이 나를 불쾌하게 했던 것은 아니지만, 왠지 내가 제러미 주변에 있는 것을 싫어하는 듯한 분위기를 풍겼다. 아니면 제러미가 내 주변에 있는 것이 신경 쓰였던가. 에이프릴이 왜 내가 이 집에 머무는 것을 싫어하는지는 모르지만, 간호사로서 자기 환자를 보호하려는 그녀의 마음에는 무력해진 환자의 집에 머물고 있는 다른 여자를 경계하는 마음도 포함되어 있는 것 같았다. 자기가 퇴근하고 난 후 제러미와 내가 부부의 침실에서 문을 잠그고 함께 밤을 지내리라 생각하겠지. 그녀의 생각대로라면 얼마나 좋을까…….

마이어나는 금요일과 토요일에만 오고, 나머지 날은 에이프릴이 베러티를 돌본다고 했다. 오늘은 금요일이며, 예정대로라면 나는 오늘 새 아파트로 들어갔어야 했다. 하지만 일이 이렇게 정리되어 얼마나 다행인지 모른다. 그렇지 않았으면 나는 준비도 되지 않은 상태로 이 집을 떠났을 것이다. 여기서 며칠 더 보내면서 읽고 정리한 자료들 덕분에 앞으로의 작업이 훨씬 수월할 것 같다. 지난 이틀 동안 베러티의 시리즈 중에서 두 권을 더 읽었는데 무척 재미있었다. 악당의 관점에서 이야기를 풀어나가는 게 매력적이다. 남은 세 권을 쓰면서 글의 방향을 어떻게 잡아야 할지 어느 정도 감을 잡을 수 있었다. 그런데도 혹시나 하는 마음에 내가 써야 할 작품에 직접적으로 도움이 될 만한 메모나 자료들을 여전히 찾아보는 중이다. 바닥에 늘어져 있는 원고 상자들을 뒤지는데 코리가 문자를 보내왔다.

> 코리 : 오늘 아침에 팬텀에서 보도자료를 내보냈어. 당신, 아니 로라 체이스가 베러티 시리즈의 공동 작가로 영입되었다는 내용이야. 혹시 궁금할까 봐 이메일로 링크 보냈어.

이메일을 열어보려는데 노크 소리가 들렸다.

"들어오세요."

제러미가 문을 열고 고개를 들이밀었다. "식료품 사러 마트에 가는 길인데 필요한 물건 적어주면 사다 주겠소."

필요한 게 있기는 했다. 그중에 탐폰도 있는데 어떡할까. 생리주기가 거의 끝나 가기는 하는데. 이렇게 오래 있게 될 줄 몰라서 충분히 가져오지 못했다. 제러미에게 그걸 부탁하기는 좀 망설여졌다. 나는 일어나서 청바지에 묻은 먼지를 털며 말했다. "함께 가도 될까요? 그게 나을 것 같아요."

제러미가 문을 좀 더 열며 말했다. "물론이오. 10분 정도 후에 출발합시다."

*

제러미의 차는 타이어가 유난히 큰 진회색 랭글러였다. 바퀴에 진흙이 잔뜩 묻어 있었다. 그동안 차고에만 있었기 때문에 못 보기도 했지만, 내가 상상하던 차는 아니었다. 나는 그가 캐딜락 CTX나 이우디

A8 같은 차를 타리라 생각했다. 정장을 차려입은 남자가 탈 것 같은 고급 승용차들 말이다. 내가 왜 여전히 제러미를 전문직에 종사하는 남자의 모습이나 처음 만나던 날처럼 말끔하게 차려입은 사업가로 상상하는지 모르겠다. 정작 그는 매일 청바지에 운동복을 입고 마당에서 일을 하는데. 뒷문에 벗어놓은 진흙투성이 장화들을 매일 번갈아 신으면서 말이다. 그러고 보니 내가 상상했던 다른 어떤 자동차보다도 랭글러 지프가 그에게 가장 어울렸다.

진입로를 벗어나 반 마일쯤 달렸을 때 제러미가 라디오 볼륨을 줄이며 물었다.

"오늘 팬텀에서 내보낸 보도자료 보았소?"

나는 지갑에서 휴대전화를 꺼내며 대답했다. "코리가 링크를 보내주었는데 깜박 잊고 읽어보지 않았네요."

"퍼블리셔스 위클리에 한 줄짜리 기사로 나왔을 거요." 제러미가 말했다. "짧지만 좋은 내용이오. 당신이 원하는 딱 그런 스타일."

나는 이메일을 열어 내용을 읽었다. 링크는 퍼블리셔스 위클리로 연결되지 않았다. 코리가 보내준 것은 베러티 크로퍼드의 소셜 미디어에 그녀의 출판 팀이 게재한 내용이었다.

팬텀 출판사에서 전하는 반가운 소식. 베러티 크로퍼드의 히트작인 '덕목' 시리즈의 나머지 이야기에 로라 체이스가 공동 작가로 참여하게 되었다. 로라와 함께 작업하게 된 것에 대해 베러티 역시 무척 기뻐하고 있다. 두 작가가 함께 만들어낼 시리즈의 멋진 결말을 기대해 본다.

'베러티가 기뻐하고 있다고? 기가 막히는군!' 출판 관련된 기사는

144

절대 믿으면 안 된다는 사실 하나는 확실하게 알았다. 기사 밑에 달린 댓글들을 읽어보았다.

 - 로라 체이스가 누구야?
 - 베러티는 소중한 자기 작품을 왜 다른 작가의 손에 넘기는 거야?
 - 안 돼. 안 돼. 싫어.
 - 다 그런 거 아니야? 그저 그런 작가가 성공해서 명성을 얻고 나면, 또 다른 그저 그런 작가를 시켜 자기 글을 대신 쓰게 하는 거지.

전화기를 내려놓았다. 그래도 마음이 가라앉지 않아 벨 소리를 끄고 가방에 넣은 다음 지퍼를 잠갔다. "사람들이 어쩜 이렇게 인정머리가 없는지." 혼잣말처럼 중얼거렸다.

제러미가 웃었다. "그러니까 댓글은 읽는 게 아니오. 베러티가 수년 전에 그렇게 가르쳐주었소."

나는 지금까지 대중의 관심을 받아 본 적이 없기 때문에 댓글에 신경을 쓸 필요가 없었다. "이제라도 알게 돼서 다행이네요."

마트에 도착하자 제러미는 먼저 내리더니 내 쪽으로 달려와 문을 열어주었다. 그런 대접에 익숙하지 않은 나는 오히려 그런 친절이 부담스러웠지만, 내가 혼자 문을 열고 내렸다면 제러미는 더 당황했을 것 같았다. 제러미는 베러티가 자서전에서 그리고 있는 바로 그런 남자였으니까.

남자가 열어주는 차에서 내려 보는 게 생전 처음이라니. 빌어먹을. 도대체 그동안 얼마나 한심한 여자로 살았던 거야?

내가 내리는 걸 도와주기 위해 그가 내 손을 잡자 나도 모르게 긴장을 하면서 온몸에 힘이 들어갔다. 그의 손이 닿을 때 내 몸이 반응하는 건 나도 어쩔 수 없다. 그러지 말아야 하는 걸 알면서도 그의 손이 좀 더 내게 깊이 닿아주기를 바라게 된다.

그도 나와 같은 마음일까?

섹스 같은 것은 생각지도 못 한지 오래일 텐데, 혹시 그가 그리워하고 있을지 궁금했다.

적응하기 어려운 상황일 것이다. 결혼 초기엔 삶의 중심이자 원동력이었을 것들이 하루아침에 사라진 결혼생활이라니.

'왜 내가 마트에 걸어 들어가면서 그의 성생활에 대해 생각을 하는 거지?'

"요리하는 거 좋아해요?" 제러미가 물었다.

"싫어하지는 않아요. 단지 늘 혼자 지내다 보니 자주 하지 않을 뿐이죠."

제러미가 쇼핑 카트를 끌어왔고 우리는 채소 코너로 갔다. "좋아하는 음식이 뭐요?"

"타코요."

그가 웃었다. "간단해서 좋군." 그러더니 타코에 들어가는 채소들을 집었다. 나도 다음에 제러미의 가족을 위해 스파게티를 만들겠다고 제안했다. 내가 자신 있게 만들 수 있는 유일한 음식이었다.

제러미가 주스 코너를 둘러보는 동안 나는 그에게 잠깐 다녀오겠다고 한 뒤 식료품 코너를 벗어나 내가 필요한 것들을 사러 갔다. 탐폰을 집고, 그것과 함께 카트에 집어넣을 몇 가지를 샀다. 샴푸와 양말 그리고 셔츠 몇 장.

내가 왜 탐폰을 사면서 그렇게 민망해하는지 모를 일이었다. 제러미가 본적이 없는 물건도 아닐 텐데 말이다. 제러미 같은 남자라면 베러티를 위해 몇 번쯤은 그런 걸 사다 주었을 것이다. 주저 없이 그런 일들을 해주는 타입의 남편이었을 테니까.

내가 돌아갔을 때 제러미는 여전히 식품 코너에 있었다. 그의 곁에는 여자 둘이 서 있었는데, 자기들의 카트를 멀찍이 떨어뜨려 놓은 채 제러미와의 대화에 열중하고 있었다. 제러미는 아이스크림 냉동고에 등을 바짝 대고 있어서, 할 수만 있다면 그 안으로 들어가 도망치고 싶은 심정인 것처럼 보였다. 나는 그들의 등을 보며 다가갔다. 그러다 제러미의 시선이 내게 향하자 두 여자도 나를 돌아보았다. 언뜻 보기에 흑갈색 머리의 여자는 괜찮을 듯 보였다. 하지만 그건 그녀와 눈이 마주치기 전의 생각이었다. 그녀의 이글거리는 눈빛을 보니 마음이 달라졌다.

나는 쇼핑 카트가 맹수라도 되는 듯 겁먹은 모습으로 조심스럽게 다가갔다. 제러미의 카트에 내 물건들을 담아야 하나? 혹시 이상하게 보이지는 않을까? 내 물건들은 카트 상단의 작은 공간에 넣는 게 좋겠다고 생각했다. 선을 분명히 긋는 의미에서. 같이 왔지만 생활을 함께하는 건 아니라는. 두 여자가 동시에 나를 지켜보았다. 내가 물건을 하나하나 카트에 담을 때마다 그녀들의 눈썹이 점점 치켜져 올라갔다. 제러미에게 더 가까이 서 있는 금발 여자가 내가 산 탐폰을 보았다. 그러더니 고개를 갸우뚱하며 나를 바라보았다.

"누구신지……?"

"이분은 로라 체이스요." 제러미가 대답했다. "로라, 이쪽은 패트리샤와 캐롤라인이오."

금발의 여자는 방금 따끈따끈한 뒷담화 거리를 건네받은 표정으로 변했다. "우리는 베리티의 친구들이에요." 패트리샤가 말했다. 그러면서 티가 나게 거만한 표정을 지어 보이며 말했다. "친구가 와 있어서 베리티가 한결 마음이 놓이겠네요." 그러더니 뭔가 더 듣고 싶은 듯 제러미를 보며 물었다. "아니면 혹시 당신 친구인가요?"

"로라는 뉴욕에서 왔소. 베리티의 일을 함께하고 있지."

패트리샤는 미소를 지으며 알겠다는 투의 '아하' 소리를 길게 내더니 다시 나를 힐끗 보았다. "작가들은 어떻게 함께 일하죠? 글을 쓰는 일은 혼자서만 하는 일인 줄 알았는데."

"문학을 모르는 사람들은 대부분 그렇게 생각하죠." 제러미는 이렇게 말하고는 그들을 향해 고개를 끄덕여 보였다. 인제 그만 가보겠다는 신호 같았다. "즐거운 오후 보내기 바라요." 제러미가 쇼핑 카트를 밀려는데 패트리샤가 카트를 잡으며 말했다.

"베리티에게 안부 전해주시고, 쾌유를 빈다고도 전해주세요."

"그렇게 전하죠." 제러미가 걸음을 옮기며 말했다. "셔먼에게도 안부 전해줘요."

패트리샤가 인상을 찌푸리며 말했다. "남편 이름은 윌리엄이에요."

그러자 제러미가 고개를 끄덕이더니 말했다. "아, 맞아요. 늘 혼동을 해서 말이오."

돌아서서 걷기 시작하는데 패트리샤가 코웃음 치는 소리가 들렸다. 그들에게서 좀 멀어진 후에 내가 물었다. "셔먼이 누구죠?"

"저 여자가 남편 몰래 바람피우는 녀석이오."

나는 너무 놀라 제러미를 올려다보았다. 그는 미소를 짓고 있었다.

"맙소사." 나는 큰 소리로 웃었다. 계산대에 서서도 나는 웃음이 새어 나오는 걸 멈출 수 없었다. 그 정도의 함축적이면서도 정곡을 찌르는 대화를 직접 옆에서 지켜보는 건 처음인 것 같았다.

제러미가 구매한 물건들을 계산대 위에 올려놓기 시작했다. "굳이 그 여자 수준으로까지 내려갈 필요는 없었는데, 위선적인 꼴은 못 참는 성격이어서 말이오."

"그렇기는 하지만, 위선이 없다면 조금 전과 같은 서사적인 순간을 목격하는 재미도 없었겠죠."

제러미가 카트에 남은 물건들을 집었다. 내 물건들은 따로 구매하고 싶었으나 제러미는 한사코 내가 따로 계산하게 두지 않았다.

그가 신용카드로 계산을 하는 동안 나는 그에게서 눈을 뗄 수 없었다. 마음속에 뭔가가 고여 드는 느낌이었다. 그게 뭔지는 모르겠지만. 내가 이 남자에게 빠져드는 건가? 당연히 그럴 수 있다. 병든 아내에게 헌신하느라 다른 여자는 물론, 그밖에 다른 어떤 것에도 눈을 돌리지 못하는 남자에게 호감을 느끼는 건 너무 당연한 일이니까. 심지어 자기 아내가 실제로 어떤 사람인가도 모를 정도로 그는 자기 아내에게 맹목적이다.

'로웬 애슐레이, 지금도 충분히 삶이 힘들었으면서, 훨씬 더 무거운 짐을 진 남자, 게다가 넘보아선 안될 남자에게 빠져들고 있다니.'

이것이야말로 카르마(불교에서 말하는 업보)인 거지.

9

이 집에 온 지 5일밖에 되지 않았는데 왠지 더 오래된 것 같은 느낌이다. 여기서는 하루가 길다. 뉴욕에 있을 때는 모든 것이 빠르게 흘러갔는데.

오늘 아침에 마이어나가 제러미에게 하는 말을 들으니 베러티가 열이 있다고 했다. 그래서 저녁에 퇴근할 때까지 한 번도 베러티를 아래층으로 데려오지 않았다. 나는 물론 그것이 싫지 않았다. 베러티가 베란다에서 바깥바람을 쏘이는 동안 그녀의 존재를 의식하면서 창문을 통해 그녀를 힐끗거리지 않아도 되니까.

그 대신 나는 지금 제러미를 보고 있다. 그는 뒤 베란다에 혼자 앉아서 호수를 바라보고 있다. 흔들의자에 앉아 있는데, 지금까지 10분도 넘게 앉아 있으면서 한 번도 흔들지 않는다. 미동도 없이 굳은 듯 앉아 있다. 아주 가끔 눈만 깜박거린다. 그렇게 나와 있은 지 꽤 오래되었다.

지금 그가 무슨 생각을 하고 있는지 알고 싶다. 여자 생각을 하고 있을까? 아니면 베러티 생각? 지난 한 해 자신의 삶이 얼마나 많이 달라졌는가에 대해 생각하고 있을까? 며칠 동안 면도를 하지 않아 덥수룩해진 턱수염이 이목구비와 아주 잘 어울린다. 하지만 그에게 어울리지 않는 게 딱히 있을 것 같지는 않다.

베러티의 책상에 팔꿈치를 대고 손으로 턱을 고였다. 그러고는 곧 나의 움직임을 후회했다. 제러미가 나의 움직임을 알아차렸기 때문이다. 고개를 돌리고 창을 통해 나를 바라보았다. 시선을 돌리고 싶었다. 바쁜 것처럼 보여야 할 것 같았다. 그렇지만 이미 그를 바라보고 있었다는 게 너무나 명확해진 뒤여서, 나는 차라리 몸을 앞으로 숙이고 손으로 이마를 받쳤다. 지금 안 본 척한다면 더 우스워질 것 같아서 그를 향해 조용히 미소를 지었다.

그는 미소 짓지 않았지만, 그렇다고 시선을 돌리지도 않았다. 우리는 몇 초 동안 서로를 마주 보았다. 그의 응시가 내 안에 작은 소요를 일으키는 것 같았다. 내가 그를 바라보고 있었다는 사실이 그의 마음에도 변화를 일으키는지 궁금해졌다.

그는 천천히 깊은숨을 들이마시더니 자리에서 일어나 도크 쪽으로 걸어갔다. 도크에 이르자 망치를 집어 들고 남은 판자를 뜯어내기 시작했다.

혼자 평온한 시간을 갖고 싶은지도 모른다. 크루도 베러티도, 간호사도 없이. 물론 그의 사적인 공간을 기웃거리는 나의 시선도 닿지 않는 곳에서.

재낵스(*불안감이나 공황장애 등을 치료하기 위한 신경 안정제, 알프라졸람의 상표명*)를 먹어야 한다. 지난 일주인 동안 한 알도 먹지 않았다. 약을 먹으면 정신이 몽롱해져서 글쓰기나 자료 정리에 집중하기가 힘들다. 그렇지만 이 집에 있는 동안 수시로 맥박이 줄달음을 치듯 빨라지는 경험을 하는 것도 힘들긴 마찬가지다. 지금처럼. 아드레날린이 분비되기 시작하면 다시 진정시키기가 힘들다. 그 원인이 제러미일 때도 있고, 베러티일 때도 있고, 베러티의 소설일 때도 있다. 이들이 자주 나의 불안을 휘저어놓는다. 이 집과 여기 사는 사람들에 대한 나의 반응이 약을 먹었을 때의 혼미한 상태보다 더 나를 집중하기 힘들게 만든다.

가방 속에 재낵스가 남아 있는지 찾아보기 위해 방으로 갔다. 약병을 찾아서 마개를 열려는데 위층에서 비명 소리가 들렸다.

'크루다.'

나는 마개를 열지 않은 병을 침대에 던져두고 방에서 뛰쳐나가 계단을 올라갔다. 크루의 울음소리가 들렸다. 베러티의 방에서 들리는 것 같았다.

뒤로 돌아서서 반대 방향으로 달아나고 싶었다. 하지만 동시에 어린 크루가 다쳤을지도 모른다는 생각이 머릿속을 스쳤다. 그래서 걸음을 멈추지 않았다.

베러티의 방에 이르러 노크를 하지 않고 바로 문을 열었다. 크루가 바닥에 앉아 턱을 감싸고 있었다. 손가락 사이로 피가 흘렀다. 크루 옆에는 칼이 놓여 있었다. "크루?" 나는 얼른 크루를 안고 복도를 달려 욕실로 갔다. 세면대에 크루를 앉혔다.

"어디 보자." 떨리는 크루의 손가락을 들고 상처를 살폈다. 피가 배어 나오고 있었으나 아주 깊은 상처는 아닌 것 같았다. 턱 밑에 칼로 벤 자국이 있었다. 떨어질 때 칼을 들고 있었던 것 같았다. "칼에 베인 거야?"

크루가 눈을 동그랗게 뜨고 나를 올려다보았다. 크루가 고개를 저었다. 칼을 가지고 있었다는 걸 숨기고 싶은 것 같았다. 제러미는 당연히 허락하지 않았을 테니까. "엄마가 칼 만지지 말라고 했어요."

순간 온몸이 얼어붙는 것 같았다. "엄마가 그렇게 말했다고?"

크루는 대답하지 않았다.

"크루." 내가 수건을 집으며 크루를 불렀다. 말을 하려고 했지만 심장이 목구멍에서 뛰는 것 같았다. 나는 겨우 두려움을 누르고 수건에 물을 적셨다. "엄마가 너에게 말을 했어?"

크루의 몸이 잔뜩 움츠러들었다. 겨우 고개만 가로저었다. 젖은 수건으로 그의 턱을 감싸고 힘을 주어 누르는데 제러미가 계단을 올라오는 소리가 들렸다. 비명 소리를 들은 것 같았다.

"크루!" 제러미가 소리쳤다.

"여기 있어요."

제러미가 걱정 가득한 눈으로 욕실 문 앞에 섰다. 나는 젖은 수건으로 크루의 턱을 감싼 채 제러미가 들어올 수 있도록 비켜주었다.

"괜찮니?"

크루가 고개를 끄덕이자 제러미가 내가 들고 있던 수건을 넘겨받더니, 수건을 들고 상처를 살폈다. 그러고는 나를 향해 물었다. "어떻게 된 거요?"

"칼을 들고 있다가 베인 것 같아요." 내가 말했다. "베러티의 방에 있었는데, 크루 옆에 칼이 떨어져 있더라고요."

제러미가 크루를 보며 물었다. 이제 그의 얼굴엔 걱정보다 실망의 빛이 서렸다. "칼을 가지고 뭘 하고 있었지?"

크루는 울음을 삼키려는 듯 흐느끼면서 고개를 저었다. "칼 가지고 있지 않아. 그냥 침대에서 떨어진 거야."

나는 마치 어린아이의 행동을 고자질한 것처럼 느껴져 마음 한편이 불편했다. 변명을 해 줘야 할 것 같았다. "칼을 들고 있지는 않았어요. 바닥에 칼이 떨어져 있어서 그랬을 거라고 짐작을 한 거죠."

베러티가 칼을 만지지 말라고 했다는 크루의 말은 충격이었다. 놀랐던 가슴이 여전히 쿵쾅거리는 가운데, 이 집에서는 모두가 베러티에 관해 말을 할 때 현재형을 사용한다는 사실을 떠올렸다. 간호사도, 제러미도, 크루도. 그러니까 베러티가 예전에 크루에게 칼을 가지고 놀지 말라고 했다는 뜻이었을 거다. 내가 상상력을 과도하게 발휘해서 혼자 놀라고, 겁을 먹었던 거다.

제러미는 크루 뒤에 있는 약품 수납장을 열어 구급상자를 꺼냈다. 그러고는 수납장을 닫으며 거울에 비친 나를 향해 신호를 보냈다. 소리는 내지 않고 입 모양으로 '가서 확인해 봐요'라고 말하며 문을 향해 고개를 까닥여 보였다.

욕실에서 나와 복도를 걸어가다가 멈춰 섰다. 그 방에 들어가고 싶지 않았다. 베러티가 아무리 무력한 상태라고 해도. 그렇지만 크루가 칼에 손을 댈 수 있었다는 건 지나칠 일이 아니라는 생각에 걸음을 옮겼다.

베러티의 방문은 활짝 열려 있었다. 나는 베러티를 깨우지 않기 위해 발끝으로 조용히 들어갔다. 물론 내가 깨우려고 해도 불가능한 일이겠지만. 그런 다음 침대를 돌아 크루가 있던 자리를 확인했다.

칼이 보이지 않았다.

혹시 내가 크루를 안아 올리다가 발로 차서 어디론가 밀려갔을 수도 있다는 생각에 바닥을 둘러보았다. 칼은 없었다. 바닥에 앉아서 침대 밑을 살폈다. 침대 밑에는 얇게 쌓인 먼지 외에 아무것도 없었다. 침대 옆에 있는 작은 탁자 밑으로 손을 넣어 보았지만, 아무것도 잡히지 않았다.

분명히 칼을 보았다. 내가 미쳐가는 건 아니겠지.

혹시 그런 건가?

몸을 일으키기 위해 매트리스를 잡았다. 다음 순간 몸을 뒤로 젖히며 황급히 손바닥으로 바닥을 짚었다. 베러티가 나를 보고 있었기 때문이다. 그녀가 고개를 오른쪽으로 돌려 나를 보고 있었다.

'오, 하느님!' 너무 무서워서 숨이 막힐 것 같은 상태로 엉금엉금 뒤로 물러났다. 침대에서 몇 피트 정도 거리가 생겼다. 내가 이 방에 들어올 때와 달라진 거라고는 그녀의 머리가 향하는 방향뿐이었는데도 나는 목숨을 걸고 그 방에서 나와야 할 것 같은 두려움에 휩싸였다. 나는 서랍장에 의지해 몸을 일으킨 다음 그녀에게서 눈을 떼지 않은 채 뒷걸음질을 쳐서 문 쪽으로 갔다. 내 안에서 일어나는 공포 반응을 억제하려고 아무리 애를 써도, 베러티가 바닥에 있던 칼을 들고 나에게 달려들 수도 있다는 가능성을 배제할 수가 없었다.

문을 닫고 문고리를 잡은 채, 잠시 문에 등을 대고 서 있었다. 공황 상태가 진정될 때까지. 천천히 심호흡을 다섯 번쯤 했다. 제러미에게 가서 칼이 없어졌다고 말할 때 내 눈에 공포가 서려 있지 않아야 한다.

하지만 분명히 칼이 있었다.

손이 계속 떨렸다. 베러티를 믿을 수 없다. 이 집은 뭔가 이상하다. 내가 맡은 일을 위해서는 조금 더 머물러야 하겠지만, 이 집에서 밤을 지내느니 브루클린 거리에 렌터카를 세워놓고 그 안에서 일주일을 지내는 게 나을 것 같았다.

잔뜩 경직된 목덜미를 손으로 주무르며 욕실로 돌아왔다. 제러미는 크루의 턱에 반창고를 붙여주고 있었다.

"꿰매지 않아도 돼서 다행이다." 제러미가 크루에게 말했다. 크루가 손에 묻은 피를 씻었다. 제러미는 크루가 손 씻는 것을 도와주고는 이제 가서 놀라고 하면서 욕실에서 내보냈다. 크루는 내 옆을 스쳐서 다시 베러티의 방으로 갔다.

아이패드를 가지고 노는데 굳이 베러티의 침대에 앉아서 하고 싶어 하는 크루가 좀 이상하다는 생각이 들었다. 그렇지만 한 편 생각해 보면 엄마 옆에 있고 싶은 마음이지 않겠는가. 너는 마음껏 그렇게 하렴. 나는 절대로 그 여자 가까이 가고 싶지 않지만.

"칼을 치웠소?" 제러미가 수건에 손을 닦으며 물었다.

나는 최대한 겁먹지 않은 목소리로 말했다. "찾을 수가 없었어요."

제러미가 잠시 나를 보더니 말했다. "봤다고 하지 않았소?"

"그런 것 같았어요. 그런데 아니었나 봐요. 칼이 없었어요."

"내가 가서 한 번 둘러보겠소." 제러미가 내 옆을 스쳐 욕실에서 나갔다. 베러티의 방에 이르자 문의 손잡이를 잡고 나를 돌아보며 말했다. "크루를 도와줘서 고맙소." 그리고 미소를 지어 보였다. 장난기가 어려 있는 미소였다. "오늘 당신이 얼마나 바빴는지 내가 잘 아니까 하는 말이오." 제러미는 내게 윙크를 지어 보이고 베러티의 방으로 들어갔다.

순간 나는 너무 당황스러워 눈을 감았다. 네가 놀림 받을 짓을 했잖아. 베러티의 서재에서 온종일 창밖만 내다보고 있었다고 생각할지도 몰라.

이런 상태라면 재넉스를 두 알은 먹어야 할 것 같았다.

서재로 돌아오니 해가 지고 있었다. 그렇다면 크루는 곧 샤워를 하고 잠자리에 들 것이다. 베러티는 자기 방에서 혼자 밤을 지내겠지. 나는 좀 더 안전해지는 느낌이 들었다. 이유를 설명할 수는 없지만, 나는 이 집에서 유독 베러티가 무섭다. 그런데 밤에는 그녀를 보지 않아도 된다. 이 집에서 지내는 동안 나는 밤 시간을 좋아하게 되었다. 밤에는 베러티를 보지 않아도 되고, 제러미는 많이 볼 수 있으니까.

제러미에게 점점 끌리고 있는 내 마음을 얼마나 더 오래 부정할 수 있을지 모르겠다. 베러티라는 사람을 그녀의 실체보다 더 좋게 포장해서 믿으려는 노력은 또 얼마나 더 할 수 있을까? 그녀의 시리즈를 모두 읽고 나니, 그녀의 스릴러 소설들이 그렇게 인기 있는 이유가 악당의 관점에서 쓰였기 때문이라는 걸 알 수 있었다.

비평가들은 그러한 베러티의 창작 방식에 찬사를 보냈다. 렌터카를 운전해 이곳으로 오는 동안 그녀의 첫 번째 소설을 오디오북으로 들으면서 나는 그녀의 소설 속 화자가 정말 정신이상자 같아서 좋았다. 베러티는 어쩌면 그렇게 악당의 심리 속으로 깊이 들어갈 수 있는지 경이로웠다. 그런데 그건 내가 그녀를 알게 되기 전이었다.

지금도 그녀를 잘 안다고 말할 수는 없지만, 자서전을 쓴 그 베러티는 알게 되었다. 그녀가 작품을 쓰는 방식이 그녀로서는 특별하지 않을 수도 있다. 우리는 모두 자기가 아는 걸 쓰는 거니까. 베러티가 악당의 관점에서 글을 쓰는 건 그녀가 악당이기 때문일 거라는 생각이 들기 시작했다. 그녀의 내면 자체가 만약 사악함으로 가득하다면.

나 역시 사악해지는 느낌으로, 다시는 하지 않겠다고 맹세한 일을 하기 위해 책상 서랍을 열었다. 그리고 다시 한 챕터를 읽기 시작했다.

그대로 이루어지기를
4장

아이들은 살아남기로 작정을 했다. 그렇다면 살게 해 주는 수밖에.

나의 어떠한 노력도 성공하지 못했다. 내 손으로 낙태를 시도하였고, 아무 약이나 닥치는 대로 먹었으며, '실수인 척' 계단에서 굴러떨어지기도 했다. 하지만, 그러한 노력의 결과로 얻은 거라고는 쌍둥이 중 한 아이의 얼굴에 난 작은 상처뿐이었다. 내가 한 짓이 분명한 상처. 제러미가 끊임없이 안타까워 했던 그 상처.

제왕절개 수술로 두 아이를 분만하고 나서 몇 시간 후에 신생아 담당 의사가 아기들의 상태를 확인하러 왔다. 나는 눈을 감고 자는 척했다. 담당 의사를 마주하기가 두려웠기 때문이다. 내가 전혀 엄마가 될 준비가 안 되어있다는 것을 들켜버릴 것 같았다.

의사가 병실을 나가기 전에 제러미가 아기의 볼에 난 상처에 대해 물었다. 의사는 일란성 쌍둥이의 경우 자궁 안에서 서로를 할퀴어 상처가 나는 경우가 드물지 않다고 가볍게 설명했다. 제러미는 의사의 의견에 동의하지 않았다. "단순히 긁힌 거라기엔 상처가 너무 깊습니다."

"섬유조직까지 다친 상처일 수도 있습니다만 너무 걱정하진 마세요." 의사가 말했다. "시간이 지나면 차차 없어질 겁니다."

"상처가 남을까 봐 걱정하는 게 아닙니다." 제러미가 말했다. "뭔가 더 심각한 문제가 있는 게 아닌가 걱정하는 거지요."

"그렇지 않아요. 따님들은 매우 건강합니다. 둘 다요."

'아무렴.'

의사와 간호사가 나가고 병실에는 제러미와 아기들, 그리고 나만 남았다. 하나는 유리 침대 같은 것 안에서 자고 있다. 그 유리 침대를 뭐라고 부르는지 모르겠다. 또 하나는 제러미가 안고 있었다. 아이를 들여다보며 미소를 짓고 있던 제러미가 내가 눈을 떴다는 걸 알아차리고 인사를 건넸다.

"안녕, 엄마."

'제발 날 그렇게 부르지 마.'

나도 그를 보며 미소 지었다. 제러미는 제법 아버지 같았다. 행복해 보였다. 그 행복이 나와 거의 무관하다는 사실은 그에게 중요하지 않았다. 나는 질투가 나는 중에도 제러미가 내 아이들의 아버지라는 점은 다행이라고 생각했다. 그는 아이들의 기저귀를 갈아주고 먹이는 것까지 도와주는 그런 아버지일 것이기 때문이었다. 시간이 지날수록 그의 그런 면이 나에게 큰 도움이 될 것임을 알고 있었다. 그러니 나는 이 상황에 익숙해지기만 하면 되는 거다. 엄마로 사는 일.

"상처 있는 아이를 내게 데려다줘." 내가 말했다.

제러미가 인상을 찌푸렸다. 내 표현이 마음에 들지 않는다는 뜻이다. 갓 태어난 아기를 그렇게 지칭하는 게 좀 이상하긴 하지만 아직 이름을 지어주지 않았으니 어쩌랴. 그 아이를 가리킬 수 있는 게 아직은 상처뿐인걸.

제러미가 상처 있는 아이를 데려와 내 팔에 안겨주었다. 나는 아이를 내려다보며 마음속에 감정이 차오르기를 기다렸다. 하지만 아무런 변화도 느껴지지 않았다. 아이의 볼을 손가락으로 쓰다듬어 보았다. 철사 옷걸이는 단단하지 못했던가 보다. 쉽게 휘어지지 않는 걸 사용했어야 했는데. 뜨개바늘 같은 거? 그건 너무 짧았을지도…….

"의사 말이 상처는 긁혀서 생겼을 거라네." 제러미가 웃으며 말했다. "태어나기도 전에 싸우다니 말이야."

나는 아이를 내려다보며 미소 지었다. 웃고 싶어서라기보다, 그저 그렇게 해야 할 것 같았다. 제러미에게 그가 아이를 사랑하는 만큼 나도 아이를 사랑한다고 믿게 해야 하니까. 아이의 손에 내 새끼손가락을 갖다 대었더니 그 작은 손으로 나를 꼭 감쌌다. "채스틴." 내가 속삭였다. "쌍둥이 언니가 너에게 못되게 했으니 이름은 네가 더 예쁜 걸로 가지렴."

"채스틴. 나도 좋은데!" 제러미가 말했다.

"그리고 하퍼." 내가 말했다. "채스틴과 하퍼."

제러미가 내게 보내주었던 아기 이름 중에서 고른 거였다. 나도 싫지 않았다. 그 둘을 고른 이유는 제러미가 여러 번 적어 보냈기 때문이다. 특히 마음에 두고 있는 이름인 것 같았다. 내가 그를 사랑하기 위해 얼마나 노력하는지 안다면, 내 사랑이 미치지 않을 두 존재에 대해 제러미가 그렇게까지 빠져들지는 못할 것이다.

채스틴이 울기 시작했다. 내 팔에 안긴 채 몸을 꼬물거렸다. 나는 어찌할 바를 몰라 하며 아이를 안은 팔을 흔들었다. 그러자 팔이 아팠다. 흔들기를 그만두자 울음소리는 점점 더 커졌다.

"배가 고파서 그러는지도 몰라." 제러미가 말했다.

임신 중절을 위해 온갖 시도를 하면서 아이들이 살아남지 못하리라는 생각에 빠져 있었기 때문에, 그 애들이 태어난 후의 일에 대해서는 진지하게 생각해 보지 못했다. 모유 수유를 하는 것이 아이들에게 가장 좋은 방법이라는 건 알고 있지만, 가슴을 망가뜨려 가면서 그렇게 할 생각은 전혀 없었다. 더구나 쌍둥이가 아닌가.

"배가 고픈가 보네요." 간호사가 들어오며 말했다. "모유 수유하실 건가요?"

"아니요." 나는 간호사가 다시 나가주기를 바라며 대답했다.

제러미가 경직된 표정으로 나를 보았다. "진심이야?"

"쌍둥이잖아." 내가 대답했다.

내게 실망한 듯한 제러미의 표정에 나도 마음이 상했다. 이제부터 이런 식이어야 한다는 게 정말 싫었다. 제러미는 매사에 아이들의 편을 들고, 나는 점점 그에게서 멀어져가는 모습.

"우유 먹이는 것보다 어렵지 않아요." 간호사가 말했다. "사실은 더 편하죠. 한번 해 보실래요? 혹시 잘 될 수도 있잖아요?"

나는 제러미를 똑바로 쳐다보면서 그가 어서 나를 이 괴로운 책무에서 놓여나게 해 주기를 기다렸다. 하지만 얼마든지 다른 좋은 방법이 있는데도 제러미는 굳이 내가 모유 수유를 하기를 바랐고, 그런 그의 고집은 나에게 사형선고나 다름없었다. 하지만 나는 고개를 끄덕이고 가운을 잡아당겨 내렸다. 그를 기쁘게 해 주고 싶었으니까. 내가 그의 아이들의 엄마라는 사실이 그를 행복하게 해 주길 바랐다. 비록 나는 행복하지 않더라도.

가슴을 꺼내고 채스틴을 젖꼭지 가까이 끌어당겼다. 제러미는 그런 나와 채스틴을 보고 있었다. 채스틴의 입술이 내 젖꼭지에 닿고, 머리를 이리저리 움직이며 작은 손이 내 살을 누르고, 마침내 젖을 빨기 시작하는 과정을 한순간도 놓치지 않고 지켜보았다.

나는 기분이 언짢았다.

제러미가 빨던 내 젖꼭지를 이제 아기가 빨고 있다는 게 마음에 들지 않았다. 매일 아이들에게 젖을 먹이는 모습을 보고도 제러미가 내 가슴에 매력을 느낄 수 있을까?

"아파?" 제러미가 물었다.

"아니. 별로 아프지는 않아."

제러미가 내 머리에 손을 얹고 쓰다듬으며 말했다. "아픈 것 같아 보여서."

'아픈 게 아니라, 싫은 거야.'

채스틴이 젖을 먹는 모습을 계속 지켜보았다. 싫어하는 티를 내지 않으려고 안간힘을 쓰다 보니 뱃속이 뒤틀리는 것 같았다. 이 순간이 아름답다고 여기는 산모들도 있으련만, 나는 언짢고 불쾌하기만 했다.

"못하겠어." 나도 모르게 이렇게 중얼거리며 머리를 뒤로 젖혀 베개에 기댔다.

제러미가 내 품에서 채스틴을 데려갔다. 아이를 넘겨주자 나는 비로소 홀가분해지면서 안도의 숨을 쉬었다.

"괜찮아." 제러미가 단호하게 말했다. "우유를 먹이도록 하자."

"정말이세요?" 간호사가 제러미에게 물었다. "잘되고 있는 것 같았는데요."

"결정했어요. 우유를 먹이겠어요."

간호사는 내 결심을 알아들었다는 듯, 액상 분유인 씨밀락 한 캔을 가져오겠다며 나갔다.

나는 남편이 여전히 내 편을 들어준다는 게 기뻐서 미소를 지었다. 나를 위해 주려는 마음. 무엇보다 나를 우선적으로 보살피려는 마음이 나를 행복하게 했다. "고마워." 내가 말했다.

제러미는 채스틴의 이마에 키스하더니 채스틴을 안은 채 내 침대 끝에 걸터앉았다. 그러고는 채스틴을 보며 믿을 수 없다는 듯 고개를 저었다. "만난 지 몇 시간밖에 안 되었는데 아이들을 향한 보호 본능이 샘솟고 있어. 어떻게 이럴 수가 있지?"

그는 언제나 '나'를 보호해왔다는 걸 상기시켜주고 싶었지만, 지금은 적절한 상황이 아닌 것 같았다. 내가 속해 있지 않은 어떤 관계에 끼어드는 것 같은 느낌이 들었기 때문이다. 앞으로도 여기 이 아버지와 딸의 연대에 나는 절대로 포함될 수 없을 것만 같았다. 제러미는 이미 나를 사랑했던 어느 순간보다도 아이들을 사랑하고 있다. 결국 제러미는 내가 잘못한 것이 아닌 상황에서도 아이들의 편을 들게 될 것이다. 이건 내가 상상했던 것보다 훨씬 나쁜 상황이다.

제러미가 손을 얼굴로 가져가더니 눈물을 훔쳤다.

"당신, 우는 거야?" 내 음성이 날카로웠는지 제러미가 당황하며 얼른 고개를 돌렸다. 나는 앞이 캄캄해지는 것 같았다. 그러나 바로 정신을 차렸다. "내 말이 좀 이상하게 들렸나 보네." 내가 말했다. "좋은 뜻으로 한 말이었어. 당신이 아이들을 그렇게까지 사랑하는 것을 보니 나도 기뻐."

신속하게 상황을 정리한 덕분에 제러미의 놀란 표정이 누그러졌다. 제러미가 다시 채스틴을 내려다보며 말했다. "지금까지 누구도 이렇게 사랑해본 적이 없었던 것 같아. 당신은 누군가를 이만큼 사랑할 수 있으리라고 생각해 봤어?"

나는 눈알을 한 번 굴려 보이며 생각했다. '나는 그렇게까지 사랑해 봤어. 제러미, 바로 당신을 말이야. 당신을 4년 동안 그렇게 사랑했다고. 그걸 모르고 있다니.'

10

원고를 서랍에 다시 넣는데 나도 모르게 화가 났다. 서랍을 거칠게 닫는 바람에 서랍 안의 내용물이 덜그럭거렸다. 내가 왜 화를 내고 있지? 내 인생도, 내 가족도 아니잖아. 여기 오기 전에 베러티에 대한 서평들을 읽어보았다. 서평단 열 명 중에 아홉은 읽는 동안 책이나 전자책 단말기를 집어 던지고 싶었다고 했다.

나 또한 그녀의 자서전을 읽으면서 그런 충동을 느꼈다. 아이들이 태어나면서 그녀의 마음에도 빛이 비쳐들기를 바랐는데 그렇지 않았던 것 같다. 더 깊은 어둠으로 빠져들 뿐이었다.

어쩌면 그렇게 냉정하고 모질 수가 있을까. 그렇지만 나는 엄마가 아니라 잘 모른다. 아이를 낳고 나서 많은 엄마들이 처음에는 그런 감정을 느끼기도 하는 걸까? 그렇다면 너무 솔직하지 못한 게 아닌가. 엄마들이 자식을 똑같이 사랑한다고 하면서도 사실은 특히 더 애착을 느끼는 자식이 있는 것과 같은 현상인지도 모르겠다. 엄마들 사이에서는 다들 알면서 입 밖으로 내놓지는 못하는 그런 거. 자기가 그 차별적 사랑의 장본인이 되기 전에는 절대로 알 수 없는 그런 거 말이다.

그런 것들이 아니라면, 베러티는 엄마가 되어선 안되는 사람일 수도 있다. 나도 가끔 아이를 갖는 상상을 해 본다. 곧 서른두 살이 되니까. 엄마가 되는 기회를 영영 얻지 못할 수도 있다는 걱정을 그동안 한 번도 해 보지 않았다면 거짓말일 것이다. 남자를 사귀어 아이를 갖게 된다면, 나는 내 아이의 아버지가 제러미 같은 사람이길 바랄 것 같다. 그렇게 훌륭한 아버지를 감사하게 생각하는 대신, 베러티는 질투하며 그를 원망했던 게 아닌가.

딸들에 대한 제러미의 사랑은 그들이 태어나는 순간부터 진실했다. 그리고 지금도 여전히 그런 것 같다. 아이들을 잃은 게 그리 오래 전의 일도 아니니까. 나는 그 점을 계속 간과하고 있었다. 제러미는 여전히 애도의 시간을 보내는 중일 것이다. 그러면서 베러티를 돌보고, 크루를 보살펴야 한다. 동시에 그동안 가족의 생계를 보장해주었던 수입이 끊어지지 않도록 관리를 해야 한다. 다른 사람 같으면 하나만 가지고도 힘들어할 일들을 혼자서 모두 짊어지고 있다.

베러티의 서재 벽장을 뒤지던 중에 사진이 담겨 있는 상자들을 보았다. 상자를 꺼내놓기는 했으나 아직 사진들을 보지는 않았다. 그 또한 사생활을 침해하는 게 될 것 같았기 때문이다. 이 집 식구들, 적어도 제러미는 나를 믿고 베러티의 시리즈를 마무리하는 일을 맡겼다. 그런데 나는 베러티에 집착하느라 자꾸 옆길로 새고 있지 않은가.

그렇지만 베러티가 작품 속에 자신의 모습을 투영시키고 있다면 나도 그녀를 가능한 한 깊이 알아야 할 필요가 있지 않을까. 그렇다면 이건 염탐을 하는 게 아니라 자료 조사를 하는 셈이다. 그렇다. 이제 완벽한 이유가 생겼다.

나는 상자를 가지고 주방 식탁으로 가서 뚜껑을 열고 사진을 한 줌 집어 들었다. 스마트폰이 보급된 후에 사람들은 좀처럼 사진을 인화하지 않는다. 하지만, 상자 안에는 아이들의 사진이 가득했다. 한 번 찍은 사진은 빠짐없이 인화하려고 신경을 쓴 것 같았다. 당연히 제러미였을 것이다.

채스틴의 사진을 가까이 들고 상처를 자세히 살폈다. 어제도 그 생각이 머리에서 떠나지 않아서 구글 검색을 해 보았다. 인위적으로 유산을 유도하다가 실제로 자궁에 손상을 입힐 수 있는지.

그리고 다시는 그런 내용을 검색하지 않으리라 다짐했다. 너무 끔찍하게도 많은 태아가 유산을 유도하는 행위들을 겪으면서도 살아남는데, 얼굴에 작은 상처 하나 남는 것은 아주 운이 좋은 경우이고, 그보다 훨씬 더 심한 손상을 입거나 기형아로 태어나는 경우도 많이 검색되었다. 채스틴은 정말 운이 좋았다. 채스틴과 하퍼 둘 다.

물론 끝까지 운이 좋았다고 할 수는 없지만.

제러미의 발소리가 계단 쪽에서 들렸다. 나는 굳이 사진을 감추지 않았다. 내가 여기서 사진들을 보고 있는 걸 싫어할 것 같지는 않았다.

제러미가 주방으로 들어왔다. 나는 사진을 뒤적이며 그를 향해 미소를 지어 보였다. 제러미는 냉장고로 향하다 말고 테이블 위에 있는 사진 상자를 보았다.

"베러티를 좀 더 알게 되면 그녀의 작품 세계를 이해하는 데 도움이 될 것 같아서요." 내가 해명을 하듯 말했다. "글을 쓰는데 말이에요." 나는 그를 보는 대신 하퍼의 사진을 내려다보며 말했다. 하퍼는 웃고 있는 사진이 별로 없었다.

제러미는 내 옆에 앉더니 채스틴의 사진들 중 하나를 집어 들었다.

"하퍼는 잘 웃지 않았나 봐요?"

제러미가 내 쪽으로 몸을 기울이더니 내가 들고 있는 하퍼의 사진을 가져갔다. "하퍼는 세 살 때 아스퍼거 증후군 진단을 받았었소. 표정이 별로 없는 편이었지."

제러미는 손가락으로 사진을 쓰다듬고는 옆으로 내려놓고 또 다른 사진을 집어 들었다. 베러티와 두 아이가 함께 있는 사진이었다. 제러미는 그 사진을 내게 건네주었다. 세 사람이 같은 천으로 만든 파자마를 입고 있었다. 사진 속에 있는 베러티가 아이들을 사랑하고 있지 않았다면, 그녀는 뛰어난 연기 실력을 갖추고 있음이 틀림없다.

"크루가 태어나기 전, 크리스마스였소." 제러미는 상자에서 사진을 한 줌 집어 들고 한 장씩 넘기며 보았다. 그러다가 이따금 아이들 사진을 한동안 들여다보았는데, 베러티의 사진은 매번 그냥 넘겼다.

"여기 있었군." 제러미가 사진 뭉치에서 한 장을 빼며 말했다. "아이들 사진 중에 내가 제일 좋아하는 거요. 하퍼가 모처럼 미소를 짓고 있어서. 하퍼가 동물을 좋아해서 그 애의 다섯 번째 생일날 뒷마당에 소규모 동물원을 불러서 놀게 했었소."

나도 사진을 보며 웃었다. 하지만 내가 웃은 이유는 사진 속에 제러미가 기쁨 가득한 얼굴로 환하게 웃고 있었기 때문이었다. "아이들 성격은 어땠어요?"

"채스틴은 보호 본능이 강한 아이였소. 다혈질이었고. 어렸을 때부터 하퍼가 자기와 다르다는 사실을 아는 것 같았소. 마치 엄마처럼 하퍼를 보살폈거든. 나와 베러티에게 잔소리를 할 정도였으니까. 그러다가 크루가 태어나자 채스틴은 크루를 보살피는 일을 도맡다시피 했소. 크루를 얼마나 아끼던지." 제러미는 들고 있던 사진을 이미 본 사진들 위에 올려놓으며 말을 이었다. "그대로 자랐더라면 아주 훌륭한 엄마가 되었을 거요."

제러미는 하퍼의 사진을 한 장 집더니 말을 이었다. "하퍼는 내게 아주 특별한 아이였소. 베러티는 가끔씩 그 애를 이해하지 못하는 것 같았지만, 나는 그 애가 필요로 하는 걸 늘 감지할 수 있었지. 하퍼는 자기감정을 잘 표현하지 못했었거든. 그렇지만 나는 어떻게 하면 그 애가 움직이는지, 어떻게 하면 그 애가 기뻐하는지, 슬퍼하는지 알 수 있었지. 하퍼 자신이 인지하지 못하고 있는 것들까지도 말이오. 하퍼는 대체로 편안하고 즐거운 아이였소. 크루에 대해서는 별다른 관심을 보이지 않았고. 그러다가 크루가 서너 살 때쯤 되어 함께 놀기 시작하니까 달라졌지. 그전까지 하퍼에게 크루는 집 안에 있는 가구들 중하나 정도였던 것 같아." 제러미는 이렇게 말하고 아이들 셋이 함께 찍은 사진을 집어 들었다. "크루는 사고 이후 누나들에 대해 한 번도 물어본 적이 없소. 이름을 언급한 적도 없고."

"그래서 걱정되세요?"

제러미가 나를 보며 말했다. "사실은 그 점에 대해서 안심을 해야 하는 건지, 걱정을 해야 하는 건지 모르겠소."

"둘 다일지도 모르죠."

제러미는 베러티와 크루가 함께 있는 사진을 집었다. 크루가 태어난 직후인 것 같았다. "사고 이후 크루는 얼마간 상담 치료를 받기도 했소. 하지만 그게 오히려 매주 한 번씩 상처를 되새기게 만드는 꼴이 될까 봐 그만두게 했소. 더 커서 상담이 필요할 것 같은 징후를 보이면 그때 가서 다시 받게 할 생각이오. 괜찮은지도 확인히고 말이오."

"당신은 어때요?"

제러미가 나를 보며 되물었다. "뭐 말이오?"

"당신은 괜찮은가요?"

제러미는 내게서 시선을 거두지 않은 채 망설이지도 않고 대답했다. "채스틴이 죽었을 때, 세상이 뒤집히는 것 같았소. 그리고 하퍼까지 죽었을 때 나의 삶도 완전히 끝났지." 그러더니 다시 상자 안에 담겨 있는 사진들을 내려다보았다. "베러티의 사고 소식을 들었을 때는…… 내 안에 남아 있는 거라곤 분노뿐이었소."

"누구를 향한 분노였죠? 하느님?"

"아니." 제러미가 낮은 소리로 대답했다. "베러티에게 화가 났소."

제러미가 나를 바라보았다. 베러티에게 화가 났던 이유를 설명할 필요는 없었다. 베러티가 의도적으로 나무를 들이받았다고 생각하고 있는 거겠지.

잠시 정적이 흘렀다. 온 집안이 고요했다. 제러미는 숨도 쉬지 않는 것 같았다.

한참 만에 제러미는 의자를 뒤로 밀치며 일어섰다. 나도 일어섰다. 처음으로 누군가에게 그의 마음을 털어놓은 것 같았다. 어쩌면 자신에게조차 처음이었는지도 모른다. 제러미는 내게 등을 돌리고 서서 깍지 낀 두 손을 머리 뒤에 댔다. 머릿속에 떠오르는 생각을 내게 들키고 싶지 않은 것이리라. 나는 그의 어깨에 손을 얹었다. 그리고 그의 앞으로 가서 마주 섰다. 그가 나를 원하든, 원하지 않든 상관하지 않았다. 그러고는 두 팔로 그의 허리를 감싸고 그의 가슴에 얼굴을 묻은 채 그를 껴안았다. 제러미는 깊은 한숨을 내쉬며 두 팔로 내 허리를 감쌌다. 그리고 힘을 주어 나를 안았다. 그가 절실하게 포옹이 필요했음을 느낄 수 있었다. 얼마나 오래된 결핍인지는 알 수 없었지만.

우리는 오랫동안 그렇게 서 있었다. 서로를 껴안은 채 보내기에는 좀 긴 시간이었다. 마침내 둘 다 더 이상 그렇게 있으면 안 될 것 같다는 생각이 들 즈음 그가 서서히 포옹을 풀었고, 우리는 서로를 껴안고 있다기보다 단지 붙잡고 있는 어정쩡한 상태가 되었다. 우리가 느껴왔던 오묘한 감정이 그걸 품어 왔던 시간만큼의 무게로 둘 사이에 흐르고 있었다. 사방이 너무나 고요해서 그가 호흡을 절제하는 소리가 들리는 것 같았다. 그의 손이 내 등을 따라 천천히 머리로 향해 올라갈 때의 망설임까지도.

나는 그의 얼굴이 보고 싶어 감았던 눈을 떴다. 그러고는 마치 누군가 내 머리를 뒤로 당기기라도 하듯이 고개를 뒤로 젖히며 그의 품에서 얼굴을 들어 그를 올려다보았다.

제러미가 나를 내려다보고 있었다. 내게 키스를 하려는지, 아니면 밀어내려는지 알 수 없었지만, 어느 쪽이든 피하기에는 이미 늦었다. 나를 안고 있는 그의 손길에서, 그리고 그가 들이마시는 절제된 호흡에서 나는 이미 그가 말하지 않고 있는 모든 것을 느꼈으니까.

나를 그의 입 가까이 끌어당기는 힘이 느껴졌다. 다음 순간 그의 시선이 정면을 향하더니 황급히 팔을 떨어뜨렸다.

"헤이, 크루." 제러미가 내 어깨 너머로 외쳤다. 그러고는 몇 걸음 뒤로 물러서며 나를 떼어놓았다. 그의 손길이 나에게서 떠나는 순간, 나는 배로 늘어난 듯한 몸의 무게를 느끼며 의자 등받이를 잡았다.

주방 문 쪽을 돌아보니 크루가 서서 우리를 보고 있었다. 크루의 무표정한 얼굴이 하퍼와 닮아 보였다. 크루는 식탁 위에 있는 사진 상자를 보더니 단숨에 달려들었다.

나는 그의 갑작스러운 행동에 놀라 얼른 뒤로 물러섰다. 크루는 사진 몇 장을 거칠게 집어 들고 보더니 성난 몸짓으로 사진을 다시 상자 안에 던졌다.

"크루." 제러미가 다정한 음성으로 불렀다. 손목을 잡으려고 했지만 크루는 뿌리쳤다. "크루, 왜 그래?" 제러미가 당황스러운 듯 크루를 향해 몸을 숙이며 말했다. 크루의 그런 모습을 처음 보는 것 같았다.

크루는 신경질적으로 사진들을 상자에 던져 넣으며 울음을 터트렸다.

"크루," 제러미가 걱정스러운 얼굴로 말했다. "사진을 보던 중이었어." 끌어안으려 했지만 크루는 제러미의 팔에서 빠져나갔다. 제러미가 크루를 다시 잡아서 가슴에 안았다.

"사진들 치워!" 크루가 나를 보며 소리쳤다. "보고 싶지 않단 말이야!"

크루가 제러미의 품에서 빠져나오려고 발버둥을 치는 동안 나는 상자 밖에 있는 사진들을 황급히 집어넣고 뚜껑을 닫은 다음 상자를 가슴에 껴안았다. 제러미가 크루를 안고 급히 주방에서 나갔다. 두 사람이 이 층으로 올라가고 나는 잠시 주방에 남아 놀란 가슴을 진정시켰다.

왜 그런 거지?

이 층이 다시 조용해졌다. 크루가 떼를 쓰거나 소리를 지르지 않는 걸로 봐서 괜찮아진 것 같았다. 다리가 후들거리고 머리가 띵했다. 누워야 할 것 같았다. 오늘 밤에 재낵스를 두 알이나 먹는 게 아니었는데. 아니 그보다, 가족사진을 가지고 나와 펼쳐놓지 말았어야 했다. 식구들이 아직 상실의 아픔을 극복하지 못했을 텐데 말이다. 그리고 아내가 있는 남자와 거의 키스할 뻔한 상황까지 가지 말았어야 했다. 나도 모르게 이마에 손을 올려 천천히 문질렀다. 지금 당장에라도 슬픔에 빠져 있는 이 집에서 나가 다시는 돌아오지 말아야 할 것 같았다.

그런데 왜 나는 아직 여기 있는 거지?

11

태양이 하늘 가운데 떠 있는 한낮에도 집 안 공기는 으스스하다. 오후 세 시. 제러미는 오늘도 도크에서 작업 중이고, 크루는 그 옆에서 모래 장난을 하고 있다.

집 안 전체에 불안한 기운이 떠돈다. 언제나 이 집안에 감도는 그 기운을 나는 떨쳐버릴 수가 없다. 이제는 밤에 그런 기운이 한층 더 드세지는 것 같다. 강렬한 야행성의 기운. 대부분이 내 머릿속에서 일어나는 일이라는 걸 알지만, 그렇다고 해서 편안해지지는 않는다. 마음속에 도사리고 있는 그것이 눈에 보이는 실질적인 위협만큼 위험할 수도 있는 법이니까.

어젯밤에는 화장실에 가느라 잠시 일어났는데 복도에서 나는 발소리를 들은 것 같았다. 제러미의 발자국이라기엔 가볍고, 크루의 것이라기엔 무거웠다. 잠시 후, 계단이 삐걱거렸다. 한 번에 하나씩. 마치 누군가 조심스럽게 위층으로 올라가는 것처럼. 나는 다시 잠들기 전

174

에 한참을 뒤척여야 했다. 이렇게 큰 집에서는 삐걱거리는 듯한 잡음이 끊임없이 들릴 수밖에 없는데, 나의 작가적 상상력이 매번 가슴 서늘해지는 일들을 떠올리게 했기 때문이다.

나는 문득 하던 일을 멈추고 서재 문 쪽을 돌아보았다. 어젯밤에 놀란 가슴이 아직도 가라앉지 않았나 보다. 에이프릴이 주방에서 누군가와 대화를 나누고 있었다. 에이프릴은 늘 차분한 어조로 베러티에게 말을 건네곤 한다. 마치 그녀를 달래서 깨어나게라도 하려는 것처럼. 하지만 제러미가 베러티에게 말을 하는 모습은 한 번도 보지 못했다. 그녀에게 분노를 느낀다고 했으니까. 제러미는 아직도 베러티를 사랑하고 있을까? 그녀 곁에 앉아서 그녀의 목소리가 듣고 싶다고 속삭여 본 적이 있을까? 제러미라면 그렇게 할 것도 같은데. 어쩌면 예전에는 그랬을지도 모르지. 하지만 지금은 어떨까?

제러미는 늘 베러티를 돌본다. 가끔 음식을 먹여주기도 하고. 그렇지만 그녀에게 말을 건네는 건 본 적이 없다. 그녀가 전혀 의식이 없다고 생각하기 때문인 것 같다. 마치 지금 돌보고 있는 사람은 더는 자기 아내가 아닌 것처럼.

자기가 돌보는 사람이 이제는 베러티가 아니라고 여기기 때문에 그녀를 향한 분노와 실망을 떼어 놓고 그녀를 돌볼 수 있는 게 아닐까.

나는 주방으로 향했다. 배가 고프기도 했지만, 그보다는 에이프릴이 베러티에게 말을 건네는 모습을 보고 싶었다. 에이프릴이 말을 건넬 때 베러티가 어떤 식으로든 물리적인 반응을 하는지 확인하고 싶었다.

에이프릴은 베러티의 점심을 차려놓고 식탁에 앉아 있다. 나는 냉장고를 열면서 그녀가 베러티에게 음식을 떠먹이는 모습을 지켜보았다. 에이프릴이 으깬 감자를 한 스푼 떠 넣어주면 베러티는 거의 기계적으로 턱을 움직였다. 모두 부드러운 음식들이었다. 으깬 감자, 애플소스, 푹 익혀서 곱게 간 채소. 병원에서 환자들에게 주는 부드럽고 소화하기 쉬운 음식들. 나는 크루가 먹는 푸딩을 하나 집어서 에이프릴과 베러티가 앉은 식탁에 함께 앉았다. 에이프릴은 스치듯 나를 힐끗거리며 고개를 까닥였을 뿐, 더 이상의 아는 척은 하지 않았다.

나는 푸딩을 몇 숟갈 먹고 나서 나를 상대하고 싶어 하지 않는 이 여자와 소소한 대화를 시도해보기로 했다.

"간호사로 일한 지는 얼마나 되셨어요?"

에이프릴은 베러티의 입에 넣었던 스푼을 꺼내 으깬 감자에 박으며 말했다. "정년퇴직이 10년도 안 남았으니 꽤 오래 한 거죠."

"대단하시네요."

"그래도 내가 가장 아끼는 환자는 바로 당신이에요." 에이프릴이 베러티를 보며 말했다. "다른 환자들과는 비교할 수도 없죠."

질문을 한 사람은 나였는데, 에이프릴은 베러티에게 대답을 하고 있었다.

"베러티를 돌본 지는 얼마나 되셨는데요?"

이번에도 에이프릴은 베러티를 향해 대답했다. "우리가 이렇게 지낸 지 얼마나 됐죠?" 에이프릴은 마치 베러티가 대답이라도 할 것처럼 물었다. "4주 됐나요?" 그러더니 나를 보며 말했다. "맞아요, 4주 정도 전에 정식으로 일하기 시작했어요."

"전부터 가족들을 알고 있었어요? 베러티가 사고를 당하기 전부터?"

"아니요." 에이프릴은 베러티의 입가를 닦아주고 나서 복도를 향해 고개를 까닥이며 말했다. "잠깐 얘기 좀 할 수 있을까요?"

나는 잠시 머뭇거렸다. 나와 대화를 하는데 왜 주방에서 나와야 하는지 의아했다. 그렇지만 일단은 일어나서 그녀를 따라 주방에서 나왔다. 나는 복도 벽에 기댄 채 푸딩을 한 스푼 떠먹었다. 에이프릴이 앞치마 주머니에 손을 넣으며 말했다.

"당신이 베러티 같은 상태의 환자 주변에 있어 본 적이 없는 것 같아서 모르는 건 이해할 수 있어요. 그런데 베러티가 있는 자리에서 마치 그녀가 없는 것처럼 그녀에 대해 말을 하는 것은 결례입니다."

나는 입에 물고 있던 스푼을 빼내려다 말고 그대로 잠시 굳어졌다. 잠시 후 스푼을 푸딩 컵에 꽂고 대답했다. "미안해요. 내가 그러고 있다는 걸 미처 깨닫지 못했어요."

"쉽게 그럴 수 있어요. 더구나 환자가 당신을 인지하지 못한다고 생각하면 더 그렇죠. 베러티의 뇌 기능이 예전 같지는 않지만, 어느 정도 기능이 남아 있는지는 아무도 몰라요. 그냥 베러티가 있을 때 약간 말조심만 해 주세요."

나는 벽에 기댔던 자세를 추슬러 똑바로 섰다. 모욕을 당한다는 생각까지는 미처 들지 않았다.

"물론 그래야죠." 내가 고개를 끄덕이며 말했다.

에이프릴이 미소를 지어 보였다. 처음으로 진심이 담겨 있었다.

그 어색한 분위기에서 나를 구해준 사람은 크루였다. 뭔가를 두 손으로 받치고 뒷문으로 들어오더니 나와 에이프릴 사이를 지나 주방으로 달려갔다. 에이프릴이 크루를 따라갔다.

"엄마," 크루는 몹시 들떠 있었다. "엄마, 엄마, 나 거북이 잡았어."

크루는 베러티의 얼굴 가까이 거북이를 들어 보였다. 흰 손으로 등

껍데기를 쓰다듬으며 말했다. "엄마, 이것 좀 봐." 크루는 베러티가 볼 수 있도록 거북이를 더욱 높이 들어 보였다. 물론 베러티는 거북이를 보지 않았다. 이제 다섯 살인 크루는 자기에게 아무리 기쁘고 신나는 일이 있어도 엄마가 말을 건네지도, 반응을 보이지도 못하는 이유들을 이해하지 못할 것이다. 그런데도 크루는 엄마가 언젠가는 나을 것이라 믿고 있겠지. 그런 생각을 하니 마음이 아팠다.

"크루," 나는 크루에게 다가가며 말했다. "거북이 좀 보여줘."

크루가 돌아서서 거북이를 들어 보이며 말했다. "이 거북이는 물지 않아요. 아빠가 늑대 거북이는 목에 표시가 있다고 했어요."

"와!" 내가 말했다. "정말 잘생겼다. 밖에 나가서 거북이를 넣어둘 수 있는 걸 찾아보자."

크루는 신이 나서 펄쩍 뛰더니 밖으로 달려 나갔다. 나도 따라 나가서 적당한 용기 같은 것이 있는지 둘러보았다. 크루가 빨간색 낡은 양동이를 찾아오더니 그 안에 거북이를 내려놓았다. 그러고는 잔디밭에 털썩 주저앉아 양동이를 자기 무릎에 올려놓았다.

나도 크루 옆에 앉았다. 어린 크루를 위해서이기도 했지만, 그곳에 앉으면 도크에서 작업 중인 제러미의 모습을 잘 볼 수 있어서였다.

"예전에 거북이를 길렀었는데 내가 잘 돌보지 못해서 죽었어요. 그래서 아빠가 거북이를 기르지 못 하게 해요."

나는 고개를 돌려 크루를 바라보았다. "거북이를 죽게 했어? 어떻게?"

"집에서 잃어버렸어요." 크루가 말했다. "엄마가 소파 밑에서 찾았는데, 그땐 이미 죽어 있었대요."

'아, 그랬구나.' 나는 그보다 훨씬 더 나쁜 생각을 하고 있었는데. 잠시나마 크루가 의도적으로 거북이를 죽였다고 생각했던 것이다.

"지금 이 잔디밭에 거북이를 놓아주자." 내가 말했다. "그러면 거북이가 어느 쪽으로 가는지 지켜볼 수 있잖아. 그의 가족들이 사는 곳으로 너를 안내해 줄 수도 있어."

크루가 양동이에서 거북이를 꺼내며 물었다. "이 거북이에게 아내가 있을까요?"

"그럴 수도 있지."

"아기들도 있을지 몰라요."

"그럴지도 모르지."

크루는 거북이를 잔디밭에 내려놓았다. 거북이는 잔뜩 겁을 먹어서 움직이려고 하지 않았다. 잠시 거북이를 지켜보며 등 껍데기에서 나오기를 기다리는데 곁눈으로 제러미가 다가오는 것이 보였다. 그가 좀 더 다가왔을 때 나는 고개를 들어 한 손으로 햇볕을 가리고 그를 올려다보았다.

"두 사람 거기서 뭘 들여다보고 있는 거지?"

"거북이." 크루가 대답했다. "걱정 마. 기르려고 잡은 거 아니야."

제러미가 나를 향해 고맙다는 의미를 담은 미소를 지어 보였다. 그러고는 크루 옆에 앉았다. 크루가 제러미 쪽으로 다가앉아 그의 팔을 잡았다. 그러더니 곧 옆으로 비켜 앉으며 말했다. "아휴, 지저분해. 아빠 땀났어."

제러미는 땀에 흠뻑 젖어 있었다. 그렇지만 지저분해 보이지는 않았다.

크루가 일어서며 말했다. "배고파. 아빠, 우리 오늘 저녁에 외식하기로 약속했지? 레스토랑에 가본 지 몇 년은 된 것 같아."

제러미가 큰 소리로 웃었다. "몇 년이라고? 맥도날드에 간 지 일주일밖에 안 됐는데."

크루가 말했다. "그렇지만 누나들이 죽기 전에는 거의 매일 외식했잖아."

그 말에 제러미의 어깨가 움츠러들었다. 제러미는 크루가 누나들 얘기를 전혀 하지 않는다고 했다. 그렇다면 지금 이 말은 굉장한 의미가 담겨 있다.

제러미가 깊은숨을 내쉬며 크루의 등을 쓰다듬었다. "네 말이 맞다. 가서 손 씻고 나갈 준비 해. 에이프릴이 퇴근하기 전에 돌아와야 하니까."

크루는 거북이에 대해서는 잊어버리고 집 안으로 달려갔다. 제러미는 생각이 가득한 눈으로 크루를 바라보았다. 그러더니 일어나서 내가 잡고 일어날 수 있도록 손을 내밀어 주었다. "함께 가겠소?" 그가 물었다.

제러미는 아들과 함께 하는 저녁 식사에 나를 친구로 초대하고 있었다. 그런데 미련한 내 마음은 그가 마치 데이트 신청이라도 하는 것처럼 두근거렸다. 나는 엉덩이를 털면서 가볍게 미소를 지어 보였다. "좋죠."

*

제러미의 집에 온 후로 나는 몸치장을 할 이유가 없었다. 오늘 저녁 외출을 위해서도 특별히 많은 치장을 하지는 않았지만, 제러미는 내가 마스카라와 립글로스를 바르고, 처음으로 머리를 풀어 내렸다는 사실을 알아보았다. 레스토랑에 도착했을 때 입구에서 문을 잡아주면서 "아름답소"라고 말해주었던 것이다.

그 한 마디가 내 가슴에 스며들었다. 그리고 식사가 끝나 가는 지금까지도 나를 설레게 하고 있다. 디저트까지 마친 크루는 제러미 옆에 앉아서 우스갯소리를 늘어놓느라 신바람이 났다.

"유머 퀴즈 또 하나 있어." 크루가 말했다. "E.T.는 뭘 줄인 거지?"

제러미는 대답할 마음이 없어 보였다. 벌써 수백 번은 들은 것들이라고 했다. 나는 답을 모르겠다는 표정으로 크루를 향해 미소를 지어 보였다.

"다리를 줄인 거지. 너무 짧잖아." 크루는 이렇게 말하더니 까르르 웃으며 의자 뒤로 자빠졌다. 나는 농담보다도 자기가 말을 해놓고 그렇게 재밌어하는 크루의 모습이 귀여워서 크게 웃었다.

그러자 또 하나를 시작했다. "정글에서 포커 게임을 하지 않는 이유는?"

"모르겠는데. 왜일까?" 내가 물었다.

"치타가 너무 많잖아. 치타 대신 치터라고 하면 속임수를 쓰는 사람이라는 뜻도 되니까."

크루가 유머 퀴즈를 시작한 후로 나는 웃음을 멈추지 않았던 것 같다.

"이제 로라 누나 차례야." 크루가 말했다.

"내 차례?"

"응, 이제 누나가 아는 유머 퀴즈를 말해 봐."

이런, 맙소사. 다섯 살짜리에게 밀리는 느낌이라니. "좋아, 생각해 볼게." 잠시 후 나는 손가락을 튕기며 말했다. "하나 생각났다. *호록색*

이고 털이 보송보송한데, 떨어지면 죽을 수도 있는 게 뭘까?" 크루가
턱을 손으로 괴고 몸을 앞으로 굽혔다. "흐음. 잘 모르겠어."

"당구대."

크루는 웃지 않았다. 제러미도 처음에는 웃지 않았다.

그러더니 몇 초 후에 제러미가 큰 소리로 웃기 시작했다. 나도 안심
이 되면서 미소를 지었다.

"무슨 뜻인지 모르겠어." 크루가 말했다.

제러미는 여전히 고개를 흔들면서 웃었다.

크루가 제러미를 보며 물었다. "그게 왜 웃겨?" 제러미가 크루의
어깨에 팔을 두르며 말했다. "웃겨서 웃은 게 아니야." 제러미가 말했
다. "너무 안 웃기는 게 재미있어서 웃은 거야."

크루가 다시 나를 보며 말했다. "유머 퀴즈는 그렇게 하는 게 아니
야."

"알았어. 다른 거 해 볼게. 빨간색인데 양동이처럼 생긴 게 뭐지?"
이번에도 크루는 어깨만 으쓱해 보였다.

"빨간 색을 칠한 파란색 양동이."

제러미는 터져 나오려는 웃음을 참느라 턱에 있는 대로 힘을 주었
다. 그가 웃는 모습을 보면서 나는 이 집에 온 후로 그가 가장 행복해
보인다는 생각이 들었다.

크루가 코를 찡긋거리며 말했다. "로라 누나는 유머 감각이 없는
것 같아."

"왜, 재미있잖아."

크루가 실망스러운 표정으로 고개를 저었다. "누나는 소설 쓸 때
유머는 쓰지 않는 게 좋을 것 같아."

제러미가 허리를 움켜잡은 채 의자 등받이에 기대 웃음을 참고 있는데 여종업원이 계산서를 가지고 왔다. "오늘은 내가 사겠소." 제러미가 계산서를 집으며 겨우 말했다.

집에 도착하니 크루가 먼저 안으로 달려 들어갔다. "이 층에 가서 에이프릴한테 우리 돌아왔다고 말해줘." 제러미가 크루의 등에 대고 외쳤다.

제러미가 차고 문을 닫고 우리는 거실에 들어섰다. 그리고 잠시 멈춰 섰다. 계단 뒤 그늘진 곳에 서 있었으나 주방에서 새어 나오는 빛 한 줄기가 제러미의 얼굴을 비쳤다.

"저녁 잘 먹었어요. 즐거웠고요."

그러자 제러미가 재킷을 벗으며 대꾸했다. "나도 즐거웠소." 문 옆에 있는 고리에 재킷을 걸으면서도 여전히 입가에 미소가 남아 있었다. 오늘은 그가 좀 달라 보였다. 그를 누르고 있는 삶의 무게가 평소보다 가벼워 보인다고 할까. "크루를 좀 더 자주 데리고 나가야 할 것 같소."

나는 두 손을 뒷주머니에 넣은 채 동의한다는 뜻으로 고개를 끄덕였다. 그리고 잠시 침묵이 흘렀다. 마치 데이트를 마친 두 사람이 키스를 할까, 포옹을 할까 망설이는 순간처럼.

물론 데이트가 아니었으니 둘 중 어느 것도 적절한 선택은 아닐 것이다.

그런데 왜 그런 느낌이 드는 걸까?

서로를 향한 응시는 크루가 다시 계단을 내려올 때야 끊어졌다. 제러미는 잠시 시선을 떨구고 자기 발을 내려다보았다. 그리고 걸음을 옮기기 전, 그가 짧고 거친 숨결을 내뿜었다. 크루의 방해로 뭔가 중요한 순간을 놓친 것처럼. 그가 놓친 순간을 나도 같이 아쉬워해도 되는 지는 알 수 없었다.

나는 깊은숨을 내쉬고 베러티의 서재로 가서 문을 닫았다. 다른 데로 정신을 돌려야 할 것 같았다. 폐부를 찌르는 듯한 공허감이 쉽게 사라질 것 같지 않았다. 그와 함께 있는 시간을 좀 더 오래 가지고 싶었다. 내가 가질 수 없는 그 시간. 내가 가져서는 안 되는 그 시간.

베러티의 원고를 뒤적였다. 제러미와 함께 나누는 친밀한 순간을 글로나마 읽고 싶었다.

이런 마음을 품는 나는 어떤 인간일까? 베러티의 자서전을 읽는 행위는 어느 모로 보아도 옳지 않은데 말이다. 그렇지만 실제로 제러미와 육체적 접촉을 하는 것보다는 낫지 않은가?

그가 잠자리에서 어떤지 원고를 통해 알아보는 건, 현실에서 그를 차지할 수는 없어도, 그를 상대로 상상의 나래를 펼치는 데는 도움이 되니까 말이다.

그대로 이루어지기를
5장

인내력이 바닥을 치고 있었다. 위기의식이 느껴졌다. 신경쇠약에 걸리던가, 아니면 폭발적으로 짜증이나 심술을 쏟아낼 것 같기도 했다. 하지만 그중 어떤 것도 이해받을 수 있는 선택은 아니었다.

나는 지쳐가고 있었다. 한 아이가 울지 않으면 다른 아이가 울었다. 둘 중 하나는 언제나 배가 고팠고, 같은 시간에 자는 적은 거의 없었다. 제러미가 많이 도와주었고 육아의 반은 맡아주었기 때문에 아이가 하나였더라면 나는 간간이 쉴 수 있었을 것이다. 하지만 쌍둥이였기 때문에 제러미와 나는 각기 한 아이의 육아를 온전히 혼자 감당하는 셈이었다.

쌍둥이가 태어났을 때만 해도 부동산 중개일을 하고 있었던 제러미는 2주를 쉬면서 육아를 도와주었지만, 그 기간이 지나자 다시 출근을 해야 했다. 유모를 고용하기에는 첫 원고를 넘기고 받은 선인세가 너무 적었다. 하루에 아홉 시간씩 제러미가 일하러 가 있는 동안 두 아이를 감당하며 혼자 남겨진다는 사실이 두려웠다.

그러나 일단 제러미가 출근하기 시작하자 뜻밖에도 모든 것이 아주 만족스럽게 돌아갔다.

제러미는 아침 일곱 시에 출근했다. 나도 제러미와 같은 시간에 일어났다. 그래야 내가 아기들을 돌보는 모습을 제러미가 볼 수 있으니까. 제러미가 출근하고 나면 나는 아이들을 다시 침대에 눕히고 베이비 모니터의 전기 플러그를 뽑아 놓은 채, 다시 잠을 청했다. 제러미가 다시 일을 시작하고부터 나는 그 어느 때보다 많이 잘 수 있었다. 우리 아파트는 복도 맨 끝에 있었고, 아이들의 방은 옆집과 붙어 있지 않아서 아이들 우는 소리가 아무에게도 들리지 않았다.

나도 귀마개를 하고 있었기 때문에 아이들의 울음소리가 들리지 않았다.

제러미가 다시 출근을 시작하고 삼일 정도 지나자, 나의 일상도 다시 예전으로 돌아간 것 같았다. 낮에는 실컷 자다가 제러미가 퇴근할 시간이 되면 아이들을 먹이고 씻겨 놓은 다음 저녁 준비를 했다. 매일 저녁 제러미가 집에 들어서면 방금 전에 보살핌을 받은 아이들은 얌전하고 평화로운 모습으로 누워있고, 주방에서는 저녁 짓는 냄새가 났다. 제러미는 육아와 가사를 거뜬히 해내는 나에게 찬사를 보냈다.

그렇게 밤낮이 뒤바뀐 생활을 하다 보니 한밤중에 깨서 아이들에게 우유를 먹이는 일도 어렵지 않았다. 제러미가 직장에서 일하는 동안 나는 필요한 만큼 잘 수 있었고, 아이들은 온종일 우느라 지쳐서 밤새 잘 잤다. 어쩌면 우는 게 아이들에게도 유익한 일이었는지 모른다. 모두가 잠든 밤에 나는 글을 쓸 수 있었다. 작가로서의 성취도 멈추지 않았던 것이다.

내 삶에서 유일한 결핍은 성생활이었다. 아직 의사로부터 섹스를 해도 좋다는 허락을 받지 못했다. 출산한 지 4주밖에 되지 않았으니까. 그렇지만 결혼생활에서 그 부분에 활기를 잃어버리면 다른 부분까지 시들해질 것 같았다. 건강하지 못한 성생활은 나쁜 바이러스와 같으니까. 모든 면에서 건강한 결혼생활도 성생활이 시들해지면 다른 부분까지 서서히 피폐해지기 시작하는 법이다.

나는 우리의 결혼생활에는 절대로 그런 일이 일어나지 않도록 하리라 마음먹었다.

어느 날 제러미의 의향을 타진해 보았지만 나를 다치게 할 수 있다며 거절했다. 제왕절개로 분만을 했는데도 봉합 부위가 터질 수 있다며 겁을 먹는 것이었다. 의사가 허락하기 전에는 손가락으로 애무를 해주는 것조차도 삼가야 한다는 글을 온라인에서 읽었다고 했다. 검진 일은 아직 2주나 남았는데 제러미는 한사코 전문가의 허락을 받기 전에는 섹스를 할 수 없다며 고집을 부렸다.

나는 그렇게 오래 기다리고 싶지 않았다. 기다릴 수가 없었다. 그의 체온이 그리웠다. 그와 하나가 되고 싶었다.

그날 밤 제러미는 새벽 두 시에 곤한 잠에서 깨야 했다. 내가 혀로 그의 음경을 끝에서부터 조금씩 올라가며 애무하고 있었기 때문이다. 제러미가 미처 잠에서 깨기도 전에 음경이 먼저 돌처럼 딱딱해졌다.

그의 손이 내 머리를 더듬기 시작하는 것으로 보아 잠이 깬 것 같았다. 그의 손가락이 내 머리칼을 파고들었다. 하지만 움직이는 건 그의 손뿐이었다. 베개에서 머리를 들어 나를 내려다보지도 않았다. 오히려 그래서 더 좋았다. 그는 눈조차 뜨고 있지 않았다. 내가 혀로 자극을 하는 동안 그는 다만 조용히 누워있었다.

나는 십오 분 정도 혀로 핥고, 이리저리 굴리듯 장난을 치고, 손가락으로 자극을 했다. 그러면서 절대로 입 안에는 들여놓지 않았다. 그가 달아오르는 걸 느낄 수 있었다. 점점 가만히 있지를 못하고 몸을 뒤틀었다. 입 안에 넣는 순간 정액을 뿜어낼 것 같았다. 하지만 내가 원하는 건 그게 아니었다. 지난 몇 주 동안 하지 못했던 섹스를 제대로 하면서 절정에 이르게 하고 싶었다.

그의 손길이 다급해졌다. 내 뒤통수를 쥐어짜면서 나의 입술을 음경에 대고 눌렀다. 하지만 나는 그 간절한 요구를 끝까지 물리치고 그의 손힘에 맞서 고개를 들고 버텼다. 그가 오로지 내 입에 들어가기만을 갈망하는 동안 나는 계속 혀로 핥으며 키스를 퍼부었다.

그러다가 나의 애무가 그의 자제력을 무너뜨리고, 나를 다치게 할까 봐 걱정하는 마음을 그의 간절한 욕망이 넘어섰다고 확신할 때쯤 그에게서 떨어졌다. 제러미는 숨도 쉬지 않고 나를 따라왔다. 나는 뒤로 누워서 다리를 벌렸다. 제러미는 단 일 초도 생각할 겨를 없이 내 안으로 깊숙이 들어왔다. 조심성 같은 건 이미 안중에 없었다. 내 혀가 그를 광란의 단계까지 흥분시켜 놓은 것이다. 어찌나 힘껏 밀어붙이는지 수술 부위가 정말 아픈 것 같았다.

그날의 섹스는 한 시간 반 동안이나 지속되었다. 그가 사정하자마자 나는 다시 그의 음경을 빨았다. 두 번의 섹스를 하는 동안 둘 다 말은 한마디도 하지 않았다. 흥분과 열정이 모두 가라앉고, 지친 그의 무게에 내가 거의 압사당할 지경에서도 말은 한마디도 하지 않았다. 그는 내 위에서 내려가 온몸으로 나를 안았다. 침대 시트가 땀과 정액으로 축축했지만 완전히 탈진한 상태였던 우리는 개의치 않고 깊은 잠에 빠져들었다.

비로소 우리 관계에 대한 확신이 생겼다. 우린 괜찮을 것 같았다. 제러미는 언제나 그랬듯이 내 몸을 열렬히 흠모하고 있으니까.

아이들이 많은 것을 빼앗아가긴 했지만, 그의 욕망은 언제나 나를 향할 것임을 믿어도 될 것 같았다.

12

이번 장은 정말 읽기가 힘들었다. 엄마라는 사람이 어떻게 갓 태어난 아기들이 울고 있는데 다른 방에서 마음 편히 잘 수 있을까. 도무지 이해할 수가 없었다. 냉혹하고 무신경한 여자다.

그동안은 베러티가 반사회적 인격 장애자일지 모른다고 생각했는데, 이제 보니 오히려 사이코패스에 가까운 것 같았다.

원고를 집어넣고 베러티의 컴퓨터로 사이코패스를 검색해 보았다. 내가 알고 있는 단어의 정의를 다시 한번 확인해야 할 것 같았다. 사이코패스가 가지는 성격적 특성들을 찬찬히 읽어보았다. 병적으로 거짓말을 하며, 교활하게 상대방을 조정하고, 후회나 죄책감을 느끼지 못하며, 냉담하고 공감 능력이 부족하고, 감정적 반응에 깊이가 없다.

베러티는 이 모든 특성을 보인다. 다만 한 가지, 그녀가 정말로 사이코패스인지 의문을 품게 하는 점은 제러미에 대한 집착이다. 사이코패스는 사랑에 빠지기가 어려울 뿐 아니라, 누군가를 사랑하게 되었다고 해도 오래가지 않는다. 쉽게 다른 사람에게로 마음이 옮겨가기 때문이다. 그런데 제러미를 향한 베러티의 사랑에는 흔들림이 없다. 변함없이 제러미에게 온 마음이 향해 있지 않은가.

어쨌거나 제러미는 사이코패스와 결혼한 것 같다. 그런데도 그는 전혀 그런 사실을 모르고 있다. 베러티는 그 사실을 숨기기 위해 모든 노력을 기울였으니까.

노크 소리가 들렸다. 나는 얼른 화면을 줄였다. 문을 열어보니 제러미가 서 있었다. 검은색 잠옷 바지에 흰 티셔츠 차림이었고 머리에는 아직 물기가 남아 있어 촉촉해 보였다.

내가 제일 좋아하는 제러미의 모습이었다. 맨발에 편안하고 소박한 옷차림. 못 견디게 섹시하다. 대책 없이 그에게 끌리는 나 자신이 싫다. 베러티의 원고에서 두 사람의 성생활에 대해 읽지 않았더라도 그에게 이렇게 매료되었을까?

"방해해서 미안하오. 부탁할 게 있어서."

"뭔데요?"

제러미가 나에게 따라오라는 시늉을 했다. "지하실 어딘가에 낡은 수족관이 있을 거요. 내가 그걸 들고 올라올 때 지하실 문을 열어서 잡고 있어 주면 좋겠소. 크루가 쓸 수 있도록 닦아주면 좋을 것 같아서."

"거북이를 기르게 하시려고요?" 내가 미소를 지으며 물었다.

"그렇소. 오늘 낮에 그렇게 즐거워하는 걸 보니까……. 이제 좀 컸으니 먹이도 주고 제대로 돌볼 수 있겠지." 제러미가 지하실 문을 열었다. "이 문을 애초에 잘못 달아놓아서 손에 뭘 들고는 문을 열고 올라올 수가 없소."

제러미가 전등 스위치를 켜고 계단을 내려가기 시작했다. 지하실은 이 집의 일부 같지 않았다. 버려진 아이처럼 완전히 방치되고 관리를 하지 않은 듯했다. 계단은 삐걱거렸고 벽에 붙어 있는 난간에는 먼지가 뽀얗게 쌓여 있었다. 평소 같았으면 이렇게 음침하고 허름한 지하실에는 절대로 내려가고 싶지 않았을 것이다. 더구나 몇 번이나 공포스러운 경험을 하게 했던 이 집에서 말이다. 하지만 내가 유일하게 들어가 보지 못한 공간이어서 그 아래 뭐가 있는지 궁금했다. 베러티는 지하실에 어떤 것들을 쌓아두었을까?

계단 위에 있는 스위치에 연결된 등은 지하실 공간만 비추었기 때문에 계단은 여전히 어두웠다. 계단 아래까지 내려오니 비로소 마음이 놓였다. 지하실 안은 예상했던 것만큼 황량하거나 음침하지는 않았다. 왼편에는 사무용 책상이 놓여 있었는데 한동안 사용하지 않은 것 같았다. 책상 위에는 파일 더미와 종이들이 가득 쌓여 있었는데, 앉아서 뭔가 작업을 하기보다는 보관을 위한 공간으로 사용되는 것 같았다.

오른편에는 두 사람이 생활하면서 생긴 물건들을 넣어둔 듯한 상자들이 쌓여 있었다. 뚜껑이 있는 것도 있고 없는 것도 있었다. 그중 하나에는 아기들의 방에 사용했던 베이비 모니터 같은 것이 담겨 있었는데, 그것을 보자 베러티의 원고 내용이 생각나서 나도 모르게 몸이 움찔거렸다. 낮 동안에 플러그를 빼고 아이들의 울음소리를 외면했다지 않던가.

제러미가 상자들 주변에 있는 것들을 이리저리 치워가며 정리하기 시작했다.

"여기서 일을 하셨나 보죠?" 내가 물었다.

"그렇소. 부동산 사무소를 운영하고 있어서 늘 집으로 일감을 가지고 왔지. 여기가 집에서 사용하는 사무실이었던 셈이오." 제러미가 뭔가를 덮은 천을 걷으니 먼지가 뽀얗게 앉은 수족관이 나타났다. "찾았다." 제러미는 수족관 안에 있는 것들을 이리저리 헤집으며 필요한 부품들이 모두 있는지 확인했다.

나는 잠시 제러미가 전에 말했던, 그가 정리했다던 사업에 대해 생각해 보았다. "부동산 사무소를 운영하셨어요?"

제러미는 수족관을 들고 반대편에 있는 책상으로 가지고 갔다. 나는 책상 위에 있는 종이 뭉치와 파일들을 한쪽으로 치우고 수족관이 놓일 자리를 마련했다.

"그렇소. 베러티가 글을 쓰기 시작하던 해에 나도 내 사업을 시작했지."

"그 일을 좋아했었나요?"

제러미가 고개를 끄덕였다. "좋아했소. 일이 많기는 했지만 내가 잘할 수 있는 일이었으니까." 제러미는 수족관 뚜껑에 달린 플러그를 꽂고 전등이 들어오는지 확인했다. "베러티의 첫 번째 책이 출간되었을 때만 해도 우리는 그 일이 직업이라기보다는 취미 생활 정도로 생각했었소. 책이 팔리기 시작할 때도 진지하게 생각하지 않았지. 그런데 소문이 나면서 책이 점점 더 많이 팔리기 시작한 거요. 그리고 몇 년이 지나자 베러티가 받는 돈에 비해 내가 벌어오는 돈이 우스워 보일 정도가 되었지." 제러미는 그것이 마치 아주 즐거운 기억이라도 되는 듯 웃었다. 그때의 기억이 전혀 그를 불쾌하게 만들지 않는다는 게 신기했다. "베러티가 크루를 임신했을 때쯤에는 우리 둘 다 내 일은 단지, 나도 하는 일이 있다는 의미에서 필요할 뿐이라는 생각을 하고 있었소. 내가 버는 돈은 있으나 없으나 우리의 생활에 별 영향을 미치지 못했으니까. 그러다 보니 내가 일을 그만두는 게 가장 바람직하다는 결론에 이르게 되었던 거요. 너무 많은 시간을 일에 매달려야 했으니까." 제러미가 수족관의 전등 플러그를 뽑았다. 그와 동시에 뒤에서 퍽 하는 소리가 나면서 유일하게 지하실을 밝히고 있던 전등이 꺼졌다.

지하실 전체가 한 치 앞도 안 보이게 어두워졌다. 그가 바로 앞에 있다는 건 알았지만, 전혀 보이지 않았다. 맥박이 빨라지기 시작했다. 그의 손이 내 팔을 잡았다. "여길 잡아요." 제러미가 내 손을 그의 어깨에 얹었다. "차단기가 내려간 모양이오. 내 뒤에서 걸어요. 계단 위까지 올라가면 내 앞으로 돌아와서 문을 열어주면 되니까."

제러미가 수족관을 들어 올릴 때 그의 어깨 근육이 단단해지는 게 느껴졌다. 나는 그의 어깨에 손을 얹은 채 그의 뒤에 바짝 붙어 계단을 올라갔다. 그는 한 계단씩 아주 천천히 올라갔다. 나를 위한 배려인 것 같았다. 그러다가 다 올라오자 옆으로 비켜서면서 등을 벽에 기댔다. 나는 그의 앞으로 돌아가서 문의 손잡이를 더듬어 잡아 당겼다. 그러자 밝은 빛이 계단으로 비쳐들었다.

제러미가 먼저 올라섰고, 나는 뒤따라 올라선 다음 얼른 문을 닫았다. 그 바람에 문이 쾅 소리를 내며 닫혔고, 나는 깜짝 놀라 숨을 헉하고 들이마셨다. 그러자 제러미가 웃었다.

"지하실을 별로 좋아하지 않는 것 같군."

난 고개를 절레절레 흔들며 대답했다. "어두운 지하실은 좋아하지 않죠."

제러미는 수족관을 주방 식탁에 올려놓고 살펴보았다. "먼지가 너무 많네." 제러미가 수족관을 다시 들고 물었다. "안방 욕실에서 이걸 좀 닦아도 되겠소? 주방 개수대에서 하는 것보다는 쉬울 것 같은데."

나는 고개를 끄덕이며 말했다. "물론이죠. 그러세요."

제러미는 수족관을 들고 안방 욕실로 갔다. 따라가서 도와주고 싶었지만 그러지는 않았다. 나는 서재로 돌아와 내가 해야 하는 일에 집중해 보려고 노력했다. 하지만 베러티에 대한 생각이 계속 나의 주의를 흐트러뜨렸다. 베러티의 자서전을 읽고 나면 항상 그렇다. 그런데도 나는 읽기를 그만둘 수가 없다. 마치 열차 사고가 났는데 제러미는 자기가 사고 난 열차에 타 있는 줄도 모르고 있는 것과 같은 상황이 아닌가.

나는 베러티의 원고를 읽기보다는 내가 써야 하는 시리즈의 일곱 번째 이야기에 몰입하기로 마음먹었다. 그러나 제러미가 수족관을 다 씻을 때까지도 나는 거의 진도를 나가지 못했다. 결국 오늘은 그만 마무리하기로 하고 침실로 돌아왔다.

양치와 세수를 하고 나서 내가 이곳에 올 때 가져다 걸어놓은 옷들을 들춰보았다. 입고 싶은 것이 하나도 없었다. 제러미의 셔츠들을 뒤져보기 시작했다. 그가 내게 빌려준 셔츠를 입고 있던 그날, 하루 종일 그의 체취가 풍겼다. 그의 옷을 하나씩 들춰보다가 입고 잠자기 좋을 만큼 부드러운 것을 하나 찾았다. 왼쪽 가슴에 '크로퍼드 부동산'이라고 인쇄되어 있었다.

나는 그 셔츠를 입고 침대로 갔다. 침대에 눕기 전에 헤드보드에 남은 이빨 자국을 유심히 보았다. 헤드보드를 잡고 엄지손가락으로 이빨 자국을 문질러 보았다.

헤드보드를 따라가며 자세히 보니 이빨 자국이 한군데만 있는 게 아니었다. 대여섯 군데는 되는 것 같았다. 선명한 것도 있었고 아주 가까이 들여다보기 전에는 알아보기 힘든 것도 있었다.

나는 침대에 올라가 헤드보드를 향한 채 무릎을 꿇고 앉았다. 다리 사이에 베개를 넣고 헤드보드를 잡고 앉아 제러미의 얼굴이 내 밑에 있다고 상상을 해 보았다. 눈을 감고 제러미의 셔츠 안으로 손을 집어 넣었다. 내 손이 그의 손이라고 상상하면서 배를 쓰다듬으며 올라가 가슴을 애무했다.

입을 벌리고 숨을 들이쉬었다. 그때 머리 위에서 기계의 소음이 들려오기 시작했고, 나는 환상에서 깨어났다. 천장을 올려다보며 귀를 기울였다. 베러티의 침대가 삐걱거리며 작동하기 시작했다.

나는 다리 사이에 넣었던 베개를 빼고 침대에 똑바로 누워 천장을 올려다보았다. 베러티의 마음속에는 어떤 일들이 일어나고 있을까? 암흑처럼 아무 일도 일어나지 않는 걸까? 사람들이 하는 말을 듣고 있을까? 살갗에 닿은 햇빛의 감촉을 느낄 수 있을까? 자기 몸에 닿는 손길이 누구의 것인지 구분할 수 있을까?

나는 두 팔을 양옆에 가지런히 내리고 누운 채, 몸을 마음대로 움직일 수 없다는 게 어떤 느낌일지 상상해 보았다. 침대 위에서 같은 자세로 있어야 한다면? 일분일초가 지날수록 점점 더 불편해지는데도 움직일 수 없다면? 갑자기 코가 간지러웠다. 베러티는 그렇지 않을까? 손을 들어 가려운 곳을 긁을 수 없다면? 가려운 걸 느낄 수는 있는 걸까?

눈을 감았다. 어쩌면 베러티는 그러한 어둠과 정적, 부동의 삶을 마땅히 감내해야 하는 죄를 지었을지도 모른다는 생각이 들었다. 그러나 손가락 하나 움직이지 못하고 사이코패스임에도 불구하고, 베러티는 여전히 많은 것을 가지고 있다.

13

낯선 냄새에 눈을 떴다. 주변의 소음도 달랐다.

내가 어디 있는지는 알겠다. 나는 제러미의 집에 머물고 있다. 그런데…….

그동안 내가 잠자던 방이 아니었다. 안방 침실 벽은 밝은 회색인데, 지금 내가 보고 있는 벽은 노랗다. 이 층 침실의 벽 색깔과 같은 노란색.

침대가 움직이기 시작했다. 옆에 누운 사람이 움직여서 흔들리는 게 아니었다. 다르다. 이건…… 기계의 작동에 의한 움직임.

나는 두 눈을 꼭 감았다. 제발, 하느님, 안 됩니다. 이건 아니죠. 제발 베러티의 침대에 누워있는 건 아니라고 말해주세요.

온몸이 떨리고 있었다. 천천히 눈을 뜨고 가능한 한 느린 동작으로 고개를 돌렸다. 문이 보이고, 서랍장이 보이고, 벽에 걸려 있는 TV가 보이자 나는 몸을 굴려 침대에서 떨어졌다. 벽으로 기어가 등을 바짝 기대고 몸을 일으켰다. 눈을 꼭 감았다. 신경 발작이라도 일으킬 것 치럼 도무지 진정이 되지 않았다.

몸이 걷잡을 수 없이 부들거렸다. 내가 쉬는 숨소리가 귀를 울렸다. 눈을 뜨고 침대에 누워있는 베러티를 보는 순간 흐느낌이던 나의 호흡은 비명으로 변했다.

손으로 입을 막았다.

아직 한밤중이다. 모두 잠들어 있는. 소란을 피워선 안 돼.

이런 증세를 보이지 않은 지 꽤 오래되었는데. 벌써 몇 년 동안 한 번도 그러지 않았다. 그런데 내가 또다시 몽유병 증세를 보이기 시작하는 것이다. 내가 어떻게 이 방까지 오게 되었는지 전혀 기억이 나지 않는다는 사실이 더욱 깊은 두려움으로 나를 몰아넣었다. 베러티 생각을 하다가 잠이 들어서 그랬을까?

"몽유병 증세는 예측할 수 없어요, 로웬. 의미를 찾을 수도 없고요. 본인의 의도나 동기와 상관이 없다는 거죠."

상담 치료사의 말을 떠올렸다. 하지만 지금은 생각할 겨를이 없다. 이 방에서 나가야 해. 움직여, 로웬.

나는 가능한 한 침대에서 멀리 떨어져 등으로 벽을 밀면서 문 쪽으로 움직였다. 눈물이 볼을 타고 흘러내렸다. 문에 닿았을 때 나는 등 뒤로 손잡이를 돌려 방에서 나왔다.

제러미의 팔이 나를 감싸며 그 자리에 세웠다.

"로웬." 제러미가 나를 돌려세웠다. 눈물로 범벅이 된 얼굴과 겁에 질린 눈을 보더니 나를 잡고 있던 손에 힘을 풀었다. 나는 그의 팔에서 빠져나와 복도를 지나 계단을 내려갔다. 그리고 곧장 내 방으로 돌아와 문을 닫고 침대에 누웠다.

젠장, 어떻게 된 거야? 왜 이러는 거냐고?

문을 향한 채 이불 위에 웅크리고 누웠다. 손목이 부들거려서 다른 한 손으로 잡고 가슴에 안았다.

방문이 열리고 제러미가 들어왔다. 빨간색 융 잠옷 바지만 입고 상의는 벗은 채였다. 잠옷 바지의 무늬가 뿌옇게 번져 보인다고 생각하는 동안 그가 침대로 다가왔다. 그러더니 무릎을 꿇고 내 팔에 손을 얹으며 눈을 맞췄다.

"로웬, 어떻게 된 거요?"

"미안해요." 내가 눈물을 닦으며 조그맣게 말했다. "미안해요."

"뭐가 미안하다는 거지?"

나는 고개를 저으며 일어나 앉았다. 해명을 해야 한다. 한밤중에 그의 아내 방에서 나오는 모습을 들켰으니까. 지금 제러미의 머릿속에는 나를 향한 의문들이 스쳐 갈 것이다. 내가 답을 해줄 수 없는 질문들.

제러미가 침대에 걸터앉아 한쪽 다리를 접어 올리고 나를 향해 돌아앉았다. 두 손을 내 어깨에 얹고 고개를 숙여 진지한 눈빛으로 나를 보았다.

"무슨 일이요, 로웬?"

"나도 몰라요." 내가 몸을 앞뒤로 흔들며 대답했다. "가끔 밤에 자다가 돌아다닐 때가 있어요. 한동안 그러지 않았는데, 어제저녁에 재낵스를 두 알 먹었는데, 어쩌면…… 아니, 모르겠어요." 위태로운 심리 상태만큼이나 말도 불안하고 어수선했다. 제러미도 나의 그런 상태를 알아차렸는지, 나를 가까이 끌어당겨 두 팔로 감쌌다. 그리고 힘을 주어 안으며 나를 달래주었다. 아무것도 묻지 않고 내 뒤통수를 손으로 쓰다듬어 주기만 했다. 그의 위로가 든든하고 좋으면서도 죄책감이 느껴졌다. 내가 받으면 안 될 것을 받고 있다는 생각 때문이었다.

잠시 후 나를 떼어 놓은 제러미는 비로소 그가 묻고 싶은 걸 묻기 시작했다. "베러티의 방에서 뭘 하고 있었소?"

나는 고개를 저었다. "모르겠어요. 눈을 떠 보니 거기였어요. 너무 무서워서 비명을 질렀고……."

제러미가 내 손을 꼭 잡았다. "괜찮소."

나도 그렇게 생각하고 싶었지만 그럴 수가 없었다. 이제 내가 어떻게 이 집에서 잘 수 있단 말인가?

예전에도 엉뚱한 곳에서 잠이 깼던 적은 많았다. 꽤 자주 그런 일이 있었기 때문에 방문 안쪽으로 자물쇠를 세 개씩이나 달았던 적도 있었다. 남의 방에서 눈을 뜬 일도 많았다. 그렇지만 많고 많은 방을 놔두고 왜 하필이면 베러티의 방이었을까?

"그래서 방문을 잠그고 싶어 했던 거요?" 제러미가 물었다. "당신이 밤중에 방 밖으로 나가는 것을 막으려고?"

나는 고개를 끄덕였다. 그러자 제러미가 웃었다.

"맙소사. 난 당신이 나를 경계하느라 그러는 줄 알았소."

제러미가 웃어서 다행이라는 생각이 들었다. 나는 전혀 그럴 수가 없지만.

"이 봐요, 로웬." 제러미가 다정하게 나를 불렀다. 내 턱을 잡아당겨 그와 눈을 맞추게 하고 말했다. "당신은 걱정할 게 아무것도 없어. 괜찮아요. 몽유병은 위험한 병이 아니니까."

나는 깊은 부정의 의미를 담아 고개를 저었다. "아니, 아니에요, 제러미. 그렇지 않아요." 나는 손목을 잡은 채 두 손을 가슴에 얹고 말했다. "집 밖에서 잠이 깬 적도 있어요. 잠든 채 돌아다니다가 스토브와 오븐을 켠 적도 있어요. 심지어……" 나는 깊은숨을 내쉬었다. "자면서 돌아다니다 손목을 부러뜨린 적도 있는데, 다음 날 잠에서 깰 때까지 고통도 느끼지 못했어요."

내가 잠결에 돌아다니면서 겪었던 끔찍한 일들에 대해 어떻게 말을 꺼내야 할지 생각하는 동안 내 안에서 아드레날린이 마구 쏟아져 나왔다. 무의식중이었기는 하지만 나는 계단을 올라가 베러티의 침대에 올라갔다. 그렇다면 앞으로 또 어떤 일을 벌일지 모른다. 잠결에 어떻게 자물쇠를 열었던 걸까? 아니면 어젯밤에 잠그는 걸 잊어버렸을까? 그조차 기억나지 않았다.

나는 침대에서 일어나 벽장으로 갔다. 트렁크를 꺼내고 옷걸이에서 내가 가져온 옷들을 걷었다. "가야겠어요."

제러미는 아무 말 하지 않았다. 나는 짐을 싸기 시작했다. 욕실에서 세면도구를 챙기는데 제러미가 문 앞에 와서 섰다. "떠나려는 거요?"

나는 고개를 끄덕였다. "베러티의 방에서 눈을 떴어요. 당신이 방문에 자물쇠를 달아줬는데도 말이에요. 내가 또 그러면 어쩌죠? 크루를 놀라게 하기라도 하면요? 처음 여기 왔을 때 다 말했어야 했어요."

제러미는 내 손에서 세면도구 주머니를 빼내 세면대에 내려놓았다. 그리고 나를 당겨 안으며 한 손으로 내 머리를 감쌌다. "잠결에 돌아다닌 것뿐이오, 로웬." 그러고는 정수리에 입을 맞추었다. "몽유병 증세가 있는 것뿐이라고. 심각한 일이 아니요."

심각한 일이 아니라고?

그의 가슴에 대고 실소를 터트렸다. "우리 엄마도 그렇게 생각했으면 얼마나 좋았을까요."

제러미가 나를 떼어놓고 걱정스러운 눈빛으로 바라보았다. 나를 걱정해주는 건가, 아니면 나 때문에 걱정을 하는 건가? 제러미는 니를 다시 방으로 데리고 와서 침대에 앉으라는 시늉을 했다. 그러고는 내가 가방에 쑤셔 넣었던 셔츠들을 하나씩 옷장에 걸기 시작했다.

"얘기를 해 보겠소?" 제러미가 물었다.

"어느 부분을 듣고 싶으신데요?"

"왜 당신 어머니가 심각하게 걱정을 했었는지."

그 부분에 대해서는 말하고 싶지 않았다. 내 표정이 변하는 걸 알아챘는지 제러미가 셔츠를 든 채로 잠시 멈추었다. 그러더니 셔츠를 트렁크에 내려놓고 침대에 걸터앉았다.

"섭섭하게 들릴지 모르겠는데," 제러미가 내 눈을 똑바로 보며 말했다. "내겐 아들이 있소. 당신이 할 수도 있는 어떤 행위에 대해 이렇게 불안해하고 있는 거라면, 나도 걱정을 할 수밖에 없지. 왜 당신 자신을 두려워하는 거지?"

마음 한구석에서 변명하고 싶은 생각이 들었지만, 변명할 수 있는 근거가 없었다. 내가 무해하다고 말할 수 없지 않은가. 나 스스로도 그렇다고 확신할 수 없으니까. 앞으로 다시는 잠결에 돌아다니지 않겠다고 약속할 수도 없다. 바로 20분 전에도 그랬으니까. 다만 내가 자신을 변호하는 의미에서 할 수 있는 말이라고는 내가 그의 아내만큼 끔찍한 일을 저지를 사람은 아니라는 것. 그렇지만 그것조차 확신할 수는 없다.

아직은 무슨 일을 저지르지 않았지만, 앞으로도 절대 그러지 않으리라고 확신할 수는 없다.

나는 시선을 떨구고 침을 삼켰다. 모두 털어놓을 작정이었다. 손목이 다시 욱신거리기 시작했다. 손목을 내려다보고, 손바닥에 남은 상처를 살펴보았다. "손목을 다쳤을 당시 나는 전혀 느끼지 못했어요."

내가 말했다. "열 살 때였어요. 아침에 눈을 뜨려는데 손목에서부터 어깨로 심한 통증이 전해져왔어요. 머릿속에서 밝은 빛이 폭발하는 느낌이었죠. 너무 아파서 비명을 질렀어요. 엄마가 내 방으로 뛰어왔죠. 처음 느껴보는 극심한 고통이었어요. 침대에 누워있던 나는 그제야 방문에 달린 자물쇠가 열려 있다는 걸 알았죠. 전날 밤에 분명히 잠그고 잤는데 말이죠."

제러미를 바라보았다. "무슨 일이 있었는지는 전혀 기억이 나지 않는데, 담요랑 베개, 침대 매트리스가 온통 피로 얼룩져 있었어요. 내 옷도 피로 범벅이 되어있었고요. 발은 흙투성이가 되어있었죠. 밤새 밖으로 돌아다닌 것처럼 말이에요. 하지만 나는 방에서 나간 기억조차 없었죠. 집 앞과 방들을 비추는 보안 카메라가 설치되어 있었어요. 어머니는 우선 나를 병원으로 데리고 가서 손바닥에 난 상처를 꿰매고, 손목 엑스레이를 찍게 했어요. 그날 오후에 집에 와서 어머니는 앞마당을 비추는 보안 카메라에 녹화된 내용을 확인했죠. 어머니와 나는 소파에 앉아서 함께 봤어요."

침대 옆 탁자 위에서 물병을 집어 목을 축였다. 말을 이어가려는데 제러미가 내 무릎에 손을 얹고 달래주려는 듯 엄지손가락으로 무릎을 가만히 문질렀다. 나는 제러미의 손을 내려다보며 다시 이야기를 시작했다.

"새벽 세 시쯤 내가 밖으로 나가는 게 녹화되어 있었어요. 앞 베란다로 가서는 좁은 난간 위로 올라갔어요. 처음엔 그렇게 서 있기만 했죠. 거의 한 시간 정도는 서 있었을 거예요. 우리는 계속 지켜보았죠. 보안 카메라가 중간에 멈추어 정지화면을 보고 있는 게 아닌가 생각할 정도였어요. 그 좁은 난간에 한 시간이나 서 있을 수는 없으니까요.

그렇지만 나는 꼼짝도 하지 않고 난간 위에 서 있었어요. 소리도 내지 않고요. 그러다가 뛰어내렸어요. 떨어지면서 손목이 부러진 것 같았는데, 나는 아무런 반응도 보이지 않았어요. 두 손으로 땅을 짚고 일어나 베란다 계단을 올라가는 거예요. 이미 피가 손을 타고 흘러내려 바닥에 떨어지고 있었는데 나는 완전히 무표정한 채 아무것도 느끼지 못하는 것 같았어요. 곧장 방으로 돌아와 다시 잠들었던 거죠."

나는 제러미의 눈을 바라보며 말을 이었다. "나는 전혀 기억하지 못했어요. 그렇게 심하게 다쳤는데 어떻게 아무 고통도 느끼지 못했을까요? 어떻게 흔들리지도 않고 그 좁은 난간 위에 한 시간이나 서 있었을까요? 나는 다쳤던 것보다도 그런 사실들이 더 무서웠어요."

제러미가 다시 나를 안았다. 나는 그의 품에 안겨 있는 동안이 너무 좋았고 고마웠다. "엄마는 나를 병원에 보내서 2주 동안 정신감정을 받게 했어요." 나는 제러미의 가슴에 대고 말했다. "집에 돌아와 보니 엄마는 내 방에서 제일 떨어진 방으로 옮기고, 자기 방 안쪽에 자물쇠를 세 개나 달아놓았더라고요. 내 친엄마가 내가 무서웠던 거죠."

제러미는 내 머리에 얼굴을 묻고 깊은숨을 내쉬었다. "그런 일을 겪었다니 마음이 아프군."

나는 눈을 꼭 감았다.

"당신 어머니가 상황에 대처하는 방법을 몰랐던 것도 안타깝고. 당신이 많이 힘들었겠군."

그는 내가 오늘 밤 필요한 모든 걸 해주고 있었다. 차분하고 다정한 음성으로 나를 달래며, 든든한 두 팔로 나를 보호해 주었다. 사실은 그가 곁에 있다는 사실 자체가 위안이 되었다. 나를 안은 팔을 풀지 않기를 바랐다. 내가 베러티의 침대로 올라가 누웠던 일은 생각하고 싶지 않았다. 잠자는 동안 내 안에서 일어나는 일들에 대해 의심하고 두려워하는 마음도 잊고 싶었다. 깨어 있는 동안 내가 하는, 하지 말아야 할 생각들도.

"내일 다시 얘기합시다." 제러미가 나를 떼어 놓으며 말했다. "당신이 편안하게 지낼 수 있는 방법을 생각해 보겠소. 아무튼 지금은 잠을 좀 자도록 해요."

그는 내 손을 다시 한번 꼭 잡았다 놓고 문으로 향했다. 그가 내 곁을 떠나고 방 안에 혼자 남게 된다는 사실이 두려웠다. 다시 잠드는 게 무서웠다. "오늘 밤은 어떻게 하죠? 문만 잠그면 될까요?"

제러미가 시계를 보았다. 4시 50분이었다. 잠시 후 그는 다시 내 쪽으로 오더니 이불을 들추며 말했다. "누워요." 내가 침대에 눕자 그가 따라 누웠다.

제러미는 내 머리를 그의 턱 밑에 묻고 한쪽 팔로 나를 감쌌다. "다섯 시쯤 되었소. 내가 자지 않고 당신이 잠들 때까지 있어 주겠소."

그는 더 이상 등을 쓸어주거나 달래주지 않았다. 그러기에는 나를 안고 있는 팔이 너무 뻣뻣하게 굳어 있었다. 이렇게 침대에 함께 누워 있는 상황을 내가 어떤 식으로든 잘못 이해하지 않기를 바라는 듯이. 하지만 어색하고 불편한데도 불구하고 나를 위로해주려는 그의 마음이 고마웠다.

나는 눈을 감고 잠을 청했다. 그러나 자꾸 베러티의 모습이 눈에 어른거렸다. 베러티의 방에서 간헐적으로 들려오는 침대 소리가 귓가에 울렸다.

여섯 시쯤 되자 제러미는 내가 잔다고 확신한 것 같았다. 제러미는 내가 베고 있던 팔을 조심스럽게 뺐다. 그러다가 손가락이 내 머리칼에 닿을 때 잠깐 멈췄다. 아주 짧은 순간이었다. 내 머리에 입을 맞출 때처럼. 하지만 그가 방문을 닫고 나간 뒤에도 그 여운은 내 가슴에 오래 남았다.

14

사실 나는 다시 잠들지 못했다. 그래서 아침 여덟 시가 조금 넘은 이 시간 두 잔째 커피를 따르는 중이다.

개수대에 서서 창밖을 내다보았다. 제러미가 내 옆에 누워있고 나는 자는 척하던 새벽 다섯 시쯤부터 비가 오기 시작했다.

질척한 진입로로 에이프릴의 차가 들어왔다. 제러미는 어젯밤의 일을 에이프릴에게 얘기할까?

아침에 아직 제러미를 보지 못했다. 늘 그렇듯이 에이프릴이 올 때까지 이 층에 있는 거겠지. 에이프릴이 들어올 때 주방에 있다가 마주치고 싶지는 않았다. 서재로 가기 위해 막 주방을 나서다 주방으로 들어오려던 제러미와 부딪힐 뻔했다. 제러미가 얼른 뒤로 물러서며 내 어깨를 잡았다. 덕분에 들고 있던 커피가 바닥에 쏟아지는 걸 막을 수 있었다.

제러미는 피곤해 보였다. 나 때문이다. "좋은 아침이오." 그가 정말 좋은 아침인 것처럼 인사했다.

"좋은 아침이에요." 나는 조그맣게 속삭였다. 왜 그랬는지 모르겠다.

제러미는 옆으로 비켜서더니 마치 귓속말을 하려는 듯 몸을 약간 기울이며 말했다. "당신이 자는 방에 잠금 장치를 달면 어떻겠소?"

나는 잠시 어리둥절했다. "벌써 달려 있잖아요."

"아니. 바깥쪽에 말이오." 제러미가 덧붙였다. "내가 당신이 잠자리에 든 다음에 잠그고 당신이 깨기 전에 열어놓겠소. 밖으로 나와야 할 때는 내게 문자를 보내면, 내가 2초 안에 달려가 열어줄 수 있으니까. 당신이 잠결에 방 밖으로 나갈 수 없다는 걸 알면 좀 더 편안하게 잘 수 있을 것 같아서."

나는 어떤 기분이어야 하는 건지 알 수 없었다. 안쪽에 자물쇠가 달려 있는 것보다 더 답답한 느낌이 들것 같았지만, 어차피 목적은 하나인데 뭐 어떠랴. 내가 밖으로 나오지 못 하게 하는 것. 기분이 좋을 수는 없겠지만, 내가 다시 한밤중에 나와 돌아다닐 수 있다는 불안감을 안고 지내는 것보다는 나을 것 같았다. "좋은 방법이네요. 고마워요."

에이프릴이 현관에 들어섰다. 주방으로 향하려던 에이프릴이 잠깐 멈춰 섰다. 제러미는 그녀의 존재를 무시하는 듯 계속해서 나를 바라보았다. "오늘은 하루 쉬는 게 좋을 것 같은데."

나는 에이프릴에게서 시선을 옮겨 다시 제러미를 보았다. "차라리 바쁜 게 나을 것 같아요."

제러미는 말없이 나를 바라보다가 알겠다는 듯 고개를 끄덕였다.

"좋은 아침이에요." 에이프릴이 문 앞에서 진흙 묻은 신발을 벗으며 말했다.

"좋은 아침이오, 에이프릴." 제러미는 전혀 거리낄 것이 없는 음성으로 편안하게 응답했다. 그러고는 에이프릴을 지나쳐 뒷문으로 향했다. 에이프릴은 그 자리에 서서 안경을 코끝에 걸치고 나를 빤히 바라보았다.

"좋은 아침이에요, 에이프릴." 나의 인사는 제러미만큼 거리낌 없지는 못했다. 서재로 돌아온 나는 지난밤의 일을 아직 완전히 떨쳐버리지 못한 상태로 하루의 일과를 시작했다.

오전 중에는 온라인 검색과 이메일 처리 등을 하며 보냈다. 코리가 인터뷰 요청 몇 건을 전해왔다. 물론 나에 대해 궁금해하는 내용은 아니다. 질문들은 모두 비슷비슷했는데, 주로 베러티가 왜 나를 선택했는지, 나는 그런 베러티의 작품에 어떠한 기여를 할 수 있는지, 지금까지 나의 경력 중 어떤 부분이 베러티와 공동 작업을 할 수 있는 기회를 얻는데 결정적으로 작용했는지. 나는 비슷한 질문에 같은 답변들을 복사해서 붙여넣기를 했다.

점심 식사 후에는 내가 써야 할 제7권의 개요를 잡는 데 주력했다. 베러티가 준비해둔 자료를 찾아 활용하겠다는 생각을 포기하고 내가 처음부터 쓰는 방법을 택한 것이다. 힘겨운 밤을 보낸 탓에 작업하기가 쉽지 않았다. 몹시 불안정한 상태였으니까. 그렇지만 어젯밤의 일은 되도록 생각하고 싶지 않아서 애써 작업에 몰입했다.

점심시간이 다가오자 타코 냄새가 나기 시작했다. 입가에 미소가 지어졌다. 내가 먹고 싶다고 해서 제러미가 만드는 것일 테니까. 늘 그러듯이 나를 위해 한 접시 남겨놓을 것이다. 에이프릴이 베러티를 돌보며 함께 식사하는 식탁에 앉아 편안하게 식사를 할 입장이 아니니까.

베러티 생각을 하며 몇 분을 흘려보냈다. 내가 왜 이토록 그녀를 무서워하는지. 그녀의 원고가 들어 있는 서랍을 내려다보았다. 한 챕터만 더 읽고 그만 읽자. 정말 거기까지만.

그대로 이루어지기를
6장

아이들이 태어난 지 6개월이 지났다. 나는 여전히 그들이 태어나지 않았으면 좋았을 거라고 생각한다.

그렇지만 아이들은 태어났고, 제러미는 아이들을 사랑한다. 나는 지쳐가고. 가끔 내가 이 상황을 견뎌야 할 가치가 있는지 생각해 보곤 한다. 짐을 챙겨 영영 떠나버리고 싶기도 하다. 내가 그러지 못하는 단 한 가지 이유는 제러미 때문이다. 그가 없는 삶은 살고 싶지 않으니까. 나는 둘 중 하나를 선택할 수 있다.

제러미가 나보다 더 사랑하는 두 아이와 함께 제러미 곁에서 사는 것.

제러미 없이 사는 것.

이 관점에서 아이들은 제러미를 선택하면 따라오는 묶음판매 증정품 같아서, 내가 취사선택할 수 있는 부분이 아니었다. 피임을 하지 않았던 나 자신을 죽도록 미워했다. 내가 견뎌내기만 하면 모든 것이 좋아질 거라고 생각했던 게 후회스러웠다. 아무것도 좋아지지 않았으니까. 적어도 내 입장에서는 그랬다. 내게 있어 내 가족은 스노 글로브 안에 존재하는 것과 같았다. 그 안은 완벽하게 아늑하고 평화로운데, 나는 그 안에 있지 않은 상황. 나는 그저 밖에서 안을 들여다볼 뿐이었다.

그날 밤, 밖에는 눈이 오고 있었지만 실내는 따뜻했다. 그런데도 나는 등줄기가 오싹하는 한기를 느끼며 깨어났다. 실제로 몸이 떨리고 있었다. 멈출 수가 없었다. 방금 꾼 악몽이 너무도 생생했다. 눈을 뜬 지 몇 시간이 지나도록 그 느낌에서 깨어날 수가 없었다. 악몽에 취했다고 해야 하나.

앞날에 대한 꿈이었다. 아이들과 제러미 그리고 나. 아이들은 여덟 살이나 아홉 살 정도인 것 같았다. 아니 분명하지는 않다. 나는 아이들의 성장에 대해서 잘 몰랐고, 아이들의 나이를 가늠하는데 서툴렀으니까. 그저 깨고 나서 생각해 보니 꿈속에서 아이들이 그 정도 나이였을 거라 짐작되었을 뿐이다.

꿈속에서 아이들 방 앞을 지나고 있었다. 문득 방 안을 들여다보았는데, 믿어지지 않는 광경이 펼쳐지고 있었다. 하퍼가 채스틴의 배 위에 올라앉아 베개로 채스틴의 얼굴을 덮고 있었던 것이다. 곧장 침대로 달려갔지만 이미 너무 늦은 것 같았다. 나는 하퍼를 채스틴에게서 밀어내고 베개를 들었다. 그리고 채스틴을 내려다보며 손으로 입을 막고 숨을 허덕였다.

아무것도 없었다. 채스틴의 얼굴이 마치 대머리의 뒤통수처럼 밋밋했던 것이다. 상처도 없고, 눈도, 입도, 코도 없었다.

하퍼의 사악한 표정을 보며 물었다. "너 무슨 짓을 한 거야?"

그러고는 깨어났다.

내가 놀랍고 두려웠던 것은 꿈 때문이 아니었다. 그 꿈이 불길한 예감처럼 마음에 파고들었기 때문이다. 그리고 그 예감이 나를 아프게 했다.

나는 무릎을 끌어안고 침대 위에서 몸을 앞뒤로 굴렸다. 이 느낌은 뭐지? 고통. 그것은 고통이었다. 가슴이 미어지는 고통.

꿈속에서도 가슴이 아팠던가? 채스틴이 죽었다고 생각했을 때, 나는 주저앉아 울고 싶었다. 그건 제러미가 죽을 수도 있다고 생각할 때 느껴지던 아픔이었다. 더 이상 살 수 없을 것 같은 느낌.

나는 침대에 앉은 채 울었다. 감정이 북받쳐 올라왔다. 드디어 내가 아이들에게 모성을 느끼기 시작하는 건가? 채스틴에게? 드디어? 이런 게 엄마가 된 사람들이 경험하는 감정일까? 누군가를 지극히 사랑해서, 그 사람을 잃는다는 생각만으로도 고통이 느껴지는 것?

임신 사실을 알게 된 후로 처음 느껴보는 감정이었다. 비록 쌍둥이 중 하나만을 향한 감정이기는 했지만, 그래도 나로서는 커다란 변화였다.

제러미가 돌아누우며 눈을 떴다. 내가 무릎을 끌어안고 앉아 있는 것을 보더니 물었다. "당신, 괜찮아?"

제러미가 그렇게 묻는 게 싫었다. 그는 내 생각을 짚어내는데 뛰어난 감각을 갖고 있으니까. 물론 다 짚어내는 것은 아니지만 말이다. 아무튼 지금 내 안에서 일어나는 일은 알게 하고 싶지 않았다. 이제야 딸들 중 하나에게 애틋함이 생겼음을 말하려면 지금까지 그들을 사랑하지 않았다는 사실을 먼저 고백해야 하지 않겠는가.

뭐라도 해야 했다. 그가 너무 많은 질문을 하지 않도록 다른 데로 주의를 돌려야 했다. 지금까지의 경험으로 볼 때 제러미는 내가 입으로 애무를 시작하면 더 이상 내 생각을 짚어내는 게 불가능해진다.

나는 그의 배 아래로 내려갔다. 그의 허벅지 위에 자세를 취하고 입으로 그를 유혹할 준비를 했을 때, 그도 이미 준비가 되어있었다. 나는 되도록 깊숙이 그를 입 안에 넣고 감쌌다.

그의 신음 소리는 늘 나를 흥분시킨다. 그는 주로 조용한 편인데, 가끔 무방비 상태에서 내가 공략할 때면 그리 조용하지 못하다. 그의 희열이 절정으로 치닫는 순간, 갑자기 궁금해졌다. 나 말고도 제러미를 이렇게 흥분시켰던 여자가 있었을까? 그의 음경을 감싸고 애무했던 입술은 몇이나 될까?

나는 그에게서 입을 떼고 물었다. "이렇게 해준 여자가 몇 명이나 돼?"

그가 팔꿈치로 받치고 몸을 일으켜 나를 내려다보았다. "지금 농담하는 거야?"

"궁금해서 그래."

그가 머리를 다시 베개에 떨구며 웃었다. "몰라. 세어보지 않아서."

"그렇게 많아?" 나는 조롱하듯 받아치며 그의 몸을 타고 올라가 그의 얼굴 위로 말을 타듯 앉았다. 그가 내 아래서 몸을 비틀었다. 내 허벅지를 움켜쥐면서. "바로 대답할 수 없다면 다섯 명 이상이라는 뜻인데."

"다섯 명은 넘지." 제러미가 말했다.

"열 명 이상?"

"어쩌면. 그 정도 될 수도. 아마 그럴 거야."

그의 대답에 전혀 질투를 느끼지 않는 내가 이상했다. 그런데 왜 쌍둥이들 앞에서는 질투에 휩싸이는지. 쌍둥이들은 나의 현재이고, 그가 만났던 다른 여자들은 이미 모두 과거에 묻혀 있기 때문일 것이다.

"스무 명도 넘어?"

그가 팔을 뻗어 내 가슴을 움켜쥐었다. 그리고 힘껏 쥐어짰다. 이제 본격적으로 삽입을 해야 할 단계라고 판단한 것 같았다. 이쯤에서 내가 그의 맹렬한 돌진을 바랄 것이라고 말이다. "그 정도라고 생각하면 맞을 거야." 그가 속삭였다. 그는 입을 맞추며 손으로 나를 애무하기 시작했다. "당신을 애무해준 녀석은 몇 명이나 되지?"

"둘. 나는 당신처럼 바람둥이가 아니니까."

제러미가 내 입술에 대고 웃었다. 그리고 나를 똑바로 눕히며 말했다. "그렇지만 당신은 지금 그 바람둥이와 사랑에 빠져 있잖아."

"바람둥이였던 남자." 내가 고쳐주었다.

하지만 나는 그날 제러미의 눈빛을 잘못 읽었던 것 같다. 그날 제러미는 섹스를 원했던 게 아니다. 진심을 다해 나와 사랑을 나누었다. 내 몸 구석구석에 키스했다. 그러는 동안에도 나는 그를 애무해주고 싶어서 안달이 났다. 하지만 제러미는 내가 움직이려고 할 때마다, 그를 리드하려 할 때마다, 나를 저지했다.

그에게 희열을 안겨주는 일을 내가 왜 그렇게 좋아했는지는 나도 잘 모른다. 그렇지만 나는 그가 나를 애무해주는 것보다 내가 해 주는 것이 더 좋았다. 섹스에 대한 상식이나 이론 같은 것에 설명이 되어있는지도 모르겠다. 내 사랑의 언어는 봉사의 행위였고, 제러미의 사랑의 언어는 그를 누군가가 애무해주는 것. 그래서 우리는 천생연분이었다.

그가 막 절정에 이르려는 찰나, 한 아이가 울기 시작했다. 그는 신음 소리를 냈고 나는 눈알을 굴렸다. 우리는 동시에 모니터를 향해 손을 뻗었다. 제러미는 들여다보기 위해서. 나는 끄기 위해서.

내 안에서 그가 힘이 빠지는 게 느껴졌다. 나는 모니터 뒤에 연결된 플러그를 뽑았다. 조금만 더 계속하면 끝낼 수 있을 것 같았다. 그가 집중해 주기만 한다면.

"내가 가볼게." 제러미가 몸을 일으키며 말했다. 나는 그를 잡아당겨 눕히고 위로 올라탔다.

"끝난 다음에 내가 가볼게. 잠깐 울어도 돼. 가끔 우는 것도 필요해."

제러미는 그렇게 생각하지 않는 것 같았지만, 내가 다시 그의 음경을 손으로 감싸자 더는 저항하기를 포기했다. 그가 신음 소리를 냈다. 잠시 후 또 한 번의 낮고 굵은 신음. 그리고 끝났다. "당신은 자고 있어. 내가 가볼게."

이번에는 진심으로 아이들에게 가보고 싶었다. 이런 느낌은 처음이었다. 밤중에 수유를 해야 할 때면 늘 짜증이 앞섰는데 오늘은 그렇지 않았다. 어서 가서 채스틴에게 우유를 먹이고 싶었다. 그 애를 안고 어르며 사랑해주고 싶었다. 설레는 마음으로 아이들 방으로 갔다.

그러나 나의 설렘은 곧 짜증으로 변했다. 울고 있는 아이가 하퍼였던 것이다.

이렇게 실망스러울 수가.

아기 침대 두 개가 헤드보드를 맞대고 놓여 있었는데 하퍼가 그렇게 우는 데도 채스틴이 깨지 않았다는 게 신기했다. 나는 하퍼를 지나쳐 채스틴을 살폈다.

채스틴을 향한 애틋한 마음이 절절한 만큼, 하퍼가 울음을 그치기를 바라는 마음도 맹렬했다.

채스틴을 안고 흔들의자로 갔다. 의자에 앉으니 채스틴이 꼼지락거렸다. 좀 전의 꿈이 다시 떠오르면서 하퍼가 채스틴을 해치려고 할 때 느꼈던 공포가 느껴졌다. 채스틴을 잃을 수도 있다는 생각만으로도 울음이 터질 것 같았다. 어느 날 나의 꿈이 현실이 될 수도 있다는 생각.

어쩌면 이건 엄마의 직관 같은 것일지 모른다. 내 마음 깊은 곳에서는 채스틴에게 비극적인 일이 일어날 것임을 알고 있는지도 모른다. 그래서 오늘 문득 이 아이가 한없이 애틋한 것인지도. 만약 그 꿈이 우주의 섭리가 나에게 보내는 계시 같은 거라면? 채스틴은 하퍼만큼 내 곁에 오래 머무르지 않을 것이니 온 마음을 다해 채스틴을 사랑해주라고?

그래서 하퍼를 향해서는 아직 애착이 생기지 않는 것인지도 모른다. 채스틴이 훨씬 더 짧은 수명을 타고났기 때문에. 채스틴은 먼저 죽을 것이고, 하퍼만 남게 될 거라서.

그래서 나의 무의식이 하퍼에 대한 사랑을 깊이 묻어둔 것이다. 채스틴과 함께 하는 시간이 끝난 후에 펼쳐볼 수 있도록.

눈을 감았다. 하퍼가 악을 쓰며 울어대는 소리에 두통이 오려고 했다. '염병할! 제발 좀 닥쳐! 어쩜 그렇게 한도 끝도 없이 우는 거냐! 지금 채스틴과 애틋한 유대를 쌓는 중이란 말이다!'

하퍼를 좀 더 울게 내버려 두고 싶었지만, 제러미가 신경을 쓸 것 같았다. 결국 채스틴을 침대에 눕혔다. 놀랍게도 채스틴은 여전히 자고 있었다. 정말 착하고 사랑스러운 아이로군. 하퍼의 침대로 다가가 분노에 가득 찬 눈빛으로 하퍼를 내려다보았다. 내가 악몽을 꾼 것이 하퍼 때문인 것 같은 느낌이 들었다.

내가 꿈을 너무 느슨하게 해서하고 있는지도 모른다는 생각이 들었다. 어쩌면 그것은 암시를 넘어 경고였는지도. 너무 늦기 전에 하퍼를 막지 않으면 채스틴이 죽을지도 모른다.

그 순간, 일이 일어나기 전에 막아야 할 것 같은 충동이 엄습해왔다. 지금까지 그렇게 생생한 꿈을 꾼 적은 없었다. 당장 뭔가를 하지 않으면 언젠가 그 꿈이 현실로 다가올 것 같았다. 채스틴을 잃는다는 생각만으로도 견딜 수 없었다. 제러미를 잃는 것만큼이나 고통스러울 것 같았다.

생명을 종결시키는 일에 대해서는 아는 바가 없었다. 하물며 갓 태어난 생명에 대해서는 더 아무것도 몰랐다. 딱 한 번 시도했었지만, 상처만 남겼을 뿐이다. 유아 돌연사에 대해 들어본 일이 있었다. 제러미가 그것에 관한 기사를 보여주어 읽어본 적이 있었다. 드물지 않은 일이라고 했다. 그렇지만 질식사와 구분이 얼마나 명확한지 충분히 알지 못한다.

자다가 구토를 일으켜, 자기가 토한 물질에 기도가 막혀 죽는 일도 있다. 그건 의도적인 행위에 의한 죽음과 구분하기가 좀 더 힘들지 모른다.

손가락으로 하퍼의 입술을 만져보았다. 손가락이 젖병인 줄 아는지, 하퍼가 재빨리 고개를 앞뒤로 저었다. 그러더니 내 손가락을 잡고 끝을 빨기 시작했다. 하지만 성에 차지 않는지 곧 손가락을 놓고 또다시 소리를 지르며 울기 시작했다. 발버둥까지 치면서. 입 안 깊숙이 손가락을 집어넣었다.

여전히 기를 쓰며 울었다. 점점 더 손가락을 집어넣었다. 헐떡이는 소리가 나기 시작했다. 그러면서도 여전히 울었다. 손가락 하나로는 안 되겠군.

손가락 두 개를 하퍼의 목구멍 깊숙이 집어넣었다. 그제서야 울음이 더는 나오지 않았다. 잠시 그대로 지켜보았다. 곧 두 팔이 빳빳해지면서 작은 몸이 몇 번 격렬하게 뒤틀렸다. 두 다리가 막대기처럼 곧게 펴졌다.

내가 지금 이러지 않으면 이 아이가 채스틴에게 이렇게 할 것이다. 그러니 나는 지금 채스틴의 생명을 구하는 거야.

"괜찮은 거야?" 제러미가 등 뒤에서 물었다.

'빌어먹을. 하필이면 지금.'

하퍼의 입에서 손을 빼고 얼른 아이를 안아 올렸다. 하퍼가 죽을힘을 다해 할딱거리는 모습을 보이지 않기 위해 얼굴을 내 가슴에 묻었다. "모르겠어." 그를 향해 돌아서며 이렇게 말했다. 제러미가 방 안으로 들어섰다. "도무지 달랠 수가 없네. 어떻게 해도 안 돼." 나는 하퍼의 뒤통수를 쓰다듬으며 어쩔 줄 몰라 하는 음성으로 말했다. 몹시 걱정스러운 표정을 지으며.

그때 하퍼가 내게 안긴 채 구토를 했다. 토해내자마자 다시 악을 쓰며 울기 시작했다. 목이 쉰 것 같았고, 악을 쓰는 사이사이 숨을 헐떡였다. 제러미도 나도 들어본 적이 없는 울음이었다. 제러미가 황급히 하퍼를 내 품에서 데려가 달래기 시작했다.

내 옷에 구토했다는 사실은 안중에도 없는 것 같았다. 나를 쳐다보지도 않았다. 다만 하퍼에 대한 걱정만이 가득했다. 이마를 잔뜩 찌푸리고 하퍼를 세세히 살폈다. 단 일 초도 나를 생각할 여유는 없는 것 같았다. 모든 것이 하퍼를 향해 있었다.

나는 숨을 참으며 욕실로 갔다. 냄새를 들이마시고 싶지 않았다. 아이를 키우는 일 중에서 내가 제일 싫어하는 부분이 바로 우유를 토했을 때 나는 시큼한 냄새를 맡아야 한다는 거였다.

욕실에 있는 동안 제러미가 하퍼의 우유를 만들어 먹였나 보다. 샤워하고 나오니 하퍼는 어느새 잠들어 있었고, 제러미는 우리 침대에 누워 모니터 플러그를 다시 꽂고 있었다.

나는 얼어붙은 듯 침대에 누워 모니터를 바라보았다. 하퍼와 채스틴의 아기 침대가 화면을 가득 채우고 있었다.

내가 어떻게 모니터가 있다는 걸 잊고 있었지?

내가 하퍼에게 하는 짓을 보았다면 제러미는 그 자리에서 나를 죽여 버렸을지도 모른다.

어쩌면 그렇게 부주의할 수 있었을까?

그날 밤 나는 채스틴을 구하기 위해 내가 하퍼에게 한 행동을 제러미가 보았다면 나를 어떻게 했을까 생각하느라 거의 한잠도 자지 못했다.

15

오, 하느님! 의자에 기대 몸을 접으며 배를 움켜쥐었다. "제발…….
제발……." 나도 모르게 소리 내어 중얼거렸다. 누구를 향해, 무엇을
말하려는 건지는 나 자신도 알 수 없었다.

이 집에서 나가야 한다. 숨을 쉴 수가 없었다. 잠시 밖에 앉아서 바
람을 쐬며 방금 읽은 내용들을 머릿속에서 지워버려야 할 것 같았다.

베러티의 원고를 읽고 나면 항상 배가 당기고 아프다. 읽는 동안 잔
뜩 힘을 주어 웅크리고 있게 되기 때문이다. 뒤에 이어지는 챕터들을
좀 더 훑어보았는데 자기 아이를 질식사시키려는 이 대목만큼 끔찍하
고 역겨운 장면은 나오지 않는 것 같았다.

그 뒤의 챕터들은 주로 제러미와 채스틴에 대한 이야기들이었다.
하퍼는 아주 가끔 등장했다. 그런 채로 이야기가 이어질수록 하퍼에
대한 베러티의 반감이 섬뜩할 정도의 냉랭한 적대감으로 전해졌다.
채스틴이 한 살 되는 날에 대한 이야기도 나오고, 두 살 되던 해에 처

음으로 친할머니댁에 가서 자고 온 이야기도 나온다. 처음에는 항상 '쌍둥이'로 지칭되던 아이들 이야기가 점차 '채스틴' 이야기만으로 바뀌어서, 내막을 모르는 사람이 읽으면 하퍼가 실제보다 훨씬 전에 죽은 줄 알 것 같았다. 그러다가 아이들이 세 살이 될 즈음 다시 둘이 함께 등장하기 시작했다. 그 챕터를 읽기 시작하려는데 노크 소리가 들렸다.

나는 얼른 서랍을 열고 원고를 집어넣었다. "들어오세요."

제러미가 문을 열었을 때, 나는 한 손은 무릎 위에 올려놓고 다른 한 손으로 컴퓨터 마우스를 잡고 있었다.

"타코를 만들었는데."

"벌써 먹을 시간이에요?" 내가 미소를 지으며 응답했다.

그가 소리 내어 웃었다. "열 시가 넘었소. 저녁 식사 시간이 세 시간이나 지났지."

컴퓨터 시계를 확인했다. 어쩜 이렇게 시간의 흐름을 완전히 잊고 있었을까? 사이코 여자가 자기 아이를 학대하는 이야기를 읽다 보면 그럴 수도 있는가 보다. "여덟 시 정도밖에 안 된 줄 알았어요."

"점심 식사도 거르고 거의 열두 시간 동안 이 방에만 있었소." 제러미가 말했다. "좀 쉬어요. 오늘 밤엔 별똥별이 떨어진다고도 하고, 어차피 뭘 좀 먹어야 하니까. 마가리타도 만들어 놓았소."

마가리타와 타코. 입맛이 절로 당겼다.

*

제러미와 뒤 베란다에 있는 흔들의자에 앉아 별똥별을 보며 타코를 먹었다. 처음에는 별로 많이 떨어지는 것 같지 않더니 이제는 일 분에 하나 정도씩 떨어지는 것 같다.

나는 잔디밭으로 내려가 등을 대고 누워서 하늘을 올려다보았다. 제러미도 내려와 내 옆에 나란히 누웠다.

"하늘이 이렇게 아름답다는 걸 잊고 있었어요." 내가 조용히 말했다. "맨해튼에 너무 오래 살았나 봐요."

"나는 그래서 뉴욕을 떠난 거요." 제러미가 말했다. 제러미가 왼쪽 하늘을 가리켰다. 또 하나의 별똥별이 긴 궤적을 남기며 떨어졌다. 우리는 그것이 시야에서 사라질 때까지 바라보았다.

"언제 이 집을 산 거죠?"

"쌍둥이들이 세 살이었을 때 일 거요. 베러티의 소설 두 권이 출간되어 큰 인기를 끌었던 덕에 좀 벅찬 투자를 했던 거지."

"왜 하필이면 버몬트였는데요? 여기 가족이 있나요?"

"아니요. 내 아버지는 내가 십 대였을 때 돌아가셨고, 어머니는 삼 년 전에 돌아가셨소. 어린 시절을 뉴욕 주에서 보냈지. 부모님이 알파카 농장을 하셨거든. 믿어질지 모르겠지만."

나는 큰 소리로 웃으며 제러미를 돌아보았다. "정말이요? 알파카?"

그가 고개를 끄덕였다.

"알파카를 길러서 어떻게 수익을 내는 거죠?"

제러미도 큰 소리로 웃었다. "사실 수익 면에서 보자면 그리 좋은 선택은 아니었소. 그래서 내가 비즈니스를 전공해서 부동산 쪽 일을 시작했던 거고. 빚만 잔뜩 안고 있는 농장을 물려받고 싶지 않아서 말이오."

"곧 다시 일을 시작하실 생각인가요?"

내 질문에 제러미는 잠시 생각에 잠겼다. "그러고는 싶지. 크루를 외롭게 만들지 않으면서 일을 다시 시작할 기회를 엿보는 중인데 아직 좋은 시기를 찾지 못하고 있소."

우리가 친구 사이였더라면 그를 위로하기 위해 뭐라도 했을 것이다. 그의 손을 잡아준다거나. 그렇지만 친구 이상의 관계로 옮겨가고 싶은 욕망이 내 안에 자라고 있었기 때문에 우리는 친구가 될 수 없었다. 두 사람 사이에 애정이 싹트고 있다면 그 관계는 둘 중 하나가 될 수밖에 없으니까. 애정을 키워가든가 전혀 다가가지 않든가. 둘 말고 다른 선택지는 없다. 그는 아내가 있는 남자였으므로……. 나는 내 손이 그에게 닿지 않도록 가슴에 얹고 있었다.

"베러티의 부모님은요?" 내가 물었다. 그를 향해 미친 듯이 뛰고 있는 내 심장 소리를 감추기 위해 무슨 말이든 해야 할 것 같았다.

그가 가슴에 얹었던 손을 들썩여 보였다. '나도 모르지'의 의미 같았다. "난 그들에 대해 아는 게 거의 없소. 별로 만난 적도 없는 데다가 그쪽에서 먼저 베러티와 인연을 끊었거든."

"인연을 끊어요? 왜죠?"

"그 사람들에 대해서는 설명해도 이해하지 못할 거요." 제러미가 말했다. "정말 이상한 사람들이었으니까. 이름은 빅터와 마저리였는데, 골수까지 신앙이 배어 있는 광신자들이었소. 베러티가 스릴러와 서스펜스 소설을 쓴다는 사실을 알고, 마치 베러티가 종교를 거부하고 사탄을 숭배하는 이단이라도 된 것처럼 난리를 쳤으니까. 베러티에게 당장 그런 소설 쓰기를 그만두지 않으면 다시는 보지 않겠다고 했지."

믿을 수가 없었다. 어떻게 부모가 자식에게 그렇게 냉혹할 수가. 잠시 베러티가 가엾다는 생각이 들었다. 어쩌면 베러티는 애초에 모성애가 부족한 유전을 타고난 게 아닐까? 그러다가도 하퍼에게 한 짓을 떠올리자 일말의 연민조차 단숨에 사라졌다.

"얼마나 오래 서로 안 보고 살았는데요?"

"어디 보자." 제러미가 잠시 생각해 보더니 말을 이었다. "십삼 년 전에 첫 번째 소설을 썼으니까, 십삼 년 된 셈이군."

"여전히 서로 안 보고 지내요? 베러티가 사고를 당한 건 알고 있어요?"

제러미가 고개를 끄덕였다. "채스틴이 죽고 나서 내가 연락을 했소. 음성 메시지를 남겼지. 그렇지만 답신이 없었소. 그리고 나서 베러티가 사고를 당했을 때 그녀의 아버지가 전화를 했더군. 내가 전화를 받아서 베러티와 쌍둥이들 소식을 전하자 한동안 말이 없었소. 그러더니 '하나님께서는 사악한 자를 벌하신다네, 제러미'라고 하는데 내가 전화를 끊어버렸소. 그 후로는 서로 연락한 적이 없고."

나는 두 손을 가슴에 얹고 하늘을 바라보았다. 믿을 수가 없었다. "어떻게 그런……."

"그러게 말이오." 제러미가 중얼거렸다.

우리는 한동안 말이 없었다. 두 개의 별똥별이 더 떨어졌다. 하나는 남쪽으로 또 하나는 동쪽으로. 두 번 다 제러미는 손가락으로 별똥별이 지는 방향을 가리켰다. 그렇지만 말은 하지 않았다. 한동안 침묵이 흐르고 별똥별도 소강상태에 들어간 즈음, 제러미가 팔꿈치로 잔디를 짚고 몸을 일으켜 나를 내려다보았다.

"크루에게 다시 상담 치료를 받게 하는 게 좋겠소?"

나는 고개를 옆으로 돌려 그를 마주 보았다. 내게서 불과 한 발짝

거리에 그가 있었다. 아니, 한 발짝 반? 너무 가까워서 그의 체온이 느껴질 정도였다.

"그러는 게 좋을 것 같아요."

제러미는 내 솔직한 대답이 고맙다는 듯, "알겠소"라고 응답했다. 그러면서도 다시 잔디에 눕지 않고 계속 나를 바라보았다. 물어보고 싶은 게 남아 있는 것처럼. "당신은 상담 치료를 받았소?"

"그럼요. 제 인생에서 가장 감사한 일이 바로 제가 상담을 받았던 거였어요." 나는 하늘을 올려다보며 대답했다. 이어지는 나의 대답을 들은 그의 표정을 보고 싶지 않았다. "난간 위에 서 있던 내 모습을 직접 확인하고 나서 깊은 슬픔에 빠졌었죠. 죽음을 생각할 정도로. 몇 주 동안 잠을 자지 않으려고 노력했어요. 잠결에 자해를 하게 될까 봐 두려웠죠. 상담 치료사의 도움으로 몽유병은 나의 의지와 상관이 없다는 걸 깨닫게 되었어요. 몇 년 동안 그런 조언을 듣다 보니 결국 나도 그걸 믿게 되었고요."

"어머니도 상담 치료에 함께 가셨나?"

나는 큰 소리로 웃었다. "아니요. 내가 치료를 받고 와도 그것에 대해 말하는 것조차 꺼리셨는걸요. 내가 손목을 부러뜨리던 날 이후로 엄마는 변했어요. 관계가 말이죠. 늘 단절되어 있는 것 같았죠. 그런데 이상하게 어머니를 생각하면……." 나는 순간 말을 멈췄다. 하마터면 베러티가 떠오른다고 할 뻔했던 것이다.

"생각하면?"

"베러티의 시리즈 주인공이 떠올라요."

"나쁜 의미에서?" 제러미가 물었다.

"정말 베러티의 작품을 전혀 안 읽는 거예요?" 내가 웃으며 말했다.

제러미는 내게서 시선을 떼고 다시 잔디에 누웠다. "첫 소설만 읽었지."

"그다음에는 왜 안 읽는데요?"

"왜냐하면…… 내가 작품 속에서 일어나는 일들이 베러티의 상상일 뿐이라는 사실을 자꾸 잊어버리게 되더라고."

제러미의 그러한 착각이 너무도 당연하다는 말을 해주고 싶었다. 실제로 베러티의 머릿속에서 일어나는 생각들이 등장인물과 소름 끼치리만큼 일치하니까. 그렇지만 지금 이 시점에서 아내에 대해 그런 인상을 갖게 하고 싶지 않았다. 지금까지 그렇게 힘든 일들을 겪어왔는데, 적어도 그가 결혼생활에 대해 긍정적인 기억을 간직할 자격은 충분하지 않은가.

"내가 자기 작품을 읽지 않는다고 몹시 화를 내곤 했지. 나의 인정을 받고 싶어 했어. 세상 많은 사람들이 그녀의 작품을 인정해주는 데도 말이오. 독자들, 편집자들, 비평가들. 그런데도 베러티는 오직 나의 인정만이 의미 있는 것처럼 집요하게 원했어."

그만큼 당신만을 사랑했으니까.

"당신은 작품에 대해 누구의 인정을 받고 싶어 하는 편이오?" 제러미가 물었다.

나는 그를 돌아보며 말했다. "난 그런 게 없어요. 별로 인기 있는 작가가 아니라서. 가끔 긍정적인 평가를 받거나, 독자 팬들의 이메일을 받아도 그게 정말 나에게 하는 말이라는 생각이 안 들더라고요. 아마도 제가 은둔형이고, 독자 사인회 같은 것도 안 하는 편이라 그럴 거예요. 저의 이미지를 대중에 공개하지 않는 거죠. 그러니까 내 작품을 좋아하는 독자가 있다고 해도 직접 들은 적이 없고, 그러다 보니 내가 글을 쓰는 게 누군가에게 의미를 주는 일이라는 느낌을 받아본 적이 없어요." 나는 이렇게 말하고 한숨을 쉬었다. "그렇지만 상상만 해도 참 좋을 것 같긴 하네요. 누군가 내 눈을 보면서 '당신의 글은 나에게 소중해요, 로웬' 하고 말해준다면 말이죠."

내가 그 말을 끝내자마자 별똥별 하나가 하늘을 가로질러 떨어졌다. 우리는 함께 그것을 바라보았다. 별은 호수 건너로 사라졌다. 제러미의 머리 너머에 배경처럼 펼쳐진 호수를 바라보았다.

"새 도크는 언제 설치할 거예요?" 내가 물었다. 오늘 드디어 낡은 도크를 뜯어내는 작업을 끝마친 것 같았기 때문이다.

"새 도크를 지으려는 건 아니오." 제러미가 무심하게 대답했다. "그저 낡은 도크를 보고 싶지 않아서 뜯어낸 거지."

좀 더 친절한 설명을 듣고 싶었지만, 제러미는 그러고 싶지 않은 것 같았다.

제러미가 나를 바라보았다. 오늘 유난히 눈을 마주칠 기회가 많기는 했지만 지금 이 눈빛은 달랐다. 무게가 실려 있다고 할까. 그의 시선이 내 입술을 향해 깜박이는 것을 느꼈다. 그가 키스해 주면 좋겠다는 생각이 들었다. 만약 시도한다면 거절하지 않을 텐데. 죄책감 같은 것도 느끼지 않을 것 같았다.

제러미는 깊은숨을 내쉬더니 다시 잔디에 누워 별을 바라보기 시작했다. "무슨 생각을 하세요?" 내가 나직이 물었다.

"시간이 늦었다는 생각. 그리고 당신을 방에 가두어야 할 것 같다는 생각."

나는 제러미의 표현이 재미있어서 웃었다. 아니, 어쩌면 마가리타를 두 잔이나 마셔서 웃음이 나는지도 모르겠다. 이유가 무엇이든, 내가 웃으니 제러미도 웃었다. 그러자 후회하게 될 수도 있었던 순간이 안전하고 편안한 분위기로 변했다.

제러미가 내 방문에 자물쇠를 채우기 전에 침실에서 작업할 수 있도록 준비를 해야 할 것 같아서 랩톱을 가지러 베러티의 서재로 갔다. 제러미가 주방의 전등을 끄는 동안 나는 책상 서랍을 열고 베러티의 원고 일부를 잡히는 대로 집었다. 원고를 랩톱 위에 얹고 랩톱과 함께 가슴에 안았다.

방문에 전에 없던 자물쇠가 새로 달려 있었다.

내가 방으로 들어가 침대에 가져온 것들을 내려놓는 동안 제러미는 등 뒤에 서 있었다.

"필요한 것들 다 챙겨왔소?" 제러미가 문턱에 서서 물었다.

"다 있어요." 나는 문을 닫고 잠그기 위해 다가갔다. "그럼 됐소. 잘 자요."

"그럴게요." 내가 미소를 지으며 대답했다. "잘 자요."

문을 닫으려는데 제러미가 손을 밀어 넣으며 문틀을 잡았다. 나는 다시 문을 열었다. 문이 반쯤 닫혔다 열린 몇 초 동안 제러미의 표정은 변해 있었다.

"로웬." 제러미는 조용히 나를 부르더니, 문틀에 이마를 기대고 나를 바라보았다. "당신에게 거짓말을 했소."

나는 애써 심각한 표정을 짓지 않으려고 했지만 몹시 당황하고 있었다. 그의 말이 혈관을 타고 온몸으로 스며드는 것 같았다. 우리가 오늘 밤 나눴던 대화를 떠올려보았다. 그전에 나눴던 대화들도. "무슨 거짓말을 했는데요?"

"베러티는 당신 책을 읽지 않았소."

나는 뒤로 물러서고 싶었다. 실망하는 표정을 그가 보지 않도록 어둠에 숨고 싶었다. 그런데도 방문의 손잡이를 잡은 채 그에게 물었다. "사실이 아닌데 왜 그렇게 말한 거죠?"

제러미는 잠시 눈을 감고 짧은 숨을 들이쉬었다. 그러더니 천천히 내쉬며 눈을 뜨고 팔을 들어 문틀의 윗부분을 잡았다. "당신 책을 읽은 사람은 바로 나요. 좋은 작품이었소. 글솜씨가 매우 뛰어난 작가라는 생각이 들었지. 그래서 편집자에게 당신을 추천했던 거요." 제러미는 고개를 약간 숙여 내 눈을 똑바로 들여다보며 말했다. "당신의 글은 나에게 큰 의미를 주었어, 로웬."

제러미는 팔을 내리고 문을 닫았다. 그가 자물쇠를 채우고 계단을 올라 2층으로 가는 소리가 들렸다.

나는 문에 이마를 대고 기댔다.

입가에 미소가 번졌다. 작가로 살아온 내 삶에서 처음으로 에이전트 외에 내 글을 인정해주는 사람을 만났다.

서재에서 가져온 원고를 들고 침대에 누웠다. 제러미가 내 영혼을 북돋아 주었으니, 잠들기 전에 그의 아내가 쓴 음침한 글을 읽고 좀 혼란스러워져도 견딜 수 있을 것 같았다.

그대로 이루어지기를
9장

치킨과 만두.

새집으로 이사와 2주 동안 지내면서 내가 준비한 다섯 번째 식사다.

제러미가 처음으로 다이닝룸 벽에다 던진 음식이기도 하고.

지난 며칠 그가 나에게 화가 나 있다는 건 알고 있었다. 다만 그 이유를 몰랐을 뿐. 여전히 매일 섹스를 하는데 그 느낌도 뭔가 달랐다. 단절감 같은 게 느껴진다고 할까. 나를 간절히 원해서라기보다는 그저 습관적으로 삽입을 하고 절정에 오르는 것 같았다.

사실은 그래서 그놈의 만두를 만들 생각도 했던 거다. 그가 좋아하는 음식을 만들어주면 마음이 풀릴까 해서. 요즘 새로운 투자건 때문에 힘들어하는 것 같긴 했다. 거기에 또 다른 이유가 보태졌다면, 그건 내가 그와 상의하지 않고 쌍둥이들을 어린이집에 보낸 일일 것이다.

뉴욕에 살 때는 내 책이 잘 팔리기 시작하자마자 보모를 고용했었다. 매일 제러미가 출근하고 나면 보모가 왔고, 그러면 나는 서재에서 온종일 글을 쓸 수 있었다. 제러미가 퇴근할 시간이 되면 보모는 퇴근하고 나는 서재에서 나와 저녁을 준비했다. 가끔 제러미도 식사 준비를 도와주었다.

기가 막히게 편리하고 효율적인 시스템이었다. 제러미가 집에 없는 동안엔 보모가 있었기 때문에 나는 아이들에게 신경을 쓸 필요가 없었다. 그렇지만 이곳은 도시가 아니라서 그런지 보모를 구하는 게 쉽지 않은 일이었다. 처음 이틀은 나 혼자 아이 둘을 보살피려 노력했다. 하지만 그건 상상 이상으로 날 지치게 만들었다. 글도 전혀 쓸 수 없었다. 그러다가 지난주 어느 날 아침, 더 이상은 안 되겠다고 판단하고 시내에 가서 가장 먼저 눈에 띄는 어린이집에 들어가 아이들을 등록했다.

제러미가 좋아하지 않을 줄은 알았다. 그렇지만 우리가 둘 다 계속 일을 하려면 어떤 식으로든 해법을 찾아야 한다는 점에서는 나와 생각이 같지 않았는가. 내가 제러미보다 수입도 훨씬 많으니, 둘 중 한 사람이 집에 남아 아이들을 돌보아야 한다면 그건 당연히 제러미여야 했다.

아이들이 어린이집에 다닌다는 사실 자체가 싫은 건 아닌 것 같았다. 자주 그 이야기를 하는 것으로 봐서 그는 아이들이 다른 아이들과 어울리는 것을 좋아하는 것처럼 보였다. 그러나 몇 달 전 우리는 채스틴이 심각한 땅콩 알레르기가 있다는 사실을 알게 되었고 제러미는 그 부분을 걱정했다. 우리를 제외한 다른 누군가가 채스틴을 돌본다는 사실이 그를 불안하게 만들었다.

채스틴에게는 나도 진심으로 애정을 갖고 있다. 그런데도 제러미는 어린이집에서 세심한 주의를 기울이지 않을까 봐 걱정하는 것이다. 나도 바보가 아니란 말이다. 당연히 어린이집 담당자에게 채스틴의 땅콩 알레르기에 대해 충분히 강조해서 얘기했다.

제러미가 무엇 때문에 내게 화가 나 있는지는 모르지만, 만두 한 그릇과 만족스러운 섹스 한 번이면 풀어지리라는 게 나의 생각이었다.

일부러 저녁 준비를 느지막이 시작했다. 그래야 우리가 식사를 시작할 즈음엔 아이들이 잠자리에 들어 있을 테니까. 아직 세 살밖에 안 된 아이들은 일곱 시쯤 잠자리에 들었다. 여덟 시에 식탁을 차리고 제러미를 불렀다.

가능하면 로맨틱한 분위기를 연출하려고 했으나, 치킨과 만두로 분위기를 잡으려니 잘되지 않았다. 나는 촛불을 켜고 무선 스피커로 내가 좋아하는 음악을 틀었다. 평상복 안에는 란제리를 갖춰 입었다. 나로서는 정말 특별히 정성을 들인 거였다.

식사를 하면서 소소한 대화를 시도했다.

"채스틴은 이제 대소변을 완전히 가리게 된 것 같아." 내가 말했다. "며칠간 어린이집에서 습관을 잘 들여 준 것 같더라고."

"잘됐군." 제러미가 말했다. 한 손으로 전화기 화면을 움직이고, 다른 한 손은 음식을 먹고 있었다.

나는 그가 곧 화면 보기를 그만두고 나와의 식사에 집중하리라 기대하며 조금 더 기다렸다. 하지만 그럴 기미가 보이지 않자, 자세를 고쳐 앉고 그의 주의를 끌어보기로 했다. 단연 아이들에 대한 이야기가 효과적일 것이라 생각했다.

"오늘 아이들 데리러 갔을 때, 선생님이 채스틴이 이번 주에 일곱 가지 색깔에 대해 배웠다고 했어."

"누구?" 제러미가 드디어 나를 쳐다보며 물었다.

"채스틴."

제러미는 전화기를 테이블에 내려놓고 나를 빤히 쳐다보다가 만두를 한 입 베어 물었다.

도대체 이 남자는 뭐가 문젠 거야?

제러미가 화를 삭이려 애쓰고 있는 게 보였다. 나는 불안해지기 시작했다. 제러미는 좀처럼 화를 내지 않는다. 그래서 그가 화를 낼 때는 그 이유가 늘 분명하다. 그런데 이번엔 달랐다. 뭔가 내가 전혀 생각지도 못하고 있는 이유 때문인 것 같았다.

더 이상은 못 참겠다는 생각이 들었다. 나는 의자 등받이에 기대앉으며 냅킨을 테이블에 내려놓았다. "왜 나에게 화가 나 있는 건데?"

"화내고 있는 거 아니야." 내 질문이 끝나기가 무섭게 받아치듯 대답했다.

"당신 참 답답한 사람이구나." 나는 큰 소리로 웃었다.

그가 눈을 가늘게 뜨고 고개를 한쪽으로 기울이며 말했다. "뭐라고?"

나는 몸을 앞으로 기울이며 말했다. "말하란 말이야, 제러미. 이렇게 침묵으로 괴롭히는 건 더는 못 참아. 못마땅한 게 있으면 남자답게 말해."

제러미는 주먹을 쥐었다 펴더니 자리에서 일어났다. 그리고 만두 그릇을 집더니 식탁 건너 맞은편 벽을 향해 던졌다. 그가 그런 식으로 성질을 부리는 모습은 처음이었다. 제러미는 눈이 휘둥그레진 채 얼음처럼 굳어 있는 나를 뒤로하고 주방에서 나갔다.

침실 문이 부서져라 닫히는 소리가 들렸다. 엉망이 되어있는 벽을 바라보면서, 그와 화해를 한 다음에서야 저것들을 치워야 한다는 생각이 들었다. 그래야 그도 내가 자기를 얼마나 소중하게 생각하는지 알 테니까. 비록 지금은 무례하기 이를 데 없는 개자식 같은 행동을 하고 있지만 말이다.

나는 의자를 테이블 안으로 넣고 침실로 갔다. 제러미는 방 안에서 서성이고 있었다. 내가 방문을 닫자, 그도 서성이기를 멈추고 나를 바라보았다. 그러고는 자기가 하고 싶은 말을 최대한 정리해서 내게 전달하기 위해 침착을 유지하려 노력했다. 애써 준비한 식사를 벽에다 던져버린 그에게 화가 났지만, 나도 그의 마음을 풀어주기 위해 노력했다. 그가 화가 나 있다는 사실이 안타까웠다.

"당신, 계속 그런 식이야." 제러미가 말했다. "계속 채스틴 얘기만 해. 하퍼 얘기는 한 번도 한 적이 없어. 하퍼가 어린이집에서 뭘 배웠는지, 하퍼가 대소변 가리기를 익히고 있는지, 어떤 말을 새로 배웠는지. 매일 매 순간, 당신은 채스틴 얘기만 한다고."

젠장. 아무리 들키지 않으려고 노력해도 소용이 없군. "그렇지 않아." 내가 말했다.

"사실이야. 그래도 난 아무 말 하지 않으려고 했어. 하지만 아이들이 커가고 있잖아. 언젠가는 하퍼도 눈치챌 거란 말이야. 그건 올바른 처사가 아니야."

이 상황을 모면할 수 있는 말이 떠오르지 않았다. 방어기제를 작동시켜 내가 평소 못마땅했지만 참아주고 있던 것들을 끄집어내어 그를 공격할 수도 있겠지만, 그의 말이 정확하다는 걸 부정할 수는 없었다. 그러니 그가 오해하고 있었다고 생각하게끔 상황을 만들어야 한다. 다행히 제러미가 내게 등을 돌리며 돌아섰으므로 나는 잠시 생각할 시간을 벌 수 있었다. 나는 마치 하느님께 간구하듯 고개를 들어 천장을 바라보았다. 바보 멍청이. 하느님이 널 도와줄 리가 없단 말이다.

나는 조심스럽게 제러미에게 다가섰다. "여보, 내가 채스틴을 더 사랑하는 게 아니야. 다만 채스틴이 하퍼보다 영리해서 모든 걸 먼저 배우는 거지."

제러미가 돌아섰다. 내 말을 듣기 전보다 더 화가 치미는 표정이었다. "채스틴이 하퍼보다 더 영리하지 않아. 다를 뿐이야. 하퍼는 지적 능력이 뛰어난 아이라고."

"나도 알아." 내가 다시 한발 다가서며 말했다. 되도록 차분하고 다정하게 말하려고 노력했다. 그의 말에 자극받지 않는 척. "내 말은 그런 뜻이 아니라, 채스틴이 하는 행동에 내가 좀 더 쉽게 반응하게 된다는 거지. 채스틴은 그런 걸 좋아하니까. 채스틴이 좀 더 활달한 것 같아. 나를 닮아서. 하퍼는 그렇지 않아. 그래서 하퍼에게는 말없이 조용히 지지를 보내는 편이야. 그걸 밖으로 표현하지는 않아. 하퍼는 그런 방식을 좋아하니까."

제러미는 여전히 나를 뚫어져라 바라보고 있었지만, 어느 정도는 내 말을 받아들이고 있는 것 같았다.

"그럴 때는 굳이 하퍼를 부추기지 않으려고 해. 그러다 보니까 채스틴에 대한 얘기를 많이 하게 되었네. 채스틴에게 주의를 기울이는 경우가 많은 건, 두 아이에게 각기 다른 형태의 관심이 필요하다는 걸 깨달았기 때문이야. 두 아이에게 각기 다른 엄마가 되어주어야 하는 거지."

청산유수로 거짓말을 꾸며대고 있었다. 그런 능력 덕분에 작가가 된 것 아니겠는가.

제러미의 화가 서서히 가라앉았다. 잔뜩 힘을 주었던 턱이 풀리면서 흘러내린 머리카락 깊숙이 손가락을 넣어 쓸어 넘겼다. 그러면서 내가 방금 한 말을 반추하는 것 같았다. "하퍼가 걱정돼서 말이야." 제러미가 말했다. "그런데 좀 지나쳤나 보군. 두 아이를 달리 대하는 것이 그 아이들에게 좋지 않은 영향을 미칠 것 같아서. 하퍼가 그런 걸 눈치챌 수 있으니까."

얼마 전, 어린이집 교사가 하퍼에 대해 우려 섞인 말을 했었다. 제러미가 하퍼를 걱정하는 걸 보고서야 비로소 그때 교사가 했던 말이 떠올랐다. 아스퍼거 증후군 검사를 받아보게 하는 게 좋을 것 같다고 했다. 그런데 오늘 저녁 제러미와 싸우기 전까지 까맣게 잊고 있었던 것이다. 천만다행으로 지금 기억이 났고, 덕분에 내가 좀 전에 했던 말들이 훨씬 더 확실한 근거를 갖게 되었다.

"당신이 걱정할까 봐 말하지 않으려고 했었는데, 어린이집 교사가 하퍼를 병원에 데리고 가서 아스퍼거 증후군 검사를 받아보는 게 좋을 것 같다고 했어."

그 순간 제러미의 표정이 어두워졌다. 걱정의 무게가 열 배는 커지는 것 같았다. 나는 가능한 한 그의 걱정을 덜어주고 싶었다.

"그래서 그쪽 분야의 전문의에게 연락해두었어." '내일이라도 전화하면 되니까.' "빈 시간이 생기면 전화해 주겠다고 했어."

제러미가 전화기를 꺼냈다. 정신과 치료가 필요할 수도 있다는 사실에 바짝 긴장한 것이다. "하퍼에게 자폐성 장애가 있어 보인다는 말이야?"

나는 그의 손에서 전화기를 빼내며 말했다.

"검색 같은 거 하지 마. 검사를 받을 때까지 걱정하느라 당신이 병날 거야. 내가 먼저 전문의와 상담을 해 볼게. 우리 아이의 문제를 놓고 인터넷에서 해답을 찾으려는 건 바람직하지 않아."

제러미는 고개를 끄덕이고는 나를 끌어안았다. "미안해." 그가 내 귓가에 속삭였다. "이번 주 내내 일이 좀 힘들었어. 오늘은 아주 중요한 거래처를 잃었고."

"당신은 일하지 않아도 돼, 제러미. 돈은 내가 충분히 버니까, 당신은 집에서 아이들과 좀 더 많은 시간을 보내면서 편하게 지내면 어떨까 싶은데."

"일을 하지 않으면 너무 답답할 것 같아."

"그럴 수도 있지. 그렇지만 세 아이를 어린이집에 보내는 비용도 만만치는 않을 거야."

"그 정도는 감당할 수……" 제러미는 말을 하다 말고 뒤로 물러섰다. "지금 세 아이라고 했어?"

나는 고개를 끄덕였다. 물론 거짓말이다. 그렇지만 오늘 저녁의 언짢았던 기분을 날려버리고 싶었다. 그가 즐거워하는 모습을 보고 싶었다. 내가 또 임신했다고 말하니 그는 뛸 듯이 기뻐했다.

"정말이야? 난 당신이 아이를 더 낳고 싶어 하지 않는 줄 알았는데."

"몇 주 전에 피임약 먹는 걸 좀 건너뛰었거든. 아직 너무 이르긴 해. 오늘 아침에 알았으니까." 입가에 미소를 머금고 말했다. 그리고 좀 더 환한 미소를 지으며 물었다.

"당신 행복해?"

"물론이지. 당신은?"

제러미는 가볍게 웃으며 내게 키스를 했다. 모든 게 다시 평상으로 돌아왔다. '휴, 이제 됐다.'

나는 양손으로 제러미의 셔츠를 잡고 내 모든 것을 담아 그의 키스에 답을 했다. 오늘 저녁의 일을 완전히 잊어버릴 수 있도록. 내가 키스 이상의 것을 원하고 있음을 알아챈 제러미가 내 셔츠를 벗기고, 자기도 벗었다. 그리고 뒷걸음질로 침대에 다가서며 계속 내게 키스를 퍼부었다. 바지를 벗긴 제러미는 드디어 내가 오늘 그를 위해 특별히 갖춰 입은 브래지어와 팬티를 보았다.

"란제리를 입고 있었어?" 그가 물었다. 그러고는 내 목에 얼굴을 묻었다. "내가 좋아하는 음식도 만들고……." 제러미는 미안함이 가득 담긴 음성으로 속삭였다. 그가 고개를 들고 머리를 쓸어 올리며 말했다. "정말 미안해, 베러티. 당신이 특별한 밤을 준비하고 있는 줄도 모르고 내가 망쳐 놓았어."

그와 이렇게 사랑을 나누는 걸로 마무리 할 수 있으면 그날 저녁은 결코 망친 게 아니라는 걸 제러미는 모르고 있었다. 그가 오직 나만을 바라보는 순간으로 마무리할 수 있다면 말이다.

내가 고개를 저으며 말했다. "망치지 않았어."

"음식을 던지고 당신에게 고함을 쳤잖아." 다시 키스를 했다. "내가 보상해 줄게."

그날 나는 충분한 보상을 받았다. 제러미는 아주 천천히 내 안에서 움직였다. 그러는 동안 쉬지 않고 양쪽 젖꼭지를 교대로 애무해주었다. 내가 모유 수유를 했다면 과연 그가 그렇게 내 가슴에 매료될 수 있었을까? 그렇지는 않았을 것이다.

쌍둥이를 낳은 후에도 나의 몸은 완벽했다. 배에 수술 자국이 남기는 했지만 중요한 부위들은 전혀 손상되지 않았다. 여전히 탱탱하고 탄력이 있었다. 제러미도 여전히 힘 있고 탄탄했다.

"사랑해." 그의 입으로 내 입술을 애무하며 그가 속삭였다. "그리고 고마워."

　내가 다시 임신한 것에 고마워하는 거였다.

　제러미는 지극한 보살핌과 연민을 가득 담아 나를 애무하고, 동시에 공략했다. 이런 순간을 위해서라면 거짓으로 임신할 만도 하다는 생각이 들었다. 우리의 연대를 회복하기 위해서라면 말이다.

　쌍둥이들이 우리 인생에 보탬을 준 한 가지를 꼽으라면, 내가 임신 중이었을 때 제러미가 나를 가장 뜨겁게 사랑했다는 사실이었다. 오늘도 내가 그에게 세 번째 아이를 선사하게 되었다고 생각하자, 그의 사랑이 몇 배 더 뜨거워지는 걸 느낄 수 있었다.

　임신했다고 거짓말을 한 것이 마음에 걸리기는 했지만, 일주일 내에 임신이 되지 않을 경우 빠져나갈 방법은 얼마든지 있다. 유산도 임신만큼 쉽게 꾸며댈 수 있으니까.

16

베러티의 원고를 읽으며 또 한 주를 보냈다. 이제 좀 지겨워지려고 한다. 챕터마다 되풀이되는 제러미와의 섹스에 관한 세세한 묘사. 아이들에 대한 이야기는 거의 나오지 않는다. 크루가 태어나던 순간에 대한 이야기가 두 단락 정도 나오고 또다시 출산 후 처음 나누는 섹스 이야기로 돌아갔다.

어느 순간부터 질투가 나기 시작했다. 제러미의 성생활에 대해 읽고 싶었던 게 아니란 말이다. 오늘 아침에도 드문드문 넘겨 가며 읽다가 결국 던져버리고 내가 해야 할 일이나 하기로 했다. 내가 써야 할 첫 책의 개요를 정리해서 코리에게 넘겼다. 코리는 내가 보낸 파일을 팬텀 편집자에게 전달했다고 했다. 자기는 베러티의 책을 읽지 않았기 때문에 정확한 피드백을 줄 수 없을 것 같다면서.

출판사의 피드백을 받아보기 전까지는 두 번째 책의 개요를 시작하지 않는 게 좋을 것 같다. 수정을 요구할 경우 그간의 작업은 허사기

될 테니까.

이 집에 온 지 두 주가 지났다. 코리의 말에 의하면 선인세가 결제되었으니 곧 내 은행 계좌에 들어올 거라고 한다. 팬텀에서 피드백을 보내오면 그다음부터는 본격적으로 소설 쓰기를 시작할 수 있다. 그러니 이제 베러티의 서재에서 내가 해야 할 일은 다 한 셈이다. 돈이 없어 아무 데도 갈 수 없는 상황이 아니었다면 난 벌써 이 집을 떠났을 것이다.

오늘은 한계점에 도달한 것 같았다. 지난 두 주 동안 너무 열심히 일하느라 기력이 소진된 것이다.

텔레비전을 보고 싶었다. 이 집에 온 후로 거실에는 한 번도 발을 들여놓지 않았다. 일단 갑갑한 서재에서 나가 팝콘을 한 봉지 튀겼다. 그런 다음 거실 소파에 앉아 텔레비전을 켰다. 조금은 게으름을 피워도 될 것 같았다. 내일은 내 생일이니까. 하지만 제러미가 알게 할 생각은 없었다.

소파에 앉으니 계단 전체가 한눈에 보였다. 나도 모르게 계단을 힐끗거렸으나 제러미는 보이지 않았다. 지난 며칠 동안은 그와 마주친 적이 없었다. 며칠 전 거의 키스를 할 뻔했던 순간 이후로 서로를 피해 왔던 것이다.

'홈앤가든'에 채널을 맞추고 소파에 편안하게 기댔다. 낡은 집을 개조하는 프로를 15분 정도 보고 있는데 제러미가 계단을 내려왔다. 내가 거실에 있는 것을 보자 계단 중간에 잠시 멈춰 섰다가 내려와, 내가 앉은 소파 가운데에 앉았다. 내가 들고 있는 팝콘에 팔이 닿을 정도로는 가깝지만 서로의 몸이 닿을 위험은 피할 수 있는 거리가 확보되었다.

"자료를 탐구하는 중이오?" 제러미가 소파 앞에 있는 탁자에 발을 얹으며 물었다.

"그럼요. 이렇게 쉬지 않고 일만 하네요." 내가 웃으며 받았다.

이번에는 팝콘을 한 움큼 집어 자기 손에 쏟으며 말했다. "베러티는 글을 쓰다가 막히면 텔레비전에 빠져들곤 했소. 그러다 보면 새로운 아이디어가 불현듯 떠오르기도 한다던데."

베러티 얘기는 하고 싶지 않아서 다른 얘기를 꺼냈다. "오늘 내가 쓸 책의 개요를 끝냈어요. 내일쯤 긍정적인 피드백이 오면, 며칠 내로 떠날 수 있을 것 같아요."

제러미가 팝콘을 씹다가 말고 나를 돌아보았다. "정말이오?"

내가 떠난다는 소식에 기뻐하지 않는 것이 내심 기뻤다. "네. 예정보다 오래 이곳에 있을 수 있도록 배려해 줘서 고마워요."

제러미가 내 눈을 들여다보며 물었다. "예정보다 오래?" 제러미는 다시 팝콘을 우물거리며 텔레비전을 향해 고개를 돌렸다. "내 생각엔 그리 오랜 시간이 아니었던 것 같은데."

제러미의 말이 무슨 뜻인지 얼른 감이 잡히지 않았다. 내가 이곳에 있는 동안 해야 할 일을 충분히 하지 않았다는 뜻인지, 아니면 자기가 나와 충분한 시간을 보내지 못했다는 뜻인지.

가끔은, 특히 지금 이 순간, 그가 내게 깊이 끌리고 있다는 느낌을 받는다. 그런가 하면 온 힘을 다해 우리 사이에 싹트고 있는 어떤 형태의 호감이나 끌림도 부정하려는 것처럼 느껴질 때가 있다. 이해할 수 있다. 나도 그러니까. 하지만 제러미는 남은 인생을 이렇게 보내고 말 건가? 한때 그의 아내였으나 지금은 껍데기뿐인 여자를 돌보느라 자기 인생을 거의 포기한 채로?

물론 서약을 했겠지. 그러나 얼마나 더 대가를 치러야 한단 말인가? 그의 전 생애? 결혼할 때는 모두가 행복하게 오래오래 살리라 기대한다. 그러다가 둘 중 하나가 일찍 삶을 끝내게 되면? 남은 사람은 자기 삶을 온전히 바쳐서 그 서약을 지켜야 하는 건가?

그건 불합리하다. 내가 결혼을 했는데 내 남편이 제러미와 같은 상황에 봉착하게 되었다면, 나는 그가 털고 일어나 자기 삶을 찾아가기를 바랄 것 같다. 물론 나였다면 처음부터 베러티처럼 한 남자에게 집착하고 매달리지도 않았겠지만 말이다.

프로 하나가 끝나고 다음 프로가 시작되었다. 우린 한동안 말없이 텔레비전만 보았다. 할 말이 없어서는 아니었다. 사실은 하고 싶은 말이 너무 많았다. 다만 내가 말을 해도 되는 입장인지 알 수 없었을 뿐이다.

"당신에 대해 아는 게 별로 없는데 말이오," 제러미가 머리를 소파 등받이에 기댄 채 나를 보며 편안한 음성으로 말을 시작했다. "결혼한 적이 있소?"

"아니요. 가깝게 사귄 사람은 몇 있었는데 결혼까지 이어지지는 않았어요."

"혹시 나이를 물어도 될까?"

이런, 하필이면 내 나이가 한 살 더 많아지기 한 시간 전에 그걸 물어보다니. "말해도 믿지 않으려고 할 거예요."

제러미가 큰 소리로 웃었다. "왜 그렇게 생각하지?"

"내일이면 서른두 살이 되니까요."

"설마."

"거짓말이 아니에요. 운전면허증을 보여 줄 수 있어요."

"그러시오. 도무지 믿지 못하겠으니."

나는 눈알을 한 번 굴려 보이고는 방으로 가서 지갑에서 운전면허증을 꺼냈다. 거실로 돌아와 면허증을 건네주었다.

제러미는 면허증을 한참 들여다보더니 고개를 저었다. "생일 전날을 이렇게 한심하게 보내다니. 낯선 사람들에 둘러싸여 온종일 일이나 하면서 말이오."

내가 어깨를 들썩이며 대꾸했다. "여기 있지 않았으면 내 아파트에 혼자 있었겠죠."

제러미는 다시 한번 내 면허증을 유심히 들여다보았다. 그러다가 엄지손가락으로 내 사진을 가만히 쓸었다. 그 순간 온몸에 전율이 번졌다. 내게 직접 닿은 것도 아니고 운전면허증에 붙어 있는 사진을 만진 것뿐인데 나는 달아오르고 있었다.

로웬, 너 정말 한심하구나.

제러미는 면허증을 내게 돌려주고 자리에서 일어났다.

"어디 가세요?"

"케이크 만들려고." 그는 이렇게 말하고 거실을 나갔다.

나는 미소를 지으며 그를 따라 주방으로 갔다. 제러미 크로퍼드가 케이크 만드는 모습을 어떻게 안 볼 수 있겠는가.

*

주방 가운데 있는 아일랜드 식탁에 앉아서 제러미가 케이크에 크림 바르는 모습을 지켜보았다. 이 집에서 지내는 동안 두 번째로 맞이하는 즐거운 순간이었다. 그동안 우리는 베러티에 대해서도, 비극적인 사건들에 대해서도, 출판 계약에 대해서도 말하지 않았다. 케이크가 구워지는 동안 제러미는 조리대에 기대서고 나는 아일랜드 식탁의 높은 의자에 앉아 발을 대롱거리며, 영화에 대해서, 음악에 대해서, 그리고 각자가 뭘 좋아하고, 뭘 싫어하는지에 대해서 이야기를 나눴다.

우리가 인연을 맺게 된 이유를 제쳐놓고, 서로에 대해 알아가는 시간을 가졌던 것이다. 크루와 저녁을 먹으러 나갔던 날도 제러미는 편안해 보였지만, 집 안에서 이렇게까지 홀가분하게 즐기는 모습은 처음 보았다.

베러티가 제러미에게 그렇게까지 빠져들었던 이유를 어쩌면 알 것도 같았다.

"거실에 가 있어요." 제러미가 서랍에서 촛불을 꺼내며 말했다.

"왜요?"

"내가 케이크를 들고 생일 축하 노래를 부르며 거실로 가야 하니까. 이왕이면 제대로 축하해야지."

나는 고개를 흔들며 의자에서 내려와 다시 거실 소파로 자리를 옮겼다. 그가 불러주는 생일 축하 노래를 잘 듣기 위해 텔레비전의 볼륨은 끄고, 화면에는 시계를 띄워 놓았다. 제러미가 공식 생일이 시작되는 자정까지 기다려야 한다고 했기 때문이다.

시계가 자정을 가리키는 순간 촛불이 어른거리며 다가오기 시작했다. 제러미가 케이크를 들고 생일 축하 노래를 부르며 모퉁이를 돌아섰다. 크루를 깨우지 않기 위해 나지막한 소리로 노래를 부르는 그를 보자 나도 모르게 웃음이 나왔다.

"생일 축~ 하~ 합니다." 제러미는 나직이 노래를 부르며 케이크를 한 조각 자르더니 그 위에 촛불 하나를 꽂았다. "생일 축~ 하~ 합니다."

내가 여전히 웃고 있는 동안 제러미는 케이크 조각을 들고 소파로 다가왔다. 케이크가 쏟아지거나 촛불이 꺼지지 않도록 조심하면서 천천히 무릎을 접고 소파 위에 앉았다.

"친애하~ 는 로웬의 생일 축~ 하~ 합니다."

제러미는 내가 촛불을 불고 소원을 빌 수 있도록 내 쪽을 향해 케이크를 내밀었다. 무슨 소원을 빌어야 할지 생각이 나지 않았다. 좋은 일감이 생겼고, 지금까지 가져본 적이 없는 액수의 돈이 곧 내 계좌로 입금될 것이다. 지금 내 삶에서 원하는데 가지지 못한 것이 있다면 제러미뿐이다. 나는 제러미의 눈을 들여다보며 촛불을 껐다.

"무슨 소원을 빌었소?"

"말하면 이루어지지 않는대요."

제러미가 짓궂은 미소를 지으며 말했다. "그럼 이루어진 다음에 말해주면 되겠네."

제러미는 케이크를 내게 건네주는 대신, 포크로 얇게 잘랐다. "케이크를 이렇게 촉촉하게 만들어주는 비결이 뭔지 알고 있소?"

제러미가 포크를 들어 올렸다. 그의 손에서 포크를 넘겨받으며 내가 물었다. "뭔데요?"

"푸딩을 넣는 거요."

포크에 있는 케이크를 한 입 먹었다. 절로 미소가 지어지는 맛이었다. "정말 맛있네요." 나는 입 안 가득 케이크를 오물거리며 말했다.

"푸딩이오." 제러미가 다시 한번 말했다.

이번에도 절로 웃음이 나왔다.

제러미가 들고 있는 접시에서 또 한 입을 잘라 먹고는 포크를 그에게 내밀었다. 제러미가 고개를 저으며 말했다. "나는 주방에서 먹었소."

그가 케이크를 먹는 모습을 보고 싶다는 생각이 들었다. 그에게서 초콜릿 맛이 나는지 알고 싶다는 생각도…….

제러미가 손을 올렸다. "크림이 묻었는데…… 거기……." 내 입을 가리키며 말했다. 내가 손으로 입가를 문지르자 제러미가 고개를 저었다. "여기 말이오." 그러면서 엄지로 아랫입술을 닦아주었다.

나는 입 안에 있던 케이크를 삼켰다.

그의 손가락이 내 입술에서 떠나지 않고 머뭇거렸다.

이런 맙소사, 숨을 쉴 수가 없잖아.

온몸이 전기에 감전된 듯 찌릿찌릿해서 고통스러울 지경이었다. 그가 이렇게 가까이 있을 때 나는 어떻게 해야 하는 거지? 포크를 내려놓고 싶었다. 제러미의 손에 들린 접시도 내려놓게 하고 싶었다. 그의 키스를 원하지만 그가 결혼한 여자는 내가 아니다. 차마 내가 먼저 다가설 수는 없고, 그는 절대로 내게 다가올 수 없는 사람이다. 그런데도 나는 그를 간절하게 원한다.

제러미는 내 쪽으로 몸을 기울여 소파 옆 탁자에 접시를 올려놓았다. 그리고 이어지는 동작으로 손을 올려 내 머리를 잡고 내 입에 그의 입술을 포갰다. 그동안 상상하고 기대해온 순간이었음에도 마치 전혀 예상하지 못했던 일처럼 나는 설레고 가슴이 두근거렸다.

나는 눈을 감고 포크를 바닥에 떨어뜨렸다. 그리고 뒤로 몸을 눕히며 소파 팔걸이에 머리를 얹었다. 제러미는 입술을 떼지 않은 채 나를 따라오며 온몸을 포갰다. 천천히 시작된 키스는 서로의 첫맛을 느끼는 순간 곧 격정으로 변했다. 제러미의 키스는 내가 상상했던 그대로였다. 온몸을 전율하게 하는 폭발적인 다이너마이트. 온갖 위험한 매력, 그 아찔함.

초콜릿 같은 키스가 이어지고, 제러미는 손가락으로 내 머리칼을 움켜쥐었다. 키스가 이어지는 동안 우리는 소파와 하나가 되어갔다. 그는 내 위에 점점 편안하게 밀착했고, 나는 조금씩 소파의 쿠션 속으로 녹아들고 있었다.

그의 입이 내 입술을 떠나 나를 탐색하기 시작했다. 턱에서 목 그리고 젖가슴 위로. 오랫동안 나를 향한 열정에 허덕였던 사람 같았다. 마치 평생을 참아왔던 남자처럼 뜨거운 손길로 나를 애무하며 키스를 퍼부었다.

그의 손이 내 셔츠를 타고 올라왔다. 따뜻한 그의 손가락이 뜨거운 물방울처럼 살갗을 적셨다.

다시 입을 맞추고 몸을 일으켜 셔츠를 벗었다. 나는 두 손을 그의 가슴에 밀착시키고 근육을 느껴보았다. 촛불을 끄면서 빌었던 내 소원이 방금 이루어졌다고 말하고 싶었다. 하지만 이 순간 무슨 말을 꺼낸다면, 우리가 무슨 짓을 하고 있는지를, 이래선 안된다는 사실을 그에게 일깨워 줄 것만 같아 나는 가만히 있었다.

나는 그가 좀 더 적극적으로 나를 탐색해 주길 바라면서 소파 팔걸이를 베고 몸을 뒤로 젖혔다.

제러미는 나의 바람대로 했다. 그가 내 셔츠를 벗기자 브래지어를 하지 않은 맨 가슴이 드러났다. 제러미가 깊은 신음 소리를 냈다. 그 소리가 매력적으로 들렸다. 그가 가슴을 물었다. 나도 모르게 탄성이 새어 나왔다.

그의 모습을 확인하고 싶어서 고개를 들었다. 그 순간 온몸의 피가 얼어붙는 것 같았다. 계단 위에 누군가 서 있는 모습이 포착되었기 때문이다. 베러티였다. 동상처럼 서서 자기 남편의 입이 내 가슴을 더듬고 있는 모습을 지켜보고 있었다.

제러미가 여전히 내 위에 포개져 있는 채로 나는 온몸이 굳어졌다.

베러티는 양옆으로 내려뜨린 주먹에 잔뜩 힘을 주더니 자기 방 쪽으로 사라졌다.

나는 숨을 헐떡이며 제러미를 밀어냈다. "베러티." 겨우 이렇게 중얼거렸다. 제러미가 키스를 멈추고 고개를 들었다. "베러티." 다시 한번 중얼거렸다. 당장 내게서 떨어져야 하는 상황임을 그가 알아차려주기를 바라면서.

제러미가 영문을 모르겠다는 표정으로 몸을 일으켰다.

"베러티!" 좀 더 다급한 음성으로 말했다. 그 말 밖에는 나오지 않았다. 충격과 두려움에 눌려서 숨조차 제대로 쉬어지지 않았다.

'어떻게 이런 일이?'

제러미는 등받이를 잡고 뒤로 옮겨 앉았다.

"미안하오."

나도 무릎을 세우고 소파 한쪽 끝으로 물러앉았다. 손으로 입을 감쌌다. "어떻게 이럴 수가." 떨리는 손가락 사이로 중얼거렸다.

제러미가 나를 안심시키려는 듯 팔을 잡는데 저절로 몸이 움츠러들었다. "미안하오." 제러미가 다시 한번 말했다. "당신에게 키스를 한건 내 실수요."

나는 고개를 저었다. 그게 아니란 말이다. 제러미는 자기가 결혼한 남자여서 내가 화가 났으며 죄책감을 느낀다고 생각하고 있다. 하지만 나는 베러티를 보았다. 계단 위에 서 있었다. "그녀를 봤어요." 나는 계단 위를 가리키며 중얼거리듯 말했다. 너무 무서워서 소리를 내기가 힘들었다. "베러티가 계단 위에 서 있었어요."

제러미는 혼란스러운 표정으로 계단을 돌아보았다. 그리고 나를 보며 말했다. "로웬, 베러티는 걸을 수 없는 상태요."

그럼 내가 미쳤다는 말인가. 나는 소파에서 일어나 두 팔로 가슴을 감싼 채 뒷걸음질을 쳤다. 계단을 가리키며 다시 한번 말했다. 이번에는 목소리가 제대로 나왔다. "당신 아내가 계단 위에 서 있었다고요! 내가 분명히 봤단 말이에요!"

내 눈빛에서 진실을 말하고 있다는 걸 확인한 제러미는 소파에서 일어나더니 단숨에 계단을 뛰어올라 베러티의 방으로 갔다.

여기 혼자 남아 있고 싶지 않아.

나는 셔츠를 허둥지둥 고쳐 입고 뒤따라 이 층으로 올라갔다. 이 집에서 단 일 초도 혼자 있고 싶지 않았다.

계단을 올라가 보니 제러미가 베러티의 문 앞에서 방안을 들여다보며 서 있었다. 제러미는 내가 다가오는 소리를 듣는가 싶더니 그대로 돌아서 자리를 떴다. 나와 눈을 마주치지도 않고 스쳐 지나 계단을 내려갔다.

방 안을 들여다보려면 몇 발자국은 더 가야 했다. 방문 근처에 다다른 후 나는 잠깐 방안으로 눈길을 던졌지만 그녀가 침대에 누워있다는 것을 확인하기에는 충분한 시간이었다. 그녀는 얌전히 이불이 덮인 채 잠들어 있었다.

다리가 후들거리며 저절로 고개가 저어졌다. 이럴 수는 없어. 가까스로 계단을 내려가다가 중간에 주저앉고 말았다. 더 이상 움직일 수가 없었다. 숨을 쉴 수 없을 정도였다. 심장이 이렇게까지 빨리 뛴 적은 없었다.

제러미가 계단 아래 서서 나를 보고 있었다. 조금 전의 상황을 어떻게 해석해야 하는 건지 모르고 있을 것이다. 나도 어떻게 이해해야 할지 모르겠으니까. 제러미는 계단 아래서 서성거리며 이따금 나를 힐끔거렸다. 내가 웃음을 터트리며 농담이었다고 말해주길 기다리는 것 같았다. 그렇지만 농담이 아니다.

"베러티를 봤어요." 내가 낮게 속삭였다.

제러미는 내 말을 알아들었다는 듯 나를 바라보았다. 화가 난다기보다는 미안해하는 표정이었다. 계단을 올라와 나를 부축해 일으키고 한쪽 팔로 나를 감쌌다. 방 안에 들어서자 제러미는 문을 닫고 두 팔로 나를 안아주었다. 나는 그의 턱 밑에 얼굴을 묻었다. 그의 머릿속에서 베러티의 이미지가 사라지길 바라면서. "미안해요." 내가 말했다. "내가 잠을 충분히 자지 못해서 그랬나 봐요. 어쩌면……."

"내 잘못이오." 제러미가 내 말을 막으며 말했다. "당신은 지난 2주 동안 쉬지 않고 일만 했소. 그러니 당연히 지쳤겠지. 그리고 당신이, 아니 우리가 지나치게 신경을 쓰는 탓도 있을 거요. 죄책감이겠지. 사실은 잘 모르겠소." 제러미는 두 손으로 내 얼굴을 감싼 채 뒤로 물러섰다. "우리 둘 다 지금부터 열두 시간 정도 푹 자야 할 것 같아."

그렇지만 나는 내가 본 것에 대해 확신할 수 있었다. 지친 것도 사실이고 죄책감도 맞는 말이지만, 나는 분명히 베러티를 보았다. 너무 생생하게 기억할 수 있다. 양옆으로 내려뜨린 주먹을 으스러져라 쥐는 모습. 자기 방으로 사라지기 전에 나를 쏘아보던 분노에 찬 눈빛.

"물을 좀 마시겠소?"

나는 고개를 저었다. 그를 이 방에서 나가게 하고 싶지 않았다. 혼자 있기가 무서웠다. "오늘 밤은 날 혼자 두지 말아줘요." 내가 애원하듯 말했다.

제러미는 감정이 드러나지 않는 표정으로 고개를 아주 조금 끄덕이며 말했다. "혼자 두지 않겠소. 그렇지만 가서 텔레비전도 꺼야 하고, 문단속도 해야 하오. 케이크도 냉장고에 넣어야 하고." 그런 다음 문으로 향했다. "곧 돌아오겠소."

욕실로 가서 얼굴을 씻었다. 찬물로 씻으면 정신이 날 것 같았는데 효과가 없었다. 방으로 돌아오니 제러미가 문 위쪽에 달린 자물쇠를 잠그고 있었다. "밤새 여기 있을 수는 없소." 제러미가 말했다. "크루가 혹시라도 밤에 깼는데 내가 안 보이면 겁을 먹을 테니까."

나는 창문을 향해 누웠다. 제러미도 내 뒤로 따라 눕더니 온몸으로 나를 감싸주었다. 그의 심장 박동이 느껴졌다. 내 심장만큼이나 빨리 뛰고 있었다. 내 베개를 함께 베고 손으로 더듬어 내 손을 잡고는 깍지를 꼈다.

나는 그의 심장 박동에 맞추어 호흡을 했다. 그러면 좀 진정이 될 것 같았다. 턱관절이 경직되어 벌리기가 힘들었기 때문에 코로 숨을 쉬었다. 제러미가 내 옆머리에 입을 맞췄다.

"긴장을 풀어요. 아무 일 없을 거요."

나도 그러기 위해 애쓰고 있었다. 실제로 긴장이 조금 풀어지는 것도 같았다. 하지만 그건 지금 그가 내 곁에 누워있기 때문이고, 근육의 긴장 상태가 더 이상 지속되기 힘든 탓도 있었다. "제러미?" 조그만 소리로 그를 불렀다.

제러미가 엄지로 내 손등을 가만히 쓰다듬었다. 내 말을 듣고 있다는 듯이.

"혹시 말이에요……. 베러티가 자신의 상태를 거짓으로 꾸미고 있을 가능성은 없을까요?"

제러미는 바로 대답하지 않았다. 내 질문에 대해 진지하게 생각해 보고 있는 것 같았다. "없소. 정밀 검사 결과를 내가 보았으니까."

"그렇지만 회복되기도 하잖아요. 상처가 치유되기도 하고."

"그렇지." 제러미가 말했다. "그렇지만 베러티가 이런 일을 꾸미지는 않을 거요. 그럴 수 있는 사람은 없어. 인간이 할 수 있는 일이 아니니까."

나는 눈을 감았다. 제러미는 베러티가 그런 일을 꾸밀 사람이 아니라는 걸 장담할 만큼 자기가 그녀를 잘 안다고 믿고 있다. 그렇지만 나만 알고 제러미는 모르는 단 하나의 사실이 있다면…… 그건, 그가 베러티라는 사람을 전혀 모르고 있다는 것이다.

17

지난밤엔 계단 위에서 베러티를 보았다는 확신을 가진 채 잠이 들었다.

그러나 혼란에 휩싸인 채 잠에서 깼다.

지금까지 살아오면서, 나는 늘 잠을 자고 있는 상태에서 내가 어떤 행동을 할지 모른다는 두려움을 안고 있었다. 그런데 이제 깨어 있는 상태에서도 나를 믿을 수 없게 된 것 같아 두려웠다. 내가 정말 베러티를 본 걸까? 스트레스로 인한 환각이었을까? 그녀의 남편과 가까워진 것에 대해 죄책감을 느꼈기 때문일까?

아침에는 오래도록 침대에 누워있었다. 방에서 나가고 싶지 않았다. 제러미는 새벽 네 시까지 내 곁에 있다가 갔다. 그가 방문을 잠그는 소리를 들었다. 그리고 일 분 후 내게 문자를 보냈다. 자기가 필요하면 문자를 보내라고 했다.

점심시간이 지나자 제러미가 서재 문을 노크하고 들어왔다. 한잠도 못 잔 얼굴이었다. 나 때문에 잠을 설친 모양이다. 그가 보기에 나는 신경증적 성향이 다분한 여자일 것이다. 며칠 전에는 한밤중에 자기 아내 침대에서 자다가 나오더니, 이번에는 어렵게 마음먹고 키스하는데 자기 아내가 계단 위에 서 있는 걸 봤다고 수선을 피웠으니 말이다.

나는 제러미가 내게 떠나달라는 말을 하러 왔을 거라 생각했다. 나역시 그러고 싶은 게 솔직한 심정이었다. 다만 아직 돈이 계좌에 입금되지 않았고, 그때까지는 어쩔 수 없이 여기 있을 수밖에 없는 형편일 뿐이다.

하지만 제러미가 서재에 온 이유는 자물쇠를 하나 더 달았다는 말을 하기 위해서였다. 이번에는 베러티의 방에.

"그러면 당신이 좀 더 마음 편히 잘 수 있을 것 같아서. 이제 베러티가 움직일 수 있다고 해도, 방 밖으로 나올 가능성이 없으니까."

움직일 수 있다고 해도.

"밤에 자는 동안에만 잠가 놓을 거요." 제러미가 말을 이었다. "에이프릴에게는 외풍 때문에 문이 자꾸 저절로 열려서 자물쇠를 달았다고 했소. 다른 이유 때문이라고 생각하게 하고 싶지 않아서."

나는 고맙다고 했다. 그런데 그가 가고 나서 다시 생각해 보니, 전혀 마음이 편해지지 않았다. 그도 의심이 들어서 자물쇠를 단 게 아닌가 하는 생각이 들었기 때문이다. 베러티를 보았다는 내 말을 그가 믿어주길 바라지만, 정말 그렇다면 베러티가 자기 상태를 속이고 있는 게 사실이라는 뜻이지 않은가.

그런 상황이기보다는 차라리 내가 잘못 본 걸로 확인되는 편이 나을 것 같았다.

지금 나는 베러티의 원고를 어떻게 할까 고민 중이다. 내가 원고를 읽으며 그녀를 알게 된 것처럼, 제러미도 자기 아내의 실체를 알아야 하지 않을까. 딸들에게 베러티가 어떻게 했는지 아버지로서 알 자격이 있으니까. 더구나 크루는 대부분의 시간을 베러티 곁에서 보낸다. 베러티가 자신에게 말을 했다던 크루의 말도 여전히 내 마음속에 의혹으로 남아 있다. 이제 겨우 다섯 살이니 과거와 현재의 일을 혼동해서 이야기했던 걸 수도 있지만, 베러티가 자기 상태를 속이고 있을 가능성이 만분의 일이라도 있다면 제러미가 알아야 한다.

그렇지만 아직은 제러미에게 원고를 보여줄 용기가 나지 않는다. 그녀가 속임수를 쓰고 있을 가능성이 너무 낮으니까. 어떻게 수개월 동안 그 정도의 중증 장애를 거짓으로 꾸밀 수 있겠는가. 그보다는 내가 너무 피곤하고 잠이 부족해서 헛것을 보았다고 생각하는 편이 훨씬 더 수긍하기가 쉽다. 적어도 좀 더 명백한 근거가 생기기 전까지는.

그리고 아직 원고를 끝까지 읽지 않았다는 것도 중요한 이유다. 그녀의 이야기가 어떻게 끝나는지 모르니까. 하퍼와 채스틴에게 어떤 일이 있었는지, 자서전의 내용이 그 시점까지 포함하기는 하는지.

남은 분량이 많지는 않다. 침울하고 끔찍한 내용이기는 하지만, 한 챕터 정도는 더 읽을 수 있을 것 같았다. 나는 서재 문이 닫혀 있는지 확인하고 다음 챕터를 읽기 시작했다. 그리고 곧 그 챕터를 건너뛰기로 했다. 그다음에 이어지는 몇 챕터들도 건너뛰었다. 키스에 관한 묘사에는 이제 신물이 난다. 섹스에 관한 부분은 더 그렇다. 제러미가 베러티와 키스하는 장면들을 읽으며 내게 닿았던 그의 키스를 퇴색시키고 싶지 않았다.

두 사람의 사생활이 그려진 장면들을 건너뛰며 원고를 훑어가다가

마침내 채스틴의 죽음이 다뤄졌을 법한 챕터를 찾았다. 다시 한번 서
재 문이 닫혔는지 확인하고 나서 그 챕터를 읽기 시작했다.

그대로 이루어지기를
13장

제러미에게 임신을 했다고 거짓말을 하고 나서 이주 만에 크루가 들어섰다. 운명이 내 편을 들어준 것이다. 신의 가호까지 있었다고는 생각하지 않지만 아무튼 나는 신께 감사기도를 드렸다.

크루는 착한 아이다. 왠지 그런 생각이 들었다. 그즈음 나는 많은 돈을 벌어들이고 있었고, 새로 산 집에 풀타임 보모를 고용할 만큼은 되었다. 제러미는 자기가 사업을 그만두고 집에서 아이들을 돌보고 있으니 보모는 필요하지 않다고 했다. 그래서 나는 가정부라는 명목으로 그녀를 고용했다. 하지만 그녀는 보모였다.

덕분에 제러미는 매일 집을 개조하고 보수하는 일들을 할 수 있었다. 나는 서재에 창을 새로 달아달라고 했다. 그가 어디에 있든지 서재에서 창문을 통해 그를 볼 수 있도록.

한동안 평온하고 만족스러운 날들을 보냈다. 나는 엄마 노릇 중에서 쉬운 일들만 했고, 제러미와 보모가 힘든 일들을 맡았다. 북 투어와 인터뷰 등으로 여행을 해야 할 경우가 많아졌다. 제러미를 두고 혼자 다니고 싶지는 않았지만, 제러미는 아이들과 집에 남아 있기를 원했다. 그리고 시간이 지나면서 나도 점차 떨어져 있는 시간이 좋아지기 시작했다. 그렇게 일주일 정도 떨어져 있다가 만나면, 제러미는 아이들이 태어나기 전에 우리 둘만의 시절에 그랬던 것처럼 나에게 집중적인 관심과 애정을 보여주었다.

가끔은 뉴욕에 가야 한다고 거짓말을 하고, 첼시에 있는 에어비엔비에 일주일쯤 묵으며 텔레비전을 보다가 오기도 했다. 그러면 제러미는 마치 첫사랑에게 동정을 바치듯 열정을 다해 나를 사랑해주었다. 행복했다.

그 일이 있기 전까지는.

한순간에 일어난 일이었다. 갑자기 태양이 얼어붙어 일시에 삶을 어둠 속으로 몰아넣는 것 같은 재앙. 그 후로는 아무리 애를 쓰며 절규를 해도 다시는 햇빛이 우리를 비춰주지 않았다.

주방 싱크대에서 닭을 씻고 있었다. 그 빌어먹을 생닭. 다른 일을 하고 있을 수도 있었는데. 잔디에 물을 주거나, 글을 쓰거나, 뜨개질을 하거나, 아무튼 다른 일. 그런데 하필 그때 나는 생닭을 씻고 있었고, 그래서 채스틴이 우리를 떠나던 그 순간을 생각할 때마다 그놈의 구역질 나는 생닭을 떠올려야 한다.

전화벨이 울렸다. 닭을 씻고 있는데.

제러미가 전화를 받았다. 나는 닭을 씻고 있었다.

제러미의 음성이 높아졌다. 나는 여전히 닭을 씻고 있었다.

목구멍 깊은 곳에서 올라오는 고통스러운 절규. 제러미는 '안 돼'라고 외쳤고, '어떻게', '어디로'를 외치다가 '바로 가겠소'라며 전화를 끊었다. 그가 전화를 끊고 나서 창문에 비친 그의 모습을 보았다. 문틀을 잡고 있었는데 그렇지 않았으면 곧 무릎을 굽히며 주저앉을 것 같았다. 나는 여전히 닭을 씻고 있었다. 볼을 타고 눈물이 흘러내렸다. 무릎에 힘이 빠졌다. 뱃속이 요동을 치기 시작했다.

닭에 대고 토사물을 쏟아냈다.

내 생애 최악의 순간을 나는 늘 이렇게 기억하게 될 것이다.

병원으로 가는 내내 내 머릿속에 맴도는 생각은 '하퍼가 무슨 짓을 했을까?'였다. 꿈에서처럼 베개 같은 걸로 채스틴의 얼굴을 눌렀을까? 아니면 뭔가 더 사악한 꾀를 내서 죽게 했을까?

채스틴과 하퍼는 친구인 마리아의 집에서 함께 놀면서 자기로 했었다. 전에도 여러 번 갔기 때문에 마리아의 엄마인 키티, 정말 웃기는 이름이지만 아무튼, 그 여자는 채스틴의 알레르기에 대해서 잘 알고 있었다. 우리는 채스틴이 어디를 가든 늘 에피네프린 주사제를 챙겨 보냈다. 그런데 오늘 아침에 채스틴이 일어나지 않기에 가보니 의식이 없었다는 것이다. 그래서 곧장 응급 구조대에 연락했고, 구급차가 와서 채스틴을 데려가자마자 우리에게 연락하는 거라고 했다.

병원에 도착해서도 제러미는 뭔가 오해가 있었을 거라고, 채스틴은 무사할 거라는 희망을 버리지 않고 있었다. 병원 복도에서 우리를 기다리고 있던 키티는 "정말 미안해요. 아침에 깨우러 갔는데, 일어나질 않았어요"라는 말만 되풀이했다.

계속 그렇게 말했다. '일어나지 않았어요.' '죽었다'는 말은 하지 않았다. 마치 채스틴이 늦잠을 자고 있었던 것처럼 '일어나지 않았어요'라고만 했다.

제러미는 복도를 달려 응급실로 갔다. 간호사들이 제러미를 내보내면서 가족실에 가서 기다리라고 했다. 가족실은 환자가 사망했을 때 유족들이 의사를 만나기 위해 대기하는 곳이다. 제러미는 그제야 채스틴이 죽었다는 사실을 실감했다.

제러미가 그렇게 소리치는 모습은 처음 보았다. 성인이 된 남자가 무릎을 꿇고 앉아 어린아이처럼 울었다. 내가 그 상황을 함께 겪는 게 아니었다면, 그런 그의 모습이 창피하게 느껴졌을지도 모르겠다.

마침내 채스틴이 있는 곳으로 안내되었다. 죽은 지 채 하루도 지나지 않았는데 채스틴의 몸에는 이미 그 애의 체취가 완전히 빠져나가고 죽음의 냄새가 배어 있었다.

제러미의 질문은 끝이 없었다. 물어볼 수 있는 모든 것을 물어보았다. 어떻게 그런 일이 일어났는지? 집에 땅콩이 있었는지? 몇 시에 잠자리에 들었는지? 채스틴의 가방에서 에피네프린 주사제를 꺼내기는 했는지?

마땅히 물어야 할 질문들이었고, 그에 대해 모두 합당한 대답이 돌아왔다. 사인이 밝혀지기까지 일주일이 걸렸다. 아나필락시스라고 했다.

우리는 채스틴의 땅콩 알레르기에 대해 노이로제라고 할 정도로 주의를 기울였다. 채스틴이 어디를 가든, 누구와 있든, 제러미는 채스틴을 맡아주는 사람에게 에피네프린 주사제 사용법을 포함해서 모든 주의 사항을 적어도 삼십 분 동안은 설명해야 했다. 채스틴이 태어나서 죽을 때까지 실제 그것을 사용한 적은 단 한 번뿐이었으므로, 나는 항상 제러미가 지나치게 신경을 쓴다고 생각했다.

키티도 채스틴의 알레르기에 대해 잘 알고 있었기 때문에 아이들이 그 집에 가 있는 동안은 땅콩을 모두 치워 놓았다. 그렇지만 아이들이 밤중에 몰래 주방에 들어가 간식거리를 꺼낼 거라고는 미처 생각지 못했던 것이다. 채스틴은 여덟 살이었고, 아이들이 간식을 가져다 먹기로 했을 때는 한밤중이었다. 하퍼는 자기들이 먹는 간식에 땅콩이 들어 있는 줄 몰랐다고 했다. 그런데 다음 날 아침, 채스틴이 일어나지 않더라는 것이다.

제러미는 한동안 채스틴의 죽음을 받아들이지 못했다. 그러면서도 채스틴이 땅콩이 들어 있는 줄 모르고 간식을 먹었다는 사실에 대해서는 의심하지 않았다. 그렇지만 나는 의문을 품지 않을 수 없었다. 이렇게 될 줄 알았으니까. 난 알고 있었다.

하퍼를 볼 때마다, 그 애가 한 짓임을 느낄 수 있었다. 벌써 수년 동안 이런 상황이 벌어질 수 있다고 생각하고 있었다. 수년 동안. 그 애들이 생후 6개월 정도 되었을 때부터 알고 있었다. 하퍼가 어떤 방법으로든 채스틴을 죽일 것임을. 얼마나 완벽한 살해 방법인가. 자기 아버지조차 전혀 의심하지 않으니 말이다. 하지만 엄마인 나는, 그렇게 쉽게 넘어가지 않는다.

나도 채스틴이 보고 싶고 그 애의 죽음이 슬펐다. 그런데 제러미가 슬퍼하는 모습에는 뭔가 언짢은 구석이 있었다. 너무 비탄에 빠져 있다고 할까. 정신적으로 마비 상태인 것 같았다. 그렇게 삼 개월 정도가 지나자 나의 인내심이 고갈되기 시작했다. 그동안 단 두 번 섹스를 했는데, 그나마도 깊은 키스조차 하지 않았다. 정서적으로 단절된 상태에서 단지 스트레스 해소의 방편으로 나를 이용하는 느낌이었다. 일시적이나마 고통에서 벗어나기 위해서 말이다. 하지만 나는 그것으로 만족할 수 없었다. 예전의 제러미를 되찾고 싶었다.

그래서 내가 먼저 다가가 보기로 했다. 제러미가 자는 동안 그를 향해 돌아누워 손을 그의 가슴 위에 얹었다. 그러고는 위아래로 쓰다듬으며 그가 반응하기를 기다렸다. 그러나 아무 일도 일어나지 않았다. 제러미가 내 손을 잡더니 옆으로 내려놓았다. "괜찮아, 베러티. 애쓰지 않아도 돼."

마치 나를 위한 배려인 것처럼 말이다. 나를 편안하게 해 주기 위해서 사양하는 것처럼.

내가 필요한 건 배려가 아닌데.

그게 아니란 말이야.

지난 8년 동안 나에게는 기회가 있었다. 이런 일이 일어날 줄 알았다. 꿈을 꾸었으니까. 이렇게 될 줄 알았기 때문에 채스틴이 살아 있는 동안 내가 줄 수 있는 모든 사랑을 주었다. 하퍼가 채스틴에게 뭔가 해를 끼치리라는 걸 알았다. 이번 일에 하퍼가 관여했다는 증거는 없지만…… . 설사 증거가 있었다고 해도 제러미는 내 말을 믿지 않았을 것이다. 하퍼에 대한 제러미의 애착은 지나칠 정도니까. 쌍둥이 중 하나가 자기 자매에게 그런 끔찍한 짓을 할 수 있다는 걸 절대로 믿으려 하지 않을 것이다.

내게도 일말의 책임이 있다. 하퍼가 아기였을 때 다시 한번 질식사를 시도했거나, 기어 다닐 때 표백제 병의 뚜껑을 열어 옆에 놔두었더라면. 아니, 그 애가 자동차 옆 좌석에 타고 있을 때 에어백 작동장치를 끄고, 안전 벨트를 채우지 않은 채 그쪽으로 나무를 들이받았더라면, 이런 일은 일어나지 않았을 테니까. 내가 꾸며낼 수 있었던 여러 형태의 사고들을 실천에 옮겼어야 했다. 하퍼가 손을 쓰기 전에 그 애를 막았더라면 우리 곁엔 아직 채스틴이 있었을 것이다.

그러면 제러미도 저렇게 슬픔에 빠져 지내지는 않았을 것이다.

18

베러티가 거실에 내려와 있었다. 에이프릴이 퇴근하기 전에 엘리베이터를 이용해 베러티를 내려다 놓고 간 것이다. 거의 매일 일정하게 반복되던 베러티의 일정이 왜 갑자기 바뀌었을까.

"오늘 저녁에는 베러티가 너무 말짱하게 깨어 있어서 데리고 내려왔어요. 나중에 제러미가 침대에 데려다 눕혀주는 게 좋을 것 같네요." 에이프릴은 베러티의 휠체어를 소파 옆에 세우고, 텔레비전을 향해 돌려놓아 주었다.

지금 그녀는 '휠 오브 포춘'을 보고 있다.

아니, 그쪽 방향을 바라보고 있다고 해야 하나?

나는 거실 문턱에 서서 베러티를 바라보았다. 제러미는 위층 크루 방에 있다. 밖은 어두워졌고 거실엔 전등이 꺼져 있지만, 텔레비전 불빛에 베러티의 무심한 표정을 알아볼 수 있었다.

이렇게 오랜 시간 거짓으로 중환자 노릇을 할 수 있는 사람은 없을 것이다. 차마 누가 그런 생각조차 할 수 있겠는가. 그런데 내가 갑자기 큰 소리를 내면 베러티가 놀랄까?

거실로 들어가는 문턱 옆에 장식용 유리공과 나무공이 담겨 있는 그릇이 있었다. 나는 주변을 둘러보며 나무 공을 하나 집어서 베러티가 있는 방향으로 던졌다. 공이 발 앞에 떨어지며 큰 소리를 내는 데도 베러티는 꿈쩍도 하지 않았다.

내가 알기로 베러티는 전신마비 상태가 아니다. 그런데 어떻게 꿈쩍도 하지 않을 수 있을까? 언어를 이해하지 못할 만큼 뇌 손상이 있다고 해도, 이 정도 큰 소리가 나면 놀라는 게 당연하지 않은가? 어떤 형태로든 반응을 하던가?

반응하지 않도록 자신을 훈련시킨 것이 아니라면 말이다.

베러티를 바라보며 이런 생각을 하려니 또다시 다리가 후들거리기 시작했다.

휠 오브 포춘의 두 사회자에게 베러티를 맡겨두고 주방으로 왔다.

베러티의 자서전 원고는 이제 두 챕터만 더 읽으면 된다. 이 집을 떠나기 전에 시즌 2를 발견하는 일이 없기를 바란다. 그것을 읽으면서 겪게 되는 감정의 기복을 다시는 견딜 수 없을 것 같다. 한 챕터씩 읽을 때마다 가중되는 불안은 내가 몽유병 증세를 보이고 나서 겪는 불안보다 더 고통스럽다.

채스틴의 죽음이 베러티 때문이 아니라는 걸 알게 되어 마음이 놓이기는 하지만, 그 일을 겪는 동안 그녀의 머릿속에 펼쳐지는 생각들은 여전히 불길하다. 인간적인 연대감이 끊어진 사람 같다고 할까. 인간적인 깊이가 전혀 없는 것 같다. 딸 하나를 잃고 나서 하는 생각이 하퍼를 진즉에 죽였어야 한다는 것이라니. 게다가 제러미가 애도하는 모습을 참을 수 없어 한다.

단지 '충격적'이라는 말로는 내가 느끼는 불안과 역겨움을 다 표현할 수가 없다. 다행히 곧 끝난다. 대부분이 몇 년 전에 일어난 일들에 대한 기록이라면, 마지막 챕터는 비교적 최근의 일을 다루고 있을 것이다. 일 년도 채 지나지 않은, 하퍼가 죽기 몇 개월 전.

하퍼의 죽음.

오늘 밤에 읽어볼까. 아니, 잘 모르겠다. 지난 며칠 잠을 제대로 자지 못했는데, 마지막 챕터를 읽고 나면 아예 잠을 자지 못하게 되는 게 아닐지.

오늘 저녁에는 내가 제러미와 크루를 위해 스파게티를 만들기로 했다. 요리에 집중하면서 베러티에 대한 생각을 떨쳐버릴 것이다. 일부러 에이프릴이 퇴근한 후에 식사 준비가 되도록 시간을 맞췄다. 제러미가 베러티를 위층으로 데려가 침대에 눕힌 뒤에 먹을 수 있도록. 몇 시간 남지 않은 내 생일날, 베러티 크로퍼드 옆에 앉아서 저녁 식사를 하고 싶지는 않으니까.

파스타 소스를 젓고 있는데 문득 텔레비전 소리가 들리지 않는다는 생각이 들었다. 그러고 보니 지난 몇 분 동안 조용했다. 나는 숟가락을 가만히 내려놓았다.

"제러미?" 그가 거실에 있기를 바라는 마음이었다. 그렇다면 텔레비전 소리가 들리지 않은 상황이 설명될 테니까.

"곧 내려가리다!" 제러미의 음성은 이 층에서 들려왔다.

나는 눈을 감았다. 이미 심장이 고동치고 있었다. 만약 저 미친 여자가 텔레비전을 끈 거라면, 나는 맨발로 이 집을 뛰쳐나가 다시는 돌아오지 않을 것이다.

두 주먹을 불끈 쥐며 생각했다. 이 모든 상황에 넌덜머리가 났다. 이 집도, 그리고 저 소름 끼치는 사이코패스도.

나는 더는 조심스럽게 걷지 않았다. 일부러 발에 힘을 주어 쿵쿵 걸으며 거실에 들어섰다.

텔레비전은 켠 상태에서 소리만 꺼져 있었다. 베러티는 여전히 같은 자세로 있었다. 나는 베러티의 휠체어 옆에 있는 탁자에서 리모컨을 집어 들었다. 텔레비전은 음 소거 모드에 맞춰져 있다. 더 이상 망설일 여지가 없다. 이제 이 집과는 끝이다. 텔레비전이 저절로 음 소거 모드로 들어가는 법은 없다!

"당신 정말 끔찍한 여자야." 내가 낮게 내뱉었다.

내가 말해 놓고도 섬뜩했다. 그렇다고 이대로 도망가고 싶지는 않았다. 마음속에 분노가 들끓기 시작하자, 그녀의 원고에서 읽은 한 마디 한 마디가 그 분노에 기름을 붓는 것 같았다. 나는 텔레비전의 음 소거 모드를 해제하고 볼륨을 원래대로 돌려놓았다. 그리고 리모컨을 베러티의 손이 닿을 수 없는 소파 위로 던진 다음 그녀 앞에 무릎을 꿇고 앉았다. 그녀의 시선이 내게 똑바로 닿을 수 있도록. 온몸이 떨리고 있었지만 두려워서가 아니라 분노가 치밀어 올라서였다. 아내로서 제러미에게 한 일들, 그리고 엄마로서 하퍼에게 한 일들에 화가 났고, 이 집에서 일어나고 있는 모든 일들에 대해서, 그리고 내가 그 유일한 목격자라는 사실에 화가 나서 견딜 수가 없었다. 내가 미쳐가는 것 같은 막막함과 두려움도 더는 혼자 감당하고 싶지 않았다.

"넌 너의 영혼이 갇혀 있는 네 몸뚱이조차 가질 만한 자격이 없어." 베러티의 눈을 똑바로 들여다보며 저주를 퍼붓듯 속삭였다. "네가 게워 올린 토사물에 숨통이 막혀 죽기를 바란다. 네가 어린 딸에게 하려던 것과 똑같은 방식으로 말이야."

잠시 그녀를 지켜보며 반응을 기다렸다. 의식이 깨어 있는지……. 내 말을 들었는지……. 정말 꾸미고 있는 것인지……. 내 말이 그녀의 영혼에 도달했는지. 만약 그렇다면 움찔거리거나 달려들거나, 그 외에 다른 어떤 방식으로라도 반응을 할 테니까.

베러티는 조금도 움직이지 않았다. 그녀가 반응할 수밖에 없는 말이 뭐가 있을까 생각해 보았다. 도저히 평정심을 유지할 수 없을 만한 이야기. 나는 일어나서 몸을 숙인 다음 그녀의 귓가에 대고 속삭였다. "제러미는 오늘 밤 네 침대에서 나와 사랑을 나눌 거야."

그리고 또 기다렸다. 그녀가 무슨 소리를 내는지……. 어떤 움직임을 보이는지…….

잠시 후 소변 냄새가 났다. 공기를 타고 지린내가 진동하면서 코를 찌르기 시작했다.

베러티의 바지 아래를 내려다보는데 제러미가 계단을 내려오는 소리가 들렸다. "나를 불렀소?"

얼른 베러티에게서 물러서는데 내가 던졌던 나무공이 발뒤꿈치에 차였다. 나는 몸을 굽혀 공을 집으며 베러티를 가리켰다. "방금 베러티가…… 옷을 갈아입혀야 할 것 같아요."

제러미는 휠체어의 손잡이를 잡고 거실을 나가 엘리베이터로 갔다. 나는 손으로 입과 코를 막고 숨을 내쉬었다.

왜 지금까지 누군가 그녀를 씻기고 갈아입혀야 한다는 사실에 대해 생각해 보지 않았을까? 아마도 간호사가 그런 일들을 하리라 미뤄 짐작했던 것 같다. 그렇지만 에이프릴은 그런 일을 전혀 하지 않는 것 같다. 베러티가 대소변을 가릴 상황이 아니니 당연히 기저귀를 찰 것이고 누군가 씻겨 주어야 한다. 거기까지 생각이 미치자 제러미가 더 불쌍해 보였다. 지금 베러티를 데리고 이 층으로 가서 그 두 가지를 해 주겠지. 나는 화가 났다.

베러티에 대한 분노가 끓어올랐다.

그녀가 지금 처한 상황은 자기 아이들과 제러미에게 한 몹쓸 짓에 대한 벌이다. 그 업보를 왜 제러미가 평생에 걸쳐 받아야 한단 말인가.

그건 옳지 않다.

조금 전에 내가 했던 말들에 대해 베러티는 꿈쩍도 하지 않았다. 하지만, 그래도 겁은 먹었던 걸 보면 의식이 아주 없지는 않은 거다. 어디쯤엔가는 불이 들어와 있다는 뜻이다. 그리고 이제 더는 내가 자기를 두려워하지 않는다는 사실을 알게 되었을 것이다.

*

크루와 둘이 앉아 저녁을 먹었다. 크루는 저녁을 먹는 내내 아이패드만 들여다보았다. 제러미가 내려올 때까지 기다리고 싶었지만, 크루 혼자 먹게 하는 걸 제러미가 원하지 않을 것 같았고, 크루가 잠자리에 들어야 할 시간이 다가오고 있어서 어쩔 수 없었다. 제러미가 베러티를 씻기고 갈아입히는 동안 크루는 내가 재웠다. 제러미가 베러티를 침대에 뉘고 내려왔을 때 스파게티는 이미 차갑게 식어 있었다.

제러미가 주방으로 왔을 때 나는 설거지를 하고 있었다. 키스를 나눈 후로 서로 대화할 기회가 없었기 때문에 둘만 있는 분위기가 어떻게 흘러갈 것인지 예측할 수 없었다. 식사가 끝나자마자 바로 각자의 방으로 들어가야 하나? 접시를 닦고 있는데 뒤에서 제러미가 마늘빵 먹는 소리가 들렸다.

"미안하게 됐소." 제러미가 말했다. "저녁 식사에 함께하지 못해서 말이오."

"지금이라도 드시면 되죠. 어서 드세요." 내가 어깨를 들썩이며 말했다.

제러미는 캐비닛에서 그릇을 꺼내 스파게티를 덜더니 전자레인지에 넣었다. 그러고 나서 조리대에 엉덩이를 대고 기대섰다. "로웬."

내가 돌아보았다.

"무슨 걱정이 있소?"

"아무것도 아니에요. 내가 나설 일이 아니죠." 내가 고개를 저으며 말했다.

"말을 꺼낸 걸 보면 상관할 만한 일인 거 아니겠소."

지금 제러미와 그 이야기를 하고 싶지는 않았다. 내가 나설 일이 아니기도 하고. 제러미의 인생이니까. 그의 아내이고 그의 집이다. 나는 이제 이틀 후면 떠날 사람이 아닌가. 수건에 손을 닦는데 전자레인지가 멈추면서 알람이 울렸다. 제러미는 내게서 눈을 떼지 않았다. 내가 하려던 이야기를 들어야겠다는 듯이.

나는 아일랜드 테이블에 기대서 고개를 젖히고 깊은숨을 몰아쉬었다. "나는 그냥…… 당신이 너무 힘들어 보여서요."

"그렇게 생각하지 말아요."

"나도 그러고 싶은데 어쩔 수가 없어요."

"그러는 게 당신을 위해서도 좋을 거요."

"그럴 수 없어요."

제러미는 전자레인지를 열고 스파게티를 꺼냈다. 그릇을 조리대에 놓고 식히는 동안 다시 나를 보며 말했다. "이게 지금 나에게 주어진 삶이고, 내가 바꿀 수 있는 게 아니요, 로웬. 당신이 나 때문에 마음 아파한다고 해서 내게 도움이 되는 건 아무것도 없소."

나는 고개를 저었다. "그렇지 않아요. 당신이 바꿀 수 있는 게 있으니까요. 매일 이렇게 살지 않아도 된다고요. 요양 시설이라는 게 있잖아요. 그런 시설들이 베러티를 당신보다 훨씬 더 잘 보살펴줄 거예요. 회복될 가능성도 높아질 거고요. 당신과 크루도 매일 이 집에 매여 살 필요가 없어지겠죠."

제러미가 입을 다문 턱에 힘을 주었다. 역시 이런 말은 꺼내지 않았어야 했나 보다. "당신이 나를 생각해 주는 건 고맙소. 하지만 베러티의 입장에서 생각해 보시오."

지난 2주 동안 내가 베러티의 머릿속에 얼마나 깊이 들어갔다 왔는지 모르고 하는 소리다. "이미 베러티의 입장에서 생각해 보고 하는 말이에요." 답답한 마음에 나도 모르게 주먹으로 조리대를 탁탁 두드리고 있었다. "베러티도 당신이 이렇게 사는 걸 원하지는 않을 거라고요. 당신은 당신의 집에서 마치 포로처럼 살고 있어요. 크루도 마찬가지고요. 크루도 집 밖에서 좀 더 많은 시간을 보낼 필요가 있어요. 크루와 여행을 떠나 보세요. 베러티를 24시간 의료상의 보살핌을 받을 수 있는 시설에 보내고, 당신은 다시 일을 시작하세요."

제러미는 내가 말을 끝내기도 전에 이미 고개를 젓고 있었다. "크루에게 그럴 순 없소. 그 애는 누나 둘을 잃었어. 그런 식으로 또 가족과 떨어져 지내게 할 수는 없소. 베러티가 집에 있으면 크루가 그녀 옆에서 시간을 보낼 수는 있으니까."

제러미의 말속에 자기도 베러티가 곁에 있기를 원한다는 의미는 담겨 있지 않았다. 크루를 위해 그편이 좋다는 의미일 뿐. "그럼 일주일에 며칠 정도만 시설에 있게 하는 건 어때요? 그래도 한결 짐이 덜어질 테니까. 주말에는 집에 와 있게 하는 거죠. 크루도 학교에 가지 않고 집에 있으니까요."

나는 제러미에게 다가가 두 손으로 그의 얼굴을 감쌌다. 내가 얼마나 그를 걱정하고 있는지 느끼게 하고 싶었다. 내가 진심으로 자기를 걱정하고 있다는 걸 깨달으면 지금 이 대화를 좀 더 진지하게 생각해볼 것 같았다.

"당신을 위한 시간을 가지세요, 제러미." 내가 조용히 말했다. "당신만을 생각하는 시간. 베러티에 대한 모든 걱정을 내려놓고 오로지 당신이 원하는 것만으로 채워진 시간을 가질 필요가 있어요. 당신은 충분히 그럴 만한 자격이 있다고요."

그가 어금니에 힘을 주는 것이 손바닥에 전해졌다. 제러미는 내게서 떨어져 두 손으로 조리대를 짚더니 양쪽 어깨 사이로 고개를 떨궜다. 그리고 나직이 중얼거렸다. "내가 원하는 것?"

"그래요. 당신이 원하는 게 뭐죠?"

제러미가 고개를 젖히더니 허탈하게 웃었다. 마치 그런 한심한 질문이 어디 있냐는 듯이. 그리고 너무도 쉬운 질문에 답을 하듯 한 마디를 내놓았다.

"당신."

제러미는 조리대에서 손을 떼고 내게로 다가왔다. 두 손으로 내 허리를 잡고 자기 이마를 내 이마에 기댔다. 그러고는 오로지 나를 향한 갈망을 가득 담은 눈으로 내 눈을 들여다보았다. "나는 당신을 원해, 로웬."

일시에 긴장감이 풀리는데 그가 키스를 했다. 처음 내게 키스할 때
와는 달랐다. 두 손으로 내 목덜미를 감싸고 천천히 입술을 포갰다. 나
를 탐닉하는 움직임에 나의 욕망도 달아올랐다. 그는 약간 몸을 굽혀
나를 들어 올리더니 내 다리로 그의 허리를 감쌌다.

그런 채로 주방을 나왔다. 나는 침실로 들어와 그가 문을 닫을 때까
지 눈을 뜨지 않았다. 또다시 베러티가 이 순간을 망치지 않으면 좋
겠다.

제러미는 팔을 풀고 나를 내려놓았다. 비로소 맞닿았던 입술이 떨
어졌다. 제러미는 나를 침대 옆에 세워놓은 채 문으로 갔다.

"옷을 벗어요." 그가 나를 보지 않은 채 문을 잠그며 말했다.

명령 같았다. 문이 잠기는 것을 확인한 나는 기꺼이 그의 말에 따랐
다. 우리는 서로를 바라보며 동시에 옷을 벗었다. 그가 청바지를 벗는
동안 나는 셔츠를 벗고, 그가 셔츠를 벗는 동안 나는 청바지를 벗었다.
그의 시선을 느끼며 브래지어를 풀었다. 제러미는 나를 만지지도, 키
스를 하지도 않고 다만 바라만 보았다.

팬티를 내릴 때는 마음이 복잡했다. 두려움, 설렘, 불안함, 갈망, 떨
림. 그리고 온몸을 드러낸 채 그 앞에 똑바로 서 있었다.

제러미는 눈으로 빨아들일 듯 나를 보면서 남은 하나를 마저 벗었
다. 내 안에 큰 동요가 일었다.

우리는 온몸을 서로에게 드러낸 채 그렇게 서 있었다. 둘 다 숨이
가빠왔다.

그가 한 걸음 다가섰다. 제러미의 시선은 내 얼굴에 고정되어 있었
다. 그의 따뜻한 손이 내 볼을 쓰다듬으며 올라가 머리칼을 깊숙이 잡
더니 그의 입술이 내 입술에 포개졌다. 그의 키스는 부드럽고 달콤했다.

그의 손가락이 등줄기를 타고 내려오자 나는 전율했다.

입술을 맞댄 채 제러미는 내 안으로 자기를 밀어 넣었다. 우리는 키스를 멈추고 그 느낌에 집중했다. 서로의 얼굴에 대고 숨을 쉬면서. 마침내 그의 전체가 내 안에 느껴지는 순간 나는 눈을 감았다.

볼에 닿아 있던 그의 입술이 내 입술로 옮겨오면서 그가 잠시 멈췄다. 눈을 뜨자 그가 보였다. 나 외에 아무것도 생각하지 않는 한 남자. 더 이상 먼 곳을 바라보지 않았다. 지금 이 순간 제러미의 머릿속에는 그와 나밖에 없었다.

"내가 몇 번이나 당신과 보내는 이런 시간을 상상해 보았는지 아시오?" 답을 듣고자 묻는 게 아니었다. 내가 대답할 틈도 없이 바로 키스를 하는 걸 보면. 키스를 하면서 한 손으로 내 가슴을 감싸 쥐었다.

그의 힘에 이끌리는 동안 나는 무력했다. 그는 두 팔로 힘들이지 않고 나를 몇 분마다 자기가 원하는 자세로 돌려놓았다. 그제야 나는, 베러티의 원고에 묘사된 두 사람의 사랑놀이에서는 늘 베러티가 어떤 식으로든 제러미를 통제했다는 사실을 깨달았다.

나는 모든 통제권을 그에게 넘겨주었다.

그가 원하는 대로 나를 이끌 수 있도록 온전히 맡겼다.

제러미는 삼십 분이 넘도록 그렇게 나를 마음껏 리드했다. 나는 그 희열의 순환이 영원히 끝나지 않기를 바랐다.

그러다가 마침내, 제러미가 가장 즐기는 자세일 거라고 짐작하고 있는 그 자세에 돌입했다. 그가 베개를 베고 똑바로 눕고, 나는 허벅지로 그의 얼굴 양옆을 짚은 채 말을 타듯 올라앉는 자세. 그에게 이끌려서 이런 자세를 취하게 됐는지, 아니면 내가 솔선해서 그렇게 했는지는 기억이 나지 않는다. 아무튼.

침대 헤드보드에 남아 있는 이빨 자국이 눈에 들어왔다. 나는 내 밑에 있는 그의 모습을 보고 싶지 않아서 눈을 감았다.

몸을 타고 솟구쳐 오르는 희열에 몸이 절로 앞으로 기울어졌다. 헤드보드를 잡고 눈을 떠 보니 내 입에서 일 인치 정도 거리에 이빨 자국이 보였다. 베러티가 바로 지금 나와 같은 자세에서 만들었던 자국이다.

튕겨 나가듯 몸을 굽혀 헤드보드를 문 채 절정을 맞았다. 나무에 치아가 박히는 느낌이 전해졌다.

베러티의 이빨 자국이 느껴졌다. 오르가슴을 느끼는 순간 이빨에 더욱 힘을 주었다. 더 깊은 자국을 남기리라. 이제부터 이빨 자국을 볼 때면 베러티가 아닌, 제러미와 나를 기억하리라.

베러티는 방 하나에 갇혀 있지만, 그녀의 존재는 이 집 안 구석구석에 배어 있다. 그렇지만 이제부터 적어도 이 방에서만큼은 그녀를 떠올리지 않을 것이다.

절정의 순간이 지나자 나는 헤드보드에서 입을 떼고 눈을 떴다. 내가 남긴 새 자국이 선명하게 보였다. 엄지로 자국을 문질러 침을 닦는데 제러미가 나를 뒤로 밀어 눕히고 다시 내 위로 올라왔다. 내 배 위에 그의 몸을 눕히고 힘껏 밀착시켰다. 뜨거운 액체가 살갗을 적시는 동안 제러미가 키스했다. 그의 키스가 여전히 열정적이었으므로 나는 이 밤이 아주 길 것임을 예감할 수 있었다.

19

후반전을 끝내고 샤워실에서 나와 침대에 누웠을 때는 새벽 세 시가 다 되어가고 있었다. 제러미는 곧 그의 방으로 가야 했지만, 나는 그를 보내고 싶지 않았다. 그와 사랑을 나눈 모든 순간이 내가 상상했던 그대로였다. 그의 팔에 안겨 있는 동안은 이 집에 있는 것이 싫지 않았다. 제러미와 함께 있으면 그가 미처 인지하지 못하는 이 집의 모든 위험으로부터 안전하게 보호받고 있다는 느낌이 들었다.

제러미는 한쪽 팔로 나를 감싸고 품에 넣을 듯 끌어안은 채 손가락으로 내 팔을 가만히 더듬었다. 서로에게 말을 시켜가며 졸음을 쫓는 중이었다. 제러미가 최근에 사귄 남자와는 어느 정도였는지 물었다.

"깊은 관계는 아니었어요."

"왜?"

"관계라고 할 수 있는지도 분명하지 않은 정도였으니까." 내가 대답했다. "서로 그렇게 하기로 합의를 했거든요. 성적인 충족을 위한 관계라고 할까. 그 외의 영역에서는 서로 맞춰갈 자신이 없었던 거죠."

"얼마나 오래 지속되었는데?"

"꽤 오래요." 내가 고개를 들고 그를 보며 말했다. "코리였어요. 내 에이전트."

내 팔을 더듬던 제러미의 손가락이 멈췄다. "내가 만났던 그 에이전트 말이오?"

"맞아요."

"그런데 계속 당신의 에이전트로 일을 한다고?"

"에이전트로서는 손색이 없으니까요." 나는 다시 그의 가슴에 얼굴을 묻으며 말했다. 제러미의 손가락이 다시 움직이기 시작했다.

"그 말을 들으니 약간 질투가 나는군." 제러미가 말했다.

제러미가 웃는 것 같아서 나도 웃었다. 잠시 침묵이 흐른 후, 나는 늘 궁금했던 걸 물어보기로 했다. "당신과 베러티는 어땠어요?"

제러미가 깊은숨을 내쉬었다. 내 머리도 그의 가슴과 함께 들썩였다. 제러미는 한쪽 팔로 받치고 상체를 일으켜 나를 내려다보며 말했다. "당신의 질문에 대답하겠소. 그렇지만 나를 나쁘다고 생각지 말아 줬으면 좋겠군."

"그러지 않을게요." 내가 고개를 저으며 말했다.

"베러티를 사랑했소. 내 아내였으니까. 그러면서도 가끔씩 우리가 서로의 참모습을 보지 못하고 있는 건 아닌가 하는 생각이 들었소. 한 집에 살고 있기는 하지만 둘의 세계가 단절되어 있는 느낌이랄까." 제러미가 손을 올려 내 입술을 만졌다. 손가락 끝으로 입술의 윤곽을 따라 움직이며 말을 이었다. "나는 베러티에게 정신없이 빠져 있었소.

당신이 듣고 싶은 얘기는 아니겠지만, 사실이오. 섹스에 관한 한 완벽했지. 하지만 그 외에는…… 모르겠어. 처음부터 뭔가 빠진 듯한 느낌이 들었던 것 같아. 그렇지만 나는 그녀와 결혼했고 가정을 일구기 시작했지. 그렇게 살다 보면 좀 더 깊은 연대감이 생길 거라고 믿었으니까. 어느 날 아침에 잠에서 깨어 그녀와 눈을 마주치는 순간 전기가 통하듯 그렇게 말이오. 마지막 퍼즐 조각이 맞춰지듯이."

제러미는 베러티와의 사랑을 이야기하면서 과거 시제를 쓰고 있어. "그래서 그 연대감을 찾았나요?"

"아니. 내가 바라던 그런 일은 일어나지 않았소. 그렇지만 그와 비슷한 경험을 한 적은 있지. 좀 더 깊은 연대가 생길 수도 있겠다는 순간적인 예감 같은 것 말이오."

"그게 언제였는데요?"

"몇 주 전이었소." 제러미가 음성을 낮추고 말했다. "내 아내가 아닌 여자와 어느 커피숍 화장실에 있을 때였지."

제러미는 그 말을 하자마자 내 대답은 듣지 않겠다는 듯 바로 내게 키스를 했다. 죄책감 때문인 것 같기도 했다. 자기 아내와 화합을 이루기 위해 그렇게 오랫동안 노력해 왔는데 결국 나를 만나자마자 그러한 연대를 느꼈다는 사실에 대해서.

제러미는 나의 반응을 알고 싶지 않았겠지만, 그 순간 내 마음속에는 뭔가 싹이 트는 것 같았다. 그의 말이 내 안에 뿌리를 내리고 자라나는 것 같은 느낌이었다. 제러미가 다시 나를 끌어당겼고, 나는 눈을 감고 그의 가슴에 얼굴을 묻었다. 그런 채로 말없이 누워있다가 둘 다 잠이 들었다.

두 시간쯤 후, 그가 귓전에서 탄식하는 소리에 잠이 깼다.

"이런 젠장!" 제러미가 벌떡 일어나 앉는 바람에 함께 덮고 있던 시트가 당겨져 올라갔다. "이럴 생각은 아니었는데."

나는 눈을 비비며 똑바로 누었다. "왜 그러는데요?"

"여기서 잘 생각은 아니었다고." 제러미는 침대에서 일어나 옷을 입기 시작했다. "크루가 일어났을 때 이 방에 있다가 마주치게 되면 곤란하잖소." 제러미는 내게 연이어 두 번 키스하고 문으로 가서 자물쇠를 열고 문을 당겼다.

문이 열리지 않았다.

제러미가 문고리를 흔들었다. 나는 윗몸을 일으키고 시트를 끌어당겨 맨 가슴을 가렸다.

"제기랄." 제러미가 또다시 탄식했다. "문이 들러붙은 것 같아."

순간 가슴이 철렁 내려앉았다. 지난밤의 달콤했던 세계에서 한순간에 내쫓기는 기분이었다. 어느새 나는 현실로 돌아와 있었다. 음침한 이 집에서 맞닥뜨려야 하는 또 한 번의 황망한 상황. 나는 고개를 저었다. 하지만 문을 향해 서 있는 제러미는 그런 나를 보지 못했다. "들러붙은 게 아닐 거예요." 내가 조용히 말했다. "잠긴 거라고요. 밖에서."

제러미가 나를 돌아보았다. 그의 얼굴에 당황하는 빛이 어렸다. 그러더니 두 손으로 문을 당겼다. 그제야 내 말처럼 밖에서 잠긴 것이라는 생각이 드는지 문을 두드리기 시작했다. 나는 침대에 앉은 채 움직일 수가 없었다. 문이 열렸을 때 어떤 상황을 마주하게 될지 두려웠다.

제러미는 어떻게든 문을 열어보려고 안간힘을 쓰다가 크루를 부르기 시작했다. "크루!" 제러미는 큰 소리로 크루를 부르며 문을 두드렸다.

베러티가 크루를 해쳤으면 어쩌지?

베러티가 정말 그렇게까지 했을 거라고 확신할 수는 없지만, 그녀는 자기 아이들에 대해 애착이라는 게 없지 않은가. 오로지 제러미만을 좋아한다. 그를 사랑한다. 그런데 어젯밤 제러미가 나와 이 방에서 지낸 것을 알았다면, 순간적으로 복수심에 불타 크루를 해쳤을 수도 있지 않을까.

제러미는 아직 거기까지는 생각이 미치지 않는 것 같았다. 크루가 장난을 치고 있다고 생각하는 것 같다. 아니면 지난밤 그가 문을 닫을 때 어찌 된 일인지 '우연히 사고처럼 스스로' 자물쇠가 잠긴 것이라고……. 제러미가 생각할 수 있는 가능성은 거기까지다. 그래서 지금 그는 단순히 짜증을 내고 있다. 전혀 걱정 같은 건 하지 않는다.

제러미는 침대 옆 탁자에 있는 자명종 시계를 힐끗 보더니 또다시 문을 두드리기 시작했다. "크루, 문 열어!" 그러고는 문에 이마를 기대며 중얼거렸다. "에이프릴이 곧 출근할 텐데. 우리가 이 방에 함께 있는 걸 보여줄 수는 없어."

지금 그걸 걱정하고 있단 말인가?

나는 지금 그의 아내가 그의 아들을 한밤중에 납치해서 해쳤을지도 모른다는 생각을 하고 있는데, 그는 집에 묵고 있는 여자와 바람피운 것을 들킬까 봐 걱정하고 있다니.

"제러미."

"뭐요?" 제러미가 계속 문을 두드리며 대꾸했다.

"당신이 말도 안 되는 일이라고 생각할 거라는 거 알아요. 그렇지만…… 혹시 어젯밤에 베러티의 방문 잠갔어요?"

제러미가 문을 두드리던 손을 멈추었다. "기억이 나지 않소." 그가 조용히 말했다.

"만약 베러티가 우리를 이 방에 가둔 거라면…… 크루는 무사하지 않을 수 있어요."

나를 바라보는 제러미의 눈에 공포가 어렸다. 그러더니 단숨에 방을 가로질러 창문을 열었다. 이중창이어서 밖에 한 겹이 더 있었는데, 그건 좀처럼 잘 열리지 않았다. 제러미는 망설일 것도 없이 침대로 오더니 베개 커버를 벗겨서 손을 감쌌다. 그리고 주먹으로 쳐서 창문을 깨고 빠져나갔다.

몇 초 후, 제러미가 방문의 자물쇠를 여는 소리가 들리고, 바로 이층으로 올라가는 소리가 들렸다. 내가 방에서 나갔을 때, 제러미는 크루의 방에 있는 것 같았다. 그리고는 곧 복도를 건너 베러티의 방으로 가는 발소리가 들리더니 잠시 후 다시 계단으로 왔다. 나는 고동치는 가슴을 억지로 진정시키며 그를 올려다보았다.

제러미가 고개를 저었다. 그러고는 허리를 굽혀 무릎을 짚고 가쁜 숨을 몰아쉬었다. "둘 다 자고 있소."

무릎에 힘이 풀리는지 제러미는 쪼그려 앉으며 두 손으로 머리를 쓸어 넘겼다. "자고 있어." 긴 숨을 내쉬며 그가 다시 한번 중얼거렸다.

다행이라는 생각이 들었다. 그러나 의구심이 가라앉은 건 아니었다.

나의 신경증적 증세가 제러미까지 불안하게 만들고 있다는 생각이 들었다.

내가 불안해하는 것들을 계속 그에게 전달하는 것은 그에게 전혀 도움이 되지 않는다. 잠시 후 에이프릴이 현관에 들어섰다. 들어오자마자 나를 보더니, 계단 위에 쪼그리고 앉아 있는 제러미에게로 시선을 옮겼다. 제러미가 고개를 들자 자기를 보고 있는 에이프릴과 눈이 마주쳤다.

제러미는 일어나서 계단을 내려왔다. 시선을 피한 채 나와 에이프릴을 지나치더니 현관문을 열고 밖으로 나갔다.

에이프릴은 현관에 선 채 다시 나를 보았다.

"크루가 어젯밤에 좀 힘들게 했거든요." 내가 어깨를 한 번 들썩여 보이며 말했다.

내 말을 곧이들었는지 아닌지는 알 수 없었지만, 에이프릴은 그런 건 전혀 관심 밖이라는 듯 아무런 대꾸도 하지 않고 계단을 올라갔다.

나도 서재로 들어가 문을 닫았다. 나머지 원고를 꺼내 읽기 시작했다. 오늘 안에 끝내야 한다. 어떻게 끝나는지, 결말이 있기나 한 건지 알아야 하니까. 제러미에게 원고를 보여주어야 할 것 같은 생각이 들기 시작했기 때문이다. 베러티와 진정한 화합을 이루지 못하고 있다는 그의 느낌이 옳았다는 것을 그가 알아야 할 것 같았다. 왜냐하면 제러미는 베러티의 참모습을 모르고 살았으니까.

그건 심각한 문제다. 지금 이 층에 누워있는 여자를 내가 믿지 못하는 만큼, 제러미도 그녀에 대해 의구심을 품고 경계하지 않으면 분명 무슨 일인가 일어날 것이다. 또 다른 피해자가 생길 것이다.

어쨌든 이곳은 지독히 안 좋은 기운으로 가득 차 있는 집이다. 이미 오래전에 일어났어야 하는 또 하나의 비극이 기회를 노리고 있는지도 모른다.

그대로 이루어지기를
14장

하퍼가 죽던 날은 생생하게 기억할 수 있다. 이틀밖에 지나지 않았으니까. 그 아이의 냄새까지 기억한다. 이틀 동안 머리를 감지 않아 나던 기름 냄새. 그 애가 입었던 옷. 보라색 레깅스에 검은색 셔츠, 털실로 짠 스웨터. 크루와 테이블에 앉아 색칠 공부를 하던 모습. 제러미가 그 애에게 마지막으로 했던 말. 사랑해, 하퍼.

채스틴이 죽은 지 6개월이 되던 날이었다. 정확히 182일하고 한나절 동안 나는 채스틴을 죽게 한 하퍼를 향해 분노를 키워왔다.

그 전날 제러미는 이 층에서 잤다. 지난 두 달 동안 크루가 거의 매일 밤 아빠를 찾으며 울었기 때문에 제러미는 쭉 이 층 손님방에서 잤다. 나는 그렇게 하는 게 크루를 위해서 좋지 않다고 했다. 아이의 버릇을 나쁘게 하는 거라고. 하지만 제러미는 내 말을 듣지 않았다. 그에게 가장 소중한 것은 남아 있는 두 아이였으니까.

제러미가 돌봐야 하는 아이는 둘로 줄어들었는데, 어찌 된 일인지 그는 점점 더 아이들에게서 헤어 나오지 못하고 있다.

채스틴이 죽고 나서 네 번의 섹스를 했다. 이제 내가 유도를 하려고 해도 제러미는 준비가 되지 않는다. 입과 혀로 아무리 공을 들여도 소용이 없다. 그런데 더 답답한 것은 그런 현상에 대해 제러미가 전혀 신경을 쓰지 않는다는 사실이다. 비아그라를 먹으면 좋을 텐데 제러미는 거부한다. 채스틴이 없는 삶에 적응할 시간이 필요하다면서.

시간.

시간을 주지 말았어야 하는 건 누구였을까? 하퍼.

하퍼는 채스틴이 죽고 나서 슬퍼하지 않았다. 울지도 않았다. 눈물한 방울 흘리는 걸 보지 못했다. 정말 이상하지 않은가. 정상이 아닌거다. 나도 울었는데.

하퍼가 울지 않은 이유를 알 것 같다. 죄책감은 사람을 그렇게 만들기도 하니까.

어쩌면 내가 이렇게 글을 쓰고 있는 이유도 죄책감 때문일지 모른다.

제러미도 진실을 알아야 하니까. 언젠가, 어떤 식으로든 제러미는 이 원고를 발견하게 될 것이다. 그러면 내가 얼마나 지독하게 그를 사랑했는지 알게 되겠지.

다시 하퍼가 응당 받아야 할 벌을 받던 날의 이야기로 돌아가자.

나는 주방에 서서 색연필들을 보고 있었다. 주방 식탁에 하퍼와 크루가 앉아 있었고, 하퍼가 크루에게 두 가지 색을 덧칠해서 새로운 색을 만드는 방법을 가르쳐주고 있었다. 두 아이는 즐겁게 웃고 있었다. 크루가 웃는 것은 봐줄 수 있다. 그런데 하퍼가 웃는다고? 그건 용납이 되지 않았다. 차곡차곡 쌓여가는 분노를 참는 데엔 한계가 있단 말이다.

"너는 채스틴이 죽은 게 슬프기는 한 거니?"

하퍼가 고개를 들고 나와 눈을 맞췄다. 무서워하는 시늉을 했다. "네."

"넌 울지도 않았잖아. 단 한 번도. 네 쌍둥이 자매가 죽었는데 넌 마치 아무 상관도 없는 것처럼 행동하고 있어."

그 애의 눈에 눈물이 고였다. 참 우습다. 이렇게 야단을 맞으면 눈물을 보일 줄도 아는 아이를 두고 제러미는 이 아이가 감정을 표현할 줄 모른다고 하다니.

"나도 슬퍼요." 하퍼가 말했다. "채스틴이 보고 싶어요."

나는 그 애를 보며 웃었다. 내가 웃는 모습을 바라보는 그 애의 눈에서 눈물이 흐르기 시작했다. 하퍼는 의자를 뒤로 밀치며 일어나더니 자기 방으로 달려갔다.

나는 크루를 보며 하퍼가 달려간 쪽을 가리켰다. "이제 와서 우는 것 좀 봐."

가증스러워.

제러미가 그 애의 방을 지나는 중이었던가 보다. 문을 노크하는 소리가 들렸다. "하퍼? 사랑하는 내 딸이 왜 그러지?"

나는 일부러 어린아이 같은 말투로 그의 흉내를 냈다. "사랑하는 내 딸이 왜 그러지?"

크루가 킥킥 웃었다. 네 살짜리에게는 그래도 내가 재밌어 보이는가 보다.

잠시 후 제러미가 주방으로 들어오며 말했다. "하퍼가 왜 저래?"

"심술 났나 봐." 내가 돌아보지 않고 대답했다. "호숫가에 가서 놀겠다는 걸 안 된다고 했더니."

제러미가 뒤에서 내 옆머리에 키스했다. 진심이 담긴 키스여서 살짝 미소가 지어졌다. "밖에 날씨가 좋아." 제러미가 말했다. "아이들 데리고 호숫가에 가지 그래."

나는 눈알을 굴렸다. 하지만 뒤에 서 있던 제러미는 그런 나를 보지 못했다. 하퍼가 우는 것에 대해 좀 더 좋은 핑계를 생각해 냈어야 했다. 이제 아이들을 데리고 나가 놀아줘야 하게 생겼으니 말이다.

"물놀이하고 싶어." 크루가 말했다.

제러미가 지갑과 자동차 열쇠를 집어 들며 말했다. "가서 하퍼 누나에게 신발 신으라고 해. 엄마가 데리고 갈 거다. 금방 다녀오겠소."

나는 돌아서서 그를 보며 물었다. "어디 가는데?"

"장 보러." 제러미가 말했다. "아침에 말했잖아."

맞다. 그렇게 말했었다.

크루가 이 층으로 뛰어 올라가자 나는 한숨을 쉬며 말했다. "내가 장 보러 가는 게 더 좋을 것 같은데. 당신이 집에서 아이들과 놀아주면 안 돼?"

제러미가 다가오더니 내 어깨를 감싸고 이마를 맞댔다. 그의 감촉이 곧바로 가슴으로 전해졌다. "당신 지난 여섯 달 동안 글을 하나도 쓰지 않았어. 밖에도 안 나가고. 아이들과 놀아주지도 않았잖아." 그러더니 나를 품에 안았다. "당신이 걱정 돼서 그래. 삼십 분 정도만 아이들과 밖에 나가서 햇빛 받으며 놀아줘. 당신은 비타민 D가 필요해."

"내가 우울한 것 같아?" 내가 뒤로 물러서며 물었다. 정말 웃긴다. 정작 우울한 사람은 자기면서.

제러미는 조리대에 열쇠를 내려놓고 두 손으로 내 얼굴을 감쌌다. "우리 둘 다 우울하지. 한동안은 그렇게 지내게 될 거야. 그러니까 서로를 보살펴야 한다고.”

나는 미소를 지어 보였다. 우리가 함께 겪어가고 있다는 그의 생각이 마음에 들었다. 어쩌면 정말 그랬는지도 모른다. 제러미가 다시 키스를 했다. 이번에는 오랜만에 슬픔이 아주 조금 밖에 묻어 있지 않았다. 옛날로 돌아간 것 같았다. 나는 좀 더 깊은 키스를 하기 위해 그를 잡아당겨 내 발등 위로 올라오게 했다.

“오늘 밤엔 우리 침실에서 함께 자고 싶어.” 내가 속삭였다.

그가 내 입술에 대고 미소를 지었다. “좋아. 그렇지만 잠을 많이 잘 생각은 하지 마.”

그의 음성, 달아오른 눈빛, 입가에 번지는 미소. 드디어 다시 만났군, 제러미 크로퍼드. 그동안 보고 싶었어.

제러미가 출발하고 나서 나는 아이들을 데리고 호수로 갔다. 내가 쓰고 있던 시리즈의 원고도 챙겼다. 제러미 말이 맞다. 지난 육 개월 동안 나는 글을 전혀 쓰지 않았다. 이제 내 삶의 리듬을 되찾아야 한다. 이미 마감일을 한참이나 넘긴 상태였지만, ‘우연적’ 사고로 채스틴을 잃은 내 상황을 고려해서 팬템은 너그럽게 기다려주었다.

채스틴이 죽은 진짜 이유를 알았다면, 마감 일자를 훨씬 더 넉넉하게 미뤄주었을 텐데.

크루가 도크 위에서 카누를 향해 걸어가고 있었다. 안 되는데. 도크가 낡아서 제러미는 아이들이 그 위에 올라가는 걸 좋아하지 않는다. 그렇지만 크루는 가벼우니까 그다지 위험하지는 않을 것이다. 설마 나무가 부러져 아래로 빠지지는 않겠지.

크루는 도크 끝에 앉아서 카누 안으로 발을 늘어뜨렸다. 카누가 떠내려가지 않고 그대로 거기 있다는 게 신기했다. 낡은 밧줄 하나로 매어놓았을 뿐인데.

크루는 모르고 있고, 언젠가 알게 될 수도 있겠지만, 사실 크루가 생긴 건 카누 안에서였다. 내가 임신을 했다고 거짓말을 한 날로부터 일주일 동안 우리는 결혼생활 중 그 어느 때보다 열정적으로 서로를 탐닉했다. 일주일 간의 탐닉 중에서 임신이 된 건 틀림없이 카누에서 하던 날이었다. 그래서 선박 또는 항해와 관련된 이름을 생각하다가 크루라는 이름을 붙여준 것이다.

그 시절이 그립다.

사실은 그리운 순간들이 참 많다. 대부분은 아이가 생기기 전 제러미와 함께했던 날의 추억들이다. 쌍둥이들이 태어나기 전의 시간들.

호숫가에 앉아 크루를 바라보면서 우리에게 크루만 남는다면 어떨까 생각해 보았다. 하퍼를 잃고 나면 또 한 번 삶이 흔들리겠지만, 결국은 괜찮아질 것이다. 채스틴을 잃었을 때는 나도 슬펐기 때문에 제러미를 도와줄 수 없었다. 그렇지만 하퍼가 떠나고 나면, 제러미가 슬픔에서 헤어 나올 수 있도록 내가 도와줄 수 있다.

왜냐하면 나는 거의 슬프지 않을 테니까. 나의 비통함은 오로지 채스틴을 위한 것이었으므로.

어쩌면 제러미도 채스틴을 잃었기에 그렇게 슬퍼했던 것인지도 모른다.

충분히 그럴 수 있지 않은가.

나는 지금까지 자식을 잃은 슬픔은 어느 경우나 똑같이 힘들 것이라 생각했다. 두 번째로 겪든, 세 번째로 겪든, 처음 자식을 잃었을 때와 똑같이 슬플 것이라고.

하지만 그건 제러미와 내가 채스틴을 잃기 전의 생각이었다. 채스틴의 죽음은 우리를 온통 슬픔으로 가득하게 했다. 팔과 다리는 물론 세포 하나하나까지 슬픔에 절여지는 것 같았다.

만약 카누에 아이들이 타고 있는데 뒤집힌다면? 그래서 하퍼가 물에 빠져 죽는다고 해도 제러미의 슬픔이 더 커지는 일은 없을 것이다. 그는 이미 슬픔으로 가득하니까.

아이 하나를 잃은 거나, 모두 잃은 거나 다를 게 뭐겠는가. 어차피 온통 슬픔인 것을.

더 이상 슬퍼할 여력이 없는 상태에서 하퍼가 사라진다면, 우리 셋은 완벽한 가정을 이룰 수 있을 것이다.

"하퍼."

하퍼는 내가 앉은 자리에서 몇 피트 정도 떨어져 앉아 모래 장난을 하고 있었다. 나는 일어나서 청바지에 묻은 모래를 털며 말했다. "이리 와. 크루랑 같이 카누 타러 가자."

하퍼가 얼른 일어나 도크로 올라갔다. 다시는 발에 닿는 흙의 감촉을 느끼지 못하게 될 것이라는 사실을 모르는 채.

"내가 앞에 탈래요." 하퍼가 말했다. 나는 하퍼를 앞세우고 도크 끝으로 걸어갔다. 먼저 크루를 카누에 태우고, 그다음에 하퍼를 태웠다. 그런 다음 나도 조심스럽게 카누에 올라탔다. 그리고 노를 저어 도크에서 멀어졌다.

나는 뒤쪽, 크루는 가운데 자리를 잡았다. 아이들이 카누에 몸을 걸치고 손끝으로 물을 만지며 장난을 치는 동안 나는 노를 저어 호수 가운데로 나갔다.

수면은 잔잔했다. 호수는 해안선의 길이가 600미터 정도 되는 작은 만으로 이루어져 있어서 지나는 보트나 요트 같은 것들이 많지 않았다. 조용한 날이었다.

하퍼는 등을 곧게 펴고 앉아 레깅스에 손을 닦더니 나와 크루에게 등을 돌리고 카누의 앞머리를 향해 돌아앉았다.

나는 몸을 앞으로 숙여 한쪽 손으로 크루의 입을 막고 속삭였다. "크루, 숨 쉬지 마."

그런 다음 카누의 오른쪽을 잡고 나의 온 체중을 그리로 실었다.

작은 비명이 들렸다. 크루였는지, 하퍼였는지는 모르지만 비명 소리가 들리고, 몇 번 물을 첨벙거리는 소리가 들리고는 사방이 고요해졌다. 사방에서 밀려드는 물의 압력만이 느껴졌다. 귓속을 채우는 고요한 압력을 느끼면서 나는 팔과 다리를 움직여 수면 위로 올라왔다.

그러자 다시 첨벙거리는 소리가 들렸다. 하퍼가 이제는 고함을 치고 있었다. 크루의 소리도 들렸다. 나는 크루에게로 가서 팔로 그 애를 안았다. 집 쪽을 돌아보았다. 크루를 데리고 호숫가까지 갈 수 있을까? 생각했던 것보다 멀리 나와 있었다.

나는 헤엄을 치기 시작했다. 하퍼의 비명 소리가 들렸다.

허우적거리고 첨벙거리는 소리가 들렸다.

나는 계속 수영을 했다.

하퍼가 계속 소리를 질렀다.

잠시 아무 소리도 들리지 않았다.

다시 한번 첨벙거리는 소리가 들렸다.

그리고 아무 소리도 들리지 않았다.

나는 계속 수영을 했다. 발가락 사이에 진흙이 느껴질 때까지 뒤를 돌아다 보지 않으려고 노력하면서. 나는 호수의 수면이 구명조끼라도 되는 것처럼 움켜쥐었다. 나에게 매달린 크루는 물속을 들락거릴 때마다 캑캑거리며 기침을 해댔다. 크루를 물 위에 계속 떠 있게 하는 건 생각했던 것보다 힘든 일이었다.

내가 이렇게 크루를 구해낸 것에 대해 제러미는 무척 고마워할 것이다.

물론 비통해하겠지만, 동시에 고마워하겠지.

밤에 제러미와 한 침대에서 자게 될 것인지 생각해 보았다. 제러미는 비록 지치고 슬프겠지만, 그래도 내 옆에 있고 싶어 할 것이다. 내가 괜찮은지 살피기 위해서 말이다.

"하퍼!" 어느 정도 물을 뱉어내고 정신을 차린 크루가 소리쳤다.

나는 얼른 크루의 입을 막고 모래밭으로 끌어냈다. 크루의 두 눈이 겁에 질려 있었다. "엄마!" 크루가 내 뒤를 가리키며 엉엉 울었다. "하퍼는 수영을 잘하지 못해!"

나는 온몸에 모래를 뒤집어쓰고 있었다. 심장이 타는 듯 아팠다. 다시 물로 기어가려는 크루를 붙잡아 앉혔다. 물결이 발톱에 찰랑거렸다. 호수를 돌아보았으나 아무것도 없었다. 더 이상 비명 소리도 들리지 않았고, 첨벙거리는 소리도 들리지 않았다.

크루가 점점 더 세차게 울부짖기 시작했다.

"하퍼를 구하려고 했어." 내가 다급하게 속삭였다. "엄마가 하퍼를 구하려고 했어."

"가서 하퍼를 구해와!" 크루가 호수를 가리키며 통곡을 했다.

그러자 만약 내가 하퍼를 구하러 다시 가지 않았다는 것을 크루가 사람들에게 말하면 어쩌나 하는 생각이 들었다. 대부분의 엄마들은 자기 아이를 찾기 전까지 물에서 나오지 않을 것이다. 나도 다시 물속으로 들어가야 할 것 같았다.

"크루. 하퍼를 구해야 해. 너 엄마 전화로 아빠한테 전화할 수 있지?"

크루가 볼에 흐르는 눈물을 닦으며 고개를 끄덕였다.

"어서 가. 집에 가서 아빠한테 전화해. 엄마가 하퍼를 구하는 중이라고 해. 경찰에게 연락하라고."

"알았어!" 크루가 이렇게 말하고 집으로 달려갔다.

크루는 그렇게 착한 동생이다.

춥고 숨도 가빴지만, 나는 다시 호수로 들어갔다. "하퍼!" 나는 조용히 그 애의 이름을 불렀다. 너무 크게 부르면 그 애가 정신을 차리고 물 위로 튀어 오를 것 같았다.

시간을 끌면서 되도록 천천히 헤엄쳐 다가갔다. 너무 서둘러 보트까지 갔다가 그 애와 부딪히거나 몸에 닿고 싶지는 않았으니까. 만약 아직 숨이 붙어 있다가 내 옷을 잡고 매달리기라도 하면 어쩔 것인가? 나를 물속으로 잡아당기려고 하면?

제러미가 도착했을 때 나는 물속에 있어야 할 것 같았다. 울고 있어야 하고, 저체온증이 걱정될 만큼 온몸이 식어 있어야 할 것 같았다. 구급차에 실려 병원으로 옮겨진다면 금상첨화일 텐데.

카누는 완전히 뒤집혀 있었다. 처음 뒤집힐 때보다 호숫가로 가까워져 있었다. 제러미와 카누를 타다가 몇 번 뒤집힌 적이 있어서, 이런 상태로 뒤집혀 있을 땐 안쪽에 공기층이 생긴다는 걸 안다. 하퍼가 그리로 헤엄쳐 갔으면 어쩌지? 그 안에 보트를 잡고 매달려 있으면? 내가 어떻게 했는지 자기 아빠에게 모두 일러바치려고 벼르면서?

나는 하퍼와 닿는 일이 없도록 조심하면서 카누로 다가갔다. 그리고 숨을 참으며 물속으로 들어가 카누 안쪽에서 수면 위로 고개를 내밀었다.

아, 다행이다.

하퍼는 거기 없었다.

하느님, 감사합니다.

멀리서 크루가 나를 부르는 소리가 들렸다. 나는 다시 물속으로 들어갔다가 카누 밖으로 나왔다.

하퍼의 이름을 소리쳐 불렀다. 아이를 잃은 엄마의 다급함이 느껴지도록.

"하퍼!"

"아빠가 온대!" 크루가 호숫가에서 소리쳤다.

나는 더 큰 소리로 하퍼를 불렀다. 제러미가 오기 전에 경찰이 먼저 올 것이다.

"하퍼!"

나는 숨이 턱에 찰 때까지 물속을 들락거렸다. 더 이상 떠 있을 힘이 없을 때까지. 드디어 경찰이 나를 물에서 끌어냈다. 나는 그 애의 이름을 부르며 허우적거렸다.

반복해서 그 애의 이름을 부르다가 가끔, "나의 딸!"이나, "나의 아가!"라는 말을 끼워 넣었다.

누군가 물속으로 들어가 그 애를 찾기 시작했다. 그러다가 두 사람, 세 사람……. 그때 누군가가 나를 지나쳐 도크를 향해 전속력으로 달려갔다. 그러고는 머리부터 물로 뛰어들었다. 잠시 후 수면 위로 떠 오른 그 사람은 제러미였다.

하퍼를 소리쳐 부르는 제러미의 표정은 차마 말로 설명할 수가 없다. 구해내고야 말겠다는 단호함과 잃을지도 모른다는 두려움에 광적인 애착이 뒤엉킨 표정이었다.

이번엔 나도 정말 눈물이 나왔다. 마치 신경 발작이라도 일으킬 것 같은, 너무도 절묘한 나의 감정적 몰입이 신기해 미소가 지어질 지경이었다. 그러나 실제 미소를 지을 수는 없었다. 마음 한구석에서 뭔가 심하게 계산 착오였다는 생각이 들었기 때문이다. 제러미의 얼굴을 보며 깨달았다. 채스틴 때보다 훨씬 더 힘든 시간을 보내게 될 것 같았다.

내가 기대했던 상황은 그게 아니었는데.

하퍼가 수면 아래로 사라진 지 30여 분 만에 제러미가 그 애를 찾았다. 낚시용 그물에 엉켜 있었다고 했다. 내가 앉아 있는 곳에서는 그물이 초록색인지 노란색인지 보이지 않았으나, 작년에 제러미가 노란색 그물을 호수에서 잃어버렸던 게 생각났다. 그물이 가라앉아 있는 바로 그 지점에서 내가 카누를 뒤집었다는 게 신기하지 않은가? 그물이 거기 없었더라면, 하퍼는 가까운 호숫가로 헤엄쳐 갈 수 있었을지도 모른다.

하퍼의 몸에 엉켜 있는 그물을 떼어 내자 모여 있던 경찰들이 제러미를 도와 하퍼를 도크 위에 눕혔다. 제러미는 하퍼에게 심폐소생술을 시도했다. 긴급 구조대원들이 온 다음에도 멈추지 않았다.

더는 계속할 수 없는 상황이 될 때까지 제러미는 멈추지 않았다. 그때 하필이면 낡은 도크가 모서리에서부터 무너지기 시작했고, 제러미는 하퍼를 두 팔로 감싸 안은 채 가장자리에서 굴러떨어졌다. 도크 위의 세 명의 남자가 그들의 몸을 붙잡기 위해 팔을 뻗었지만 소용없었다.

나는 이 순간이 그를 망령처럼 따라다니지나 않을까 걱정되었다. 죽은 딸의 몸을 안아 들고 물속으로 빠지는 그 순간.

제러미는 하퍼를 팔에서 내려놓으려고 하지 않았다. 물속에서 발 디딜 곳을 찾은 제러미는 하퍼를 안고 호숫가로 걸어 나왔다. 모래밭에 이르러 쓰러지면서도 그 애를 놓지 않았다. 그 애의 젖은 머리에 얼굴을 묻고 속삭이는 것을 들었다.

"사랑해, 하퍼. 사랑해, 하퍼. 사랑해, 하퍼."

하퍼를 안고 끝없이 그 말을 되뇌고 있었다. 그의 애통해하는 모습을 보니 나도 마음이 아팠다. 나는 그에게 다가가 제러미와 하퍼를 함께 끌어안았다. "구하려고 했어." 내가 낮은 소리로 말했다. "하퍼를 구하려고 했어."

제러미는 하퍼를 안은 팔을 풀지 않았다. 마침내 구조대원들이 제러미의 팔에서 하퍼를 빼냈다. 제러미는 나와 크루를 그곳에 남겨 둔 채 구급차 뒤에 올라탔다.

내게 어떻게 된 일인지 묻지도 않았다. 구급차를 타고 가겠다는 말도 하지 않았다. 나를 쳐다보지도 않았다.

제러미의 그런 행동은 내가 예상했던 것과 달랐다. 하지만 지금 그는 충격을 받은 상태니까 그럴 수 있다. 이겨낼 것이다. 다만 시간이 필요한 것일 뿐.

20

변기를 붙잡고 구토를 했다. 챕터를 다 읽기도 전에 속이 메슥거리기 시작했었다. 내가 그곳에 있었던 것처럼 온몸이 떨렸다. 베러티가 자기 딸에게, 그리고 제러미에게 한 짓을 직접 목격한 느낌이었다.

변기를 잡은 팔에 이마를 얹고 어떻게 해야 할지 고민했다.

누군가에게 말을 해야 할까? 제러미에게? 아니면 경찰에 신고해야 하나?

경찰이 온다고 해도 베러티에게 뭘 할 수 있을까?

어딘가로 데려가 가둘지도 모르지. 정신병원 같은데. 그러면 제러미는 그녀로부터 자유로워질 테고.

거울 속에 비친 내 모습을 보며 양치질을 했다. 입안을 헹궈내고 똑바로 선 채 입가에 묻은 물기를 닦았다. 손으로 얼굴을 쓰다듬는데 상처가 눈에 들어왔다. 평생 이 상처를 의식하며 살아야 할 줄 알았는데 어느새 잊고 살고 있었다. 나와 어머니 사이에 있었던 일은 베러티와 그의 딸들에 비하면 아무것도 아니다.

우리의 일은 관계의 단절이었을 뿐이니까. 모녀의 연대감이 끊어졌던 것이라고 할까.

하지만 이건 살인이다.

가방을 뒤져 재낵스를 찾았다. 알약을 쥐고 주방으로 갔다. 작은 술잔을 꺼내 크라운 로열을 따랐다. 넘치도록 가득. 잔을 들어 마시려는데 에이프릴이 모퉁이를 돌아 주방으로 들어왔다. 그녀는 멈칫 서더니 나를 빤히 바라보았다. 나도 지지 않고 그녀와 눈을 맞춘 채 알약을 입에 넣고 단숨에 위스키와 함께 넘겼다.

방으로 돌아와 문을 잠그고 창에 블라인드를 쳐서 햇빛을 차단했다. 그리고 눈을 감고 이불을 머리끝까지 덮은 채 어떻게 하면 좋을지 생각했다.

*

얼마쯤 지났을 때 몸에 따듯한 온기가 닿는 걸 느끼며 잠에서 깼다. 입술에 닿는 감촉. 눈을 떴다.

제러미였다.

그가 몸을 낮게 포개오자 나는 그의 입가에 대고 깊은숨을 내쉬었다. 입술이 닿는 포근한 느낌이 좋았다. 내가 지금 느끼는 이 모든 슬픔의 조각들이 모두 그를 향한 것임을 그는 알지 못한다. 자기가 얼마나 슬픈 상황에 놓여 있는지를 모르고 있으니까.

나는 그와 나 사이를 가르고 있는 이불을 옆으로 치웠다. 제러미는 키스하면서 몸을 굴려 내 옆에 눕더니 나를 끌어안았다.

"오후 두 신데, 당신 괜찮은 거요?"

"괜찮아요." 거짓말이다. "그냥 좀 피곤해서 그래요."

"나도 그렇소." 제러미는 손가락으로 내 팔을 쓸어내리더니 손을 잡았다.

"어떻게 들어왔어요?" 내가 문을 안으로 잠갔던 게 생각나서 물었다.

"창문으로. 에이프릴이 베러티를 데리고 병원에 갔소. 크루는 학교에서 돌아오려면 아직 한 시간 정도가 남았고."

그 말을 듣는데 내 안에 남아 있던 긴장감이 스르르 빠져나가는 것 같았다. 베러티가 집에 없다는 사실 하나로 내 마음은 즉시 평안을 찾았다.

제러미는 내 가슴에 머리를 대고 내 발을 보며 손가락으로 팬티 라인을 더듬었다. "바깥쪽 자물쇠를 살펴봤더니 문을 세게 닫으면 저절로 잠길 수도 있겠더라고."

말이 안되는 얘기라고 생각이 들었지만, 나는 그 말에 대꾸하지 않았다. 그렇게 믿어도 될지 확신할 수 없었다. 물론 그럴 가능성도 없지는 않겠지만, 베러티가 잠갔을 가능성이 훨씬 더 큰 것 같았다.

제러미는 내가 입고 있는 그의 셔츠를 들추고 가슴 사이에 키스하며 말했다. "당신이 내 셔츠를 입는 게 좋아."

나는 손가락으로 그의 머리를 쓸어 넘기며 미소를 지었다. "셔츠에서 당신 냄새가 나서 좋아요."

제러미가 웃었다. "어떤 냄새가 나는데?"

"페트리코어."

"그게 어떤 냄새인지 모르는데." 제러미는 입술로 내 배를 훑으며 웅얼거리듯 말했다.

"따듯한 날, 비가 내린 후에 땅에서 풍겨오는 냄새 말이에요. 비 냄새라고도 하죠."

"그런 냄새를 지칭하는 단어가 있는 줄은 몰랐네." 제러미가 내 얼굴을 향해 다가와 입술을 포개며 말했다.

"모든 것에는 그것을 가리키는 단어가 있어요."

제러미는 짧게 키스하고 몸을 일으키더니 눈썹을 모으고 생각에 잠기는 듯한 표정으로 물었다. "지금 내가 하고 있는 행동을 지칭하는 말도 있을까?"

"아마도요. 무슨 행동을 말하는데요?"

제러미는 내 턱선을 따라 손가락을 움직이며 말했다. "이러는 것 말이요. 안 되는 줄 알면서 한 여자를 사랑하게 되는 것."

순간 가슴이 철렁 내려앉는 것 같았다. 제러미가 그런 자신의 감정에 대해 죄책감을 느낀다는 게 싫었다. 물론 이해는 한다. 그는 지금 부부의 침대에 다른 여자와 누워있으니까. 결혼생활이 어떻게 흘러가든, 아내가 어떤 사람이든, 그걸 정당화할 수는 없을 것이다.

"죄책감을 느끼나요?" 내가 물었다.

"그렇소." 그러고는 잠시 나를 바라보았다. "그렇지만 죄책감 때문에 당신을 사랑하는 걸 멈추고 싶지는 않아." 제러미는 베개에 머리를 얹고 내 옆에 누웠다.

"그렇지만 멈추게 될 거예요." 내가 말했다. "나는 이제 맨해튼으로 돌아가야 하니까요. 당신은 결혼한 남자고요."

제러미는 뭔가 차마 말로 하지 못하는 생각을 감추고 있는 듯한 눈빛으로 나를 바라보았다. 그렇게 한동안 말없이 서로를 바라보았다. 그러다가 제러미가 다시 한번 키스하고는 말했다. "어젯밤 주방에서 당신이 했던 말을 생각해 봤소."

나는 조금 두려운 마음으로 아무 말 없이 그가 말하기를 기다렸다. 무슨 말을 하려는 걸까? 내가 했던 말 전부에 대해서? 그의 인생도 베러티의 인생 못지않게 소중하다는 내 말에 동의한다고 말하려고?

"월요일부터 시작해서 주중에만 베러티를 맡길 만한 요양 시설에 연락했소. 주말에는 집에 와서 지내게 하고 말이오." 제러미는 이렇게 말하고 내 반응을 살폈다.

"그게 세 사람을 위해 최선이라고 생각해요."

마치 벌써 그렇게 되기라도 한 것처럼 침울함이 일시에 가시는 느낌이 들었다. 제러미에게서도, 이 집에서도. 창문을 통해 바람이 불어왔다. 집안은 조용하고, 제러미도 편안해 보였다. 바로 그 순간, 나는 베러티의 원고와 그것을 읽고 알게 된 사실들에 대해 어떻게 할 것인지 결정했다.

나는 아무것도 하지 않을 것이다.

베러티가 하퍼를 죽였다는 사실을 증명해 낸다고 해서 제러미가 더 편안해지지는 않는다. 오히려 더 비참해질 수 있다. 너무 많은 상처를 끄집어내는 것이며, 아직 아물지 않은 상처를 더 깊이 헤집는 결과가 될 것이다.

베러티라는 여자가 주변 사람들에게 위험 요인인가에 대해서는 확신할 수 없지만, 그건 시간이 지나면서 확인할 방법이 있을 것이다. 제러미가 보안 장치를 조금 강화할 필요는 있을 것 같다. 베러티의 방에 보안카메라를 설치하거나 그녀가 집에 와 있는 주말에는 동작 인식 센서를 연결하거나. 베러티가 정말 자신의 상태를 속이고 있는 거라면 제러미가 알아낼 것이다. 만일 정말 그런 거라면 제러미는 크루가 다시는 베러티 가까이에 있지 못 하게 할 것이다.

게다가 이제 요양 시설로 가면 더 철저하게 모니터를 받게 될 것이 아닌가.

그러니 이제 모든 것이 안전하다.

"당신이 일주일만 더 있으면 어떨까?" 제러미가 물었다.

다음 날 아침이면 이 집을 떠난다고 생각하고 있었는데, 베러티가 요양 시설로 가게 되었다지 않은가. 에이프릴과 베러티가 없는 이 집에서 일주일 동안 제러미와 함께 지내는 생각만으로도 설레기 시작했다.

"알았어요."

제러미가 눈썹을 치켜올리며 말했다. "좋다는 뜻이겠지."

"좋아요." 내가 미소를 지으며 대답했다.

제러미는 내 배에 먼저 입을 맞추고 입술에 다시 키스하며 내 위로 몸을 포갰다. 셔츠를 벗지 않은 채 오랫동안 사랑을 나눴다. 둘 다 아무 말도 하지 않았다. 방문이 저절로 잠긴 의문의 사건에 대해서도 더이상은 서로 한 마디도 주고받지 않았다.

모든 게 끝나고 내가 편안하게 눕자, 제러미는 마지막으로 한 번 더 내게 키스를 했다.

"식구들이 집에 오기 전에 이 방에서 나가야 해."

나는 그가 옷 입는 모습을 지켜보며 미소를 지었다. 그는 내 이마에 키스하고 침대에서 일어나 창문을 통해 밖으로 나갔다.

그가 방문을 이용하지 않고 굳이 창문으로 나간 것이 재밌어서 나는 소리 내 웃었다.

나는 베개로 얼굴을 덮고 계속 웃었다. 내가 왜 이러지? 이 집에 들어와 내가 미쳐 가는지도 모르겠다. 당장에라도 이 집에서 나가고 싶은 마음이었다가, 영영 떠나고 싶지 않은 마음이었다가 하니 말이다.

베러티의 원고가 나를 이렇게 만든 게 분명하다. 만난 지 2주밖에 안 된 남자를 사랑하게 되다니. 그 감정은 현실 속에서 자라기도 했지만, 더 많은 부분은 베러티의 원고를 읽으면서 깊어졌다. 베러티의 원고를 읽으면서 제러미를 더 깊이 이해하게 되었고, 그가 좀 더 나은 삶을 살 자격이 있는 사람이라는 생각을 갖게 되었다. 베러티가 주지 못한 것을 그에게 주고 싶어진 것이다.

그는 자신의 자식을 세상 그 무엇보다 사랑해줄 여자와 함께 할 자격이 충분한 사람이었다.

나는 베고 있던 베개를 엉덩이 아래쪽으로 받쳤다. 그가 내 안에 남긴 그 모든 것을 온전히 받아들이고 싶었다.

21

다시 깜박 잠이 들었다가 꿈에 크루를 보았다. 많이 자라서 열여섯 살 정도였다. 꿈속에서는 아무 일도 일어나지 않았다. 아니면 있었는데 기억이 나지 않는 것이거나. 다만 그 애의 눈을 들여다볼 때의 느낌만이 생생하게 남아 있다. 사탄을 보는 듯한 섬뜩함. 베러티로 인해 겪어야 했던 모든 일과 목격했던 모든 일이 그 애의 영혼에 그대로 배어 있는 것 같았다. 그런 채로 어린 시절을 보내야 했던 아이.

그러다 깨어나 몇 시간이 지난 지금까지도 나는 베러티의 원고에 대해 침묵하고 있는 것이 크루를 위해 옳은 일인지 갈피를 잡지 못하고 있다. 자기 누나가 물에 빠져 죽는 것을 보았고, 엄마가 적극적으로 누나를 구하려 하지 않는 것을 목격했다. 아직은 크루가 어리지만, 그 애의 기억은 지워지지 않고 계속 남아 있을 것이다. 엄마가 의도적으로 카누를 뒤집기 전에 자기에게 숨을 참으라고 했던 기억까지도 말이다.

에이프릴은 한 시간 전에 퇴근했고, 나는 크루와 둘이 주방에 있다. 제러미는 이 층에서 베러티의 잠자리를 봐주고 있다. 주방 식탁에 앉아서 리즈크래커에 땅콩버터를 발라 먹으며, 크루가 아이패드를 가지고 노는 것을 구경하는 중이다.

"무슨 게임인데?" 내가 물었다.

"토이 블라스트."

그래도 '폴 아웃'이나 '그랜드 테프트 오토' 같은 게임을 하는 게 아니어서 다행이다. 그렇다면 아직 걱정할 단계는 아니다.

크루는 고개를 들고 내가 크래커 먹는 모습을 힐끗 보더니, 아이패드를 내려놓고 식탁 위로 엎드리며 말했다. "나도 먹을래요."

크루가 식탁 위를 기어서 땅콩버터를 집으러 오는 모습을 보니 웃음이 나왔다. 내가 버터나이프를 건네주자 크루는 땅콩버터를 듬뿍 떠서 크래커에 발라 한 입 베어 물며 무릎을 꿇고 앉았다. 그러고는 눈을 반짝거리며 말했다. "음, 맛있어."

크루가 버터나이프에 묻은 땅콩버터를 핥아먹었다. 나는 코를 찡그리며 말했다. "그건 좀 보기 흉한데. 칼을 핥으면 안 되지."

크루가 재미있다는 듯 키득거렸다.

나는 다시 의자에 기대앉아 크루를 지켜보았다. 그 애가 겪었던 일들을 생각하면 그래도 바르게 잘 자랐다는 생각이 들었다. 투정을 부리지도 않고 조용하면서도 소소한 일들에서 유머를 발견할 줄 안다. 이 집에 오던 날 처음 만났을 때 받았던 인상과는 달리 버릇없는 아이도 아니다.

크루를 보며 미소를 지었다. 그 애가 가진 천진무구함에 격려를 보내주고 싶었다. 그러면서 크루가 그날을 기억하고 있는지 궁금해졌다. 크루가 무엇을 얼마나 기억하고 있는가에 따라 어떤 식의 치유 프로그램이 좋은지 판단할 수 있지 않을까. 제러미는 베러티가 크루에게 어떤 기억을 심어주었는지 모르고 있으며, 베러티의 원고를 읽은 건 나뿐이다. 그러니까 크루가 받았을 정신적 손상이 제러미가 생각하는 것보다 심하다면, 나는 그걸 제러미에게 알려줄 책임이 있다.

"크루, 뭐 하나 물어봐도 될까?"

크루가 고개를 크게 끄덕거렸다. "그럼요."

크루의 마음을 되도록 편안하게 해 주기 위해 환하게 웃어 보이며 물었다. "너희 집에 카누 있었지?"

크루는 버터나이프로 땅콩버터를 퍼먹다 말고 잠시 멈칫거리더니 대답했다. "네."

나는 혹시라도 내 질문이 크루에게 부담을 주는지 알아내기 위해 그 애의 표정을 살폈지만, 아무런 변화도 보이지 않았다. "카누 타본 적 있어? 타고 호수로 나가본 적 있어?"

"네."

크루가 또다시 버터나이프를 빨았다. 크루가 내 질문에 동요하지 않아서 안심이 되었다. 그날의 기억을 잊었는지도 모른다. 이제 다섯 살이니까. 사건을 기억하는 방식이 어른과는 다르겠지. "카누 탔을 때 기억하니? 엄마하고 하퍼도 같이?"

이번에는 크루가 고개를 끄덕이거나 '네'라고 대답하지 않고 나를 빤히 바라만 보았다. 나는 크루가 내 질문에 겁을 먹은 건지, 기억이 나지 않아서 그러는지 알 수가 없었다. 크루는 내게서 시선을 돌려 식탁을 내려다보았다. 그러고는 나이프를 병에 꽂아 땅콩버터를 뜨더니 입으로 가져갔다.

"크루," 나는 크루 쪽으로 몸을 기울여 그 애의 무릎에 손을 얹고 물었다. "카누가 왜 뒤집힌 거야?"

크루가 눈을 깜박이더니 다시 나와 눈을 맞췄다. 그러고는 나이프를 입에서 빼고 말했다. "엄마가 하퍼에 대해 아줌마가 물으면 대답하지 말라고 했어요."

순간 얼굴에 핏기가 가시는 것 같았다. 크루는 말을 마치고 다시 나이프를 입으로 가져가 남아 있는 땅콩버터를 빨아 먹었다. 나도 모르게 식탁 끝을 잡은 손에 힘을 줬다. 손마디가 하얗게 질릴 정도로. "엄마가 너에게 말을 했다고?"

크루는 아무 대답도 하지 않고 나를 빤히 바라보더니 방금 한 말을 주워 담고 싶은 눈빛으로 고개를 저었다. 말하지 말았어야 했다는 생각을 뒤늦게 하는 것 같았다.

"크루, 엄마가 말을 못 하는 척하는 거야?"

크루가 버터나이프를 입에 문 채로 이를 악물었다. 나이프가 이빨 사이로 들어가며 잇몸을 베는 것이 보였다.

앞니 사이로 피가 흐르기 시작하더니 입술 위로 흘러내렸다. 나는 의자가 쓰러지도록 뒤로 밀치며 일어나 버터나이프를 잡고 크루의 입에서 빼냈다.

"제러미!"

나는 손으로 크루의 입을 막고 근처에 수건이 있는지 살폈다. 피를 막을 만한 게 보이지 않았다. 크루는 잔뜩 겁먹은 눈으로 울지도 못하고 있었다.

"제러미!" 거의 비명처럼 소리를 질렀다. 크루의 상황이 다급하기도 했고, 내가 겁을 먹어서이기도 했다.

제러미가 왔다. 크루의 고개를 뒤고 젖히고 입 안을 살피며 물었다. "어떻게 된 거요?"

"크루가……." 차마 말이 나오지 않았다. 나는 숨을 헐떡이다 겨우 한마디 했다. "칼을 물었어요."

"봉합을 해야 할 것 같아." 제러미가 크루를 안으며 말했다. "내 자동차 열쇠 좀 갖다줘요. 거실에 있소."

나는 거실로 달려가 탁자에서 제러미의 열쇠를 집어 들고 차고로 가는 제러미를 따라갔다. 크루는 이제야 통증이 느껴지는지 눈물을 흘리고 있었다. 제러미가 뒷문을 열고 크루를 보조 의자에 앉혔다. 앞문을 열고 올라타려는데 제러미가 나를 불렀다.

"로웬," 제러미가 뒷문을 닫으며 말했다. "베러티 혼자 집에 두고 갈 수 없소. 당신이 좀 있어 줘야 할 것 같은데."

심장이 철렁 내려앉는 것 같았다. 하지만 싫다고 할 틈도 없이 제러미의 손에 이끌려 차에서 내려야 했다. "의사를 만나고 나면 전화를 해 주겠소." 제러미는 내 손에 들린 열쇠를 집었다. 나는 얼어붙은 듯 그 자리에 선 채로 제러미가 차를 후진해서 차고를 빠져나가는 것을 지켜보았다. 잠시 후 차는 이미 진입로를 벗어나 있었다.

내 손을 내려다보았다. 온통 크루의 피로 범벅이 되어있었다.

더 이상 이 집에 있고 싶지 않아. 여기 있고 싶지 않아. 지금 당장 이 일을 그만두고 싶어.

하지만 시간이 지나면서 지금 중요한 건 내가 뭘 원하는지가 아니라는 생각이 들었다. 나는 지금 이 집에 있고, 이 집에는 베러티가 있다. 그녀의 방문이 잠겨 있는지 확인해야 한다. 나는 서둘러 집으로 들어가 이 층으로 올라갔다. 베러티의 방문은 활짝 열려 있었다. 제러미가 황급히 아래층으로 내려가느라 열어놓았을 것이다.

베러티는 침대에 누워있었다. 이불은 몸을 반만 덮고 있었고, 다리 하나는 침대 밖으로 걸쳐 있었다. 베러티를 침대에 눕히다 말고 내 비명 소리를 들었던 것 같았다.

내가 상관할 일은 아니지.

나는 얼른 방문을 닫고 문을 잠갔다. 그런 다음 나의 안전을 위해 뭘 해야 하나 생각했다. 그러자 지하실에서 베이비 모니터를 본 생각이 났다. 서둘러 아래층으로 내려갔다. 지하실에는 정말 내려가고 싶지 않았지만, 휴대전화의 플래시를 켜고 용기를 내서 계단을 내려갔다. 제러미와 함께 내려왔을 때 지하실을 꼼꼼히 둘러본 건 아니지만, 그때 쌓여 있던 상자들 중 일부는 뚜껑이 닫혀 있었던 것 같았다.

그런데 불을 비춰보니, 대부분의 상자들이 그때 보았던 위치에서 옮겨진 듯했고, 뚜껑이 모두 열려 있었다. 누군가 상자들을 뒤진 것만 같았다. 그게 베러티였을지도 모른다고 생각하니 마음이 다급해졌다. 이 어두운 지하실에 갇혀 있지 않으려면 베이비 모니터를 빨리 찾아야 한다는 생각이 들었다. 지난번에 모니터를 보았다고 생각되는 위치로 가 보았다. 기억이 맞는다면, 뚜껑이 닫혀 있던 상자들이 쌓여 있었고, 가장 위에 열려 있던 상자에 베이비 모니터의 안테나가 삐죽 튀어나와 있었다.

그런데 보이지 않았다.

지하실에 더 있는 것이 무서워 막 포기하고 나가려던 차에 몇 발짝 떨어진 곳 바닥에서 그 상자를 발견했다. 나는 얼른 모니터와 카메라를 집어 들고 계단을 올라왔다. 계단을 오르는 동안 공포감이 무겁게 가슴을 조여 왔다. 문을 열고 지하실을 벗어나고 나서야 비로소 마음이 가라앉았다.

먼지가 뽀얗게 앉은 모니터와 카메라를 감싸고 있던 줄을 풀어서 베러티의 서재 컴퓨터 옆에 있는 전기 코드 구멍에 꽂았다. 서둘러 이 층으로 올라가다 말고 멈췄다. 그리고 다시 내려와 주방으로 가서 칼을 하나 집었다.

다시 이 층으로 올라가서는 한 손에 칼을 든 채 베러티의 방문을 열었다. 베러티는 조금 전의 자세 그대로였다. 다리 하나는 여전히 침대 밖으로 늘어져 있었고 눈은 감은 상태였다. 나는 등을 벽에 붙인 채로 걸음을 옮겨 서랍장으로 간 다음 카메라를 서랍장 위에 몰래 놓고선 침대가 보이도록 방향을 잡았다.

방에서 나오려다 잠시 망설였다. 그러고는 칼을 든 채 침대로 다가가 단숨에 베러티의 늘어져 있는 다리를 들어 침대 위로 던지듯 올려놓았다. 그리고 나서 이불을 덮어준 다음 문을 닫고 나왔다.

드디어 문을 잠갔다.

젠장, 빌어먹을!

다시 주방으로 돌아왔을 때는 어느새 숨을 헐떡이고 있었다. 손에 말라붙은 피를 닦았다. 그리고 식탁과 바닥에 떨어진 피도 닦았다.

서재로 가서 컴퓨터 앞에 앉았다.

베러티가 움직임을 보일 것에 대비해서 휴대전화 카메라를 동영상 모드로 맞춰놓았다. 만약 베러티가 움직인다면, 동영상으로 찍어서 제러미에게 보여줘야 한다.

베러티의 동정을 살피며 기다렸다.

한 시간 정도. 제러미의 전화를 기다리면서 베러티의 거짓말이 드러나는 순간을 기다렸다. 기다리는 것 외에는 서재 밖으로 나갈 수도,

뭔가를 할 수도 없었다. 너무 무서웠다. 나도 모르게 손끝으로 계속 책상을 두드리다 보니 손끝이 얼얼했다.

삼십 분쯤 더 지나자 내가 또 자신을 의심의 구렁텅이로 몰아넣었다는 생각이 들었다. 베러티가 움직일 수 있는 상태라면, 지금쯤은 움직였어야 하지 않는가. 한 번도 눈을 뜨지 않았으니 내가 카메라를 설치하는 것을 보지 못했을 것이며, 그것이 거기 있는 줄도 모를 텐데 말이다.

내가 계단을 내려오는 동안 눈을 떴다면 모를까. 만약 그랬다면 카메라를 봤을 것이고, 내가 자기를 지켜보고 있다는 걸 알고 있을 것이다.

고개를 저었다. 이러다간 정말 미쳐 버릴 것 같다.

이제 한 챕터만 더 읽으면 끝난다. 이 집에서 일주일 더 있으려면 원고를 마저 읽고 어떤 식으로든 마음을 정리해야 한다. 베러티가 나를 해칠지 모른다는 두려움과 내가 미쳐가고 있다는 자괴감 사이를 하루에도 몇 번씩 왔다 갔다 하며 지낼 수는 없으니까. 원고의 마지막 뭉치를 집어 들고 의자를 화면을 향해 돌려놓았다. 그리고 베러티를 지켜보면서 원고를 읽기 시작했다.

그대로 이루어지기를
15장

하퍼가 죽은 지 불과 이삼일밖에 지나지 않았는데 내 삶은 지금까지 살아온 세월을 통틀어 겪은 변화보다 더 많은 것이 달라졌다.

경찰의 조사에 응해야 했다. 두 번이나. 내가 하는 말에 허점이 없는지 확인해야 했을 테니 이해할 수 있다. 그게 그들의 임무니까. 대부분 단순한 질문들이어서 쉽게 대답할 수 있었다.

"어떻게 된 건지 설명해주실 수 있습니까?"

"하퍼가 카누의 한쪽 옆으로 기댔어요. 그 바람에 카누가 뒤집혔죠. 우리 모두 물속으로 가라앉았는데, 하퍼는 다시 떠오르지 않았어요. 찾으려고 했었는데 곧 숨이 차서 더 이상 떠 있을 수가 없었고, 크루를 안전한 곳으로 데려가야 했기 때문에."

"왜 아이들이 구명조끼를 입고 있지 않았던 건가요?"

"얕은 곳에 떠 있다고 생각했어요. 처음에는 도크 근처에 있었거든요. 그런데 나중에 보니……. 멀어져 있더라고요."

"남편은 어디 계셨죠?"

"식료품 상점에 갔었어요. 가면서 제게 아이들을 데리고 물가에 가서 놀라고 했죠."

나는 그들의 질문에 답을 하면서 이따금 훌쩍이기도 하고, 몸을 구부리기도 했다. 마치 충격을 받아 몸에 이상이 오는 것처럼. 내가 연기를 너무 잘하는 바람에 그들은 더는 질문을 하기가 미안해진 것 같았다.

제러미에게도 똑같이 하면 될 줄 알았다.

하지만 그는 수사관들보다 더 지독했다.

하퍼가 죽고 나서 제러미는 크루를 한 시도 그의 시야에서 벗어나지 못 하게 했다. 안방 침실에서 셋이 함께 잤다. 크루를 가운데 두고……. 제러미와 나 사이에는 아직 아이 하나가 가로놓여 있었던 것이다. 하지만 오늘은 달랐다. 내가 제러미에게 오늘 밤엔 나를 안아달라고 했고, 제러미는 크루를 그의 반대편에 눕히고 자기가 가운데 누웠다. 나는 삼십 분 정도 그에게 안겨 있었다. 그대로 잠들 수 있기를 바랐지만 제러미는 내게 한도 끝도 없이 질문을 했다.

"왜 아이들을 데리고 카누를 탄 거지?"

"아이들이 타고 싶어 했거든." 내가 대답했다.

"구명조끼는 왜 안 입혔는데?"

"호숫가에 가까이 있을 거였기 때문에."

"하퍼가 마지막으로 했던 말은 뭐였지?"

"기억이 안 나."

"크루를 데리고 호숫가까지 왔을 때 하퍼는 물 위에 있었나?"

"아니, 그런 것 같지 않아."

"카누가 뒤집히는 걸 미리 알았어?"

"아니. 한순간에 일어난 일이야."

제러미가 잠시 질문하기를 멈췄다. 하지만 잠을 청하는 건 아니었다. 몇 분 정도 침묵하다가 혼잣말처럼 중얼거렸다. "이해가 되질 않아."

"뭐가 이해되지 않는데?"

제러미가 내게서 떨어져 뒤로 조금 물러났다. 눈을 맞추려는 것 같아서 고개를 들었다.

그가 손가락 등으로 내 볼을 쓰다듬으며 물었다. "왜 크루에게 숨을 참으라고 했지, 베러티?"

그 순간, 나는 모든 게 끝났다는 걸 알았다.

그 순간, 그도 모든 게 끝났다는 걸 알았다.

자기 아내를 잘 알고 있다고 믿었던 남자……. 제러미는 그때 처음으로 내 눈빛에서 진실을 보고 만 것 같았다. 그리고 나도 그 순간 알았다. 내가 아무리 발버둥을 쳐도 제러미가 크루의 말 대신 나를 믿는 일은 없을 것이라는 사실을. 제러미는 그런 사람이 아니다. 그는 아내보다 자식을 소중히 여기는 사람이었으며, 내 입장에서는 그것이 그의 유일한 단점이었으니까.

그래도 나는 포기하지 않았다. 하지만 눈물이 볼을 타고 흘러내리고 목소리가 저절로 덜덜 떨려서 그의 신뢰를 내 쪽으로 기울이는 게 거의 불가능했다. "카누가 뒤집힐 때 그렇게 말했던 거야. 뒤집히기 전에 했던 게 아니고."

제러미는 한동안 말없이 나를 바라보더니 나를 안았던 팔을 풀고 내게서 멀어졌다. 그것이 마지막이라는 걸 알 것 같았다. 그러고는 돌아누워 크루를 두 팔로 감쌌다. 마치 그 자신이 크루의 갑옷이라도 되려는 것처럼.

크루의 수호신. 나로부터 크루를 지키려는.

나는 아무런 반응도 보이지 않고 자는 듯 누워있었다. 하지만 사실은 소리 없이 울고 있었다. 눈물이 그치지 않아서 결국 나는 서재로 가서 문을 닫고 울었다. 내 울음소리가 제러미에게 들리지 않도록. 그런 다음 원고 파일을 열고 타이핑을 시작했다.

이제 더 이상 할 말이 남아 있는 것 같지 않다. 꿈꿀 수 있는 미래의 이야기도, 만회할 수 있는 과거의 이야기도 떠오르지 않는다.

이제 이야기를 끝내야 하나?

앞으로 어떤 일이 닥칠지 알 수가 없다. 채스틴의 죽음은 예측할 수 있었지만, 내 삶이 어떻게 끝날 것인지는 예측할 수가 없다.

제러미의 손에 끝을 맺게 될까? 아니면 내 손으로?

어쩌면 끝나지 않을지도 모른다. 내일 아침에 눈을 뜨면 내 옆에 제러미가 자고 있을지도. 그의 기억 속엔 좋았던 기억들만 가득할지도 모른다. 내가 입으로 정성껏 애무해주던 희열의 순간들, 기꺼이 그의 것을 마시던 나의 모습. 어쩌면 제러미도 크루와 셋이서 맞이하게 될 많고 많은 즐거운 날들을 떠올릴지도 모른다.

아니면 반대로…… 하퍼의 죽음이 사고가 아니라고 확신하고 잠에서 깰 수도 있다. 그리고는 경찰에 나를 신고하겠지. 하퍼에게 한 짓에 대한 벌로 내가 고통받는 걸 보고 싶어 할 수도 있을 것이다.

만약 그것이 당신의 뜻이라면…… 그대로 이루어지기를.

나는 차라리 차로 나무를 들이받고 끝내리.

끝.

22

원고의 끝부분을 읽고 여운을 정리할 겨를도 없이 제러미의 지프가 차고에 들어오는 소리가 들렸다. 나는 읽던 원고를 나머지 뭉치와 합해서 가지런히 정리해 놓고 모니터를 확인했다. 베러티는 여전히 그대로였다.

제러미도 하퍼의 죽음에 대해 베러티를 의심했단 말인가?

마지막 챕터를 읽느라 잔뜩 긴장했던 근육을 풀기 위해 목덜미를 주물렀다. 그러면서 어떻게 지금까지 베러티를 돌볼 수 있었을까? 앞으로도 평생 동안 목욕을 시키고, 옷을 갈아입히면서? 결혼 서약을 지켜야 한다는 책임감 때문일까?

정말 하퍼를 죽였다고 생각했다면 어떻게 그녀와 한집에서 살 수 있었단 말인가?

차고 문 열리는 소리가 들려서 복도로 나갔다. 제러미는 크루를 안고 계단을 오르려는 참이었다.

"여섯 바늘 꿰맸소." 제러미가 나지막이 말했다. "진통제를 세게 처방해 주어서 밤새 정신없이 잘 거요." 제러미는 크루를 침대에 눕히기 위해 이 층으로 올라갔다. 그러고는 베러티의 방에 가보지 않고 바로 아래층으로 내려왔다.

"커피 마실래요?" 내가 물었다.

"한 잔 주시오."

제러미는 나를 따라 주방으로 들어오더니 내가 커피를 만드는 동안 뒤에서 나를 안았다. 그러고는 뒤통수에 입을 맞추며 한숨을 쉬었다. 나는 고개를 뒤로 젖혀 그에게 기댔다. 물어보고 싶은 게 너무 많았다. 그렇지만 어디서부터 시작해야 할지 몰라 아무 말도 할 수가 없었다.

커피가 내려오는 동안 나는 돌아서서 두 팔로 그를 안았다. 잠시 그렇게 주방에서 서로를 안고 있었다. 그러다가 제러미가 팔을 내리며 말했다. "샤워를 좀 해야겠소. 온몸에 피가 말라붙어 있어."

그제야 그의 팔에 말라붙은 핏방울, 셔츠에 묻은 얼룩이 눈에 들어왔다. 피를 뒤집어쓴 채 마주하는 게 우리의 운명인 걸까? 내가 미신을 믿지 않아서 다행이라는 생각이 들었다.

"서재에 있을게요."

키스를 나누고 제러미는 위층으로 올라갔다. 나는 커피 한잔이 다 내려올 때까지 기다렸다. 나의 궁금증을 어디서부터 어떻게 풀어가야 할지는 모르겠다. 하지만 마지막 챕터를 읽고 난 지금, 제러미에게 묻고 싶은 것들이 너무 많았다. 아주 긴 밤이 될 것 같았다.

커피를 들고 서재로 돌아왔다. 그리고 바닥에 그대로 쏟았다. 컵이 산산조각이 났다. 뜨거운 커피가 다리에 튀고, 발가락 사이로 흘러내렸다. 나는 조금도 움직일 수가 없었다.

모니터에 시선을 고정한 채 그 자리에 얼어붙은 듯 서 있었다.

베러티가 바닥에 내려와 있었던 것이다.

두 손과 무릎으로 바닥을 짚고서.

나는 허둥지둥 전화기를 찾으면서 제러미를 불렀다!

"제러미!"

베러티가 고개를 옆으로 돌렸다. 내가 소리 지르는 걸 들은 것 같았다. 떨리는 손으로 전화기의 카메라를 켜는데 베러티가 침대로 기어올라갔다. 그리고 평상시의 자세로 돌아갔다. 그리고 모든 움직임을 멈췄다.

"제러미!" 나는 전화기를 떨어뜨리며 다시 한번 소리쳤다. 주방으로 달려가 칼을 집어 들고 계단을 뛰어올라 베러티의 방으로 갔다. 자물쇠를 열고 방문을 열어젖혔다.

"일어나!" 내가 소리를 질렀다.

베러티는 움직이지 않았다. 움찔거리지도 않았다.

베러티가 덮고 있는 이불을 제쳤다. "일어나, 베러티. 내가 다 봤어." 나는 분노에 차서 그녀의 침대 위로 몸을 구부리며 말했다. "이번엔 빠져나가지 못할 거야."

제러미에게 베러티의 실체를 보여주어야 했다. 그녀가 제러미를 해치기 전에. 크루를 해치기 전에. 나는 베러티의 발목을 잡고 잡아당겼다. 침대에서 반쯤 끌어 내렸을 때 누군가 내게서 베러티를 떨어뜨려 놓았다. 그런 다음 나를 돌려세우더니 번쩍 들어 문밖으로 데려다 세워놓았다.

"로웬, 지금 뭐 하고 있는 거요?" 제러미의 표정과 음성이 분노로 가득했다.

나는 그의 가슴에 손을 얹고 다가섰다. 제러미는 내 손에서 칼을 뺏고 어깨를 잡으며 말했다. "그만하라고."

"베러티가 속이고 있는 거예요. 내가 봤어요. 정말이에요. 거짓으로 꾸미는 거라고요."

제러미는 베러티의 방으로 들어가더니 내 앞에서 문을 닫았다. 내가 문을 열었을 때 제러미는 베러티의 다리를 들어 침대 위로 올려주고 있었다. 내가 다시 방에 들어서는 것을 보자, 제러미는 베러티에게 시트를 덮어주고 나를 끌고 복도로 나왔다. 그런 다음 베러티의 방문을 잠그고 내 손목을 잡아끌며 계단으로 향했다.

"제러미, 안 돼요." 내 손목을 잡고 있는 그의 손을 잡으며 사정하듯 말했다. "크루를 이 층에 베러티와 함께 두지 말아요."

내가 아무리 호소해도 제러미는 내 말을 듣고 있지 않았다. 자기가 알고 있다고 생각하는 것만 보고 있었다. 자기가 선택한 삶이 전부라고 믿고 있었다. 계단에 다다랐을 때 나는 뒷걸음질을 쳤다. 고개를 저으며 내려가기를 거부했다. 크루도 데리고 내려가야 한다. 제러미는 나를 번쩍 들어 어깨에 둘러메고 계단을 내려가 내 방으로 갔다. 그렇게 화가 나 있으면서도 나를 침대에 내려놓을 때는 조심스러웠다.

제러미는 벽장으로 가서 내 여행 가방과 짐들을 꺼냈다. "당신이 떠나는 게 좋겠소."

나는 침대에서 일어나 제러미가 내 가방에 짐을 담는 모습을 보며 말했다. "나를 믿어야 해요."

하지만 그는 나를 믿지 않았다.

"염병. 빌어먹을. 제발 나를 믿어 달라고요!" 내가 위층을 가리키며 소리쳤다. "베러티는 정신병자예요! 당신을 만나던 날부터 지금까지 모든 것이 거짓말이었단 말이에요!"

지금까지 누군가에게서 그렇게 강력한 불신과 증오가 쏟아져 나오는 걸 본 적이 없었다. 나를 쏘아보는 제러미의 그런 눈빛이 나를 질리게 했다. 뒷걸음질을 치며 그에게서 멀어졌다.

"베러티는 꾸미고 있는 게 아니야, 로웬." 제러미가 계단 쪽으로 손짓을 하며 말했다. "무력한 여자라고. 실질적으로 뇌사 상태란 말이오. 당신은 처음 여기 왔을 때부터 환각 증세를 보였어." 그러더니 고개를 저으며 또다시 내 가방에 내 옷들을 구겨 넣었다. "도저히 안 되겠어." 제러미가 혼잣말처럼 내뱉었다.

"그렇지 않아요. 당신도 그게 사실이 아니라는 걸 알고 있잖아요. 베러티가 하퍼를 죽인 거예요. 당신도 그렇게 알고 있고요. 의심하고 있었잖아요." 나는 문으로 달려가며 말했다. "증거를 보여주겠어요."

내가 베러티의 서재로 달려가는데 제러미가 따라왔다. 나는 원고 뭉치를 집어서 막 서재에 들어서는 제러미의 가슴팍에 안겼다. "읽어보라고요."

제러미는 원고 뭉치를 받아들고 한참 내려다보다가 나를 보며 물었다. "이걸 어디서 찾았소?"

"베러티가 쓴 거예요. 거기 다 쓰여 있어요. 당신을 처음 만났던 날부터 자동차 사고까지. 읽어보세요. 읽기 싫으면 마지막 두 챕터만이라도 상관없어요. 제발요, 그냥 읽어보세요." 나는 지쳐 있었고, 원고를 읽으라는 말 밖에 달리 할 말이 떠오르지 않았다. "제발요, 제러미. 당신의 딸들을 위해서."

제러미는 여전히 내 말을 한마디도 믿지 않는 얼굴로 나를 보고 있었다. 나를 믿지 않는 건 좋다. 하지만 원고를 읽기만 한다면, 그래서 그와 함께 사는 동안 베러티의 머릿속에 실제로 어떤 생각들이 펼쳐졌었는지 알게 된다면, 그가 경계해야 할 사람이 내가 아니라는 걸 깨닫게 될 것이다.

점점 두려워지고 있었다. 그를 잃을지 모른다는 두려움. 제러미는 내가 제정신이 아니라고 생각한다. 내가 자기 아내를 해치려 했다고 믿으며 나를 내보내려는 것이다. 이 집을 떠나서 다시는 자기 앞에 나타나지 않기를 바란다.

눈물이 볼을 타고 흘러내렸다. 눈알이 쓰렸다.

"제발," 나는 애원을 하고 있었다. "제발요. 당신은 진실을 알아야 해요."

23

제러미가 자기 방에서 원고를 읽는 동안 나는 침대에 앉아서 기다렸다. 다 읽으려면 시간이 걸리겠지. 집은 어느 때보다 적막했다. 마치 폭풍전야의 고요함처럼 불안했고 불길했다.

내 짐 가방을 내려다보면서 원고를 다 읽은 후에도 제러미는 내가 떠나길 바랄까 생각해 보았다. 이 집에 있으면서 나는 베러티의 원고를 감춰두고 몰래 읽으면서 제러미에게 말하지 않았다. 나의 그런 행동을 용서하지 않을지도 모른다.

베러티는 당연히 용서하지 않을 것이다.

뭔가 부딪치는 소리에 천장을 올려다보았다. 큰 소리는 아니었지만 제러미가 있는 방에서 나는 것 같았다. 방으로 올라간 지 얼마 되지 않았지만, 필요한 부분을 훑어보기에는 충분한 시간이었을 것이다. 그랬다면 이제 베러티가 자기가 생각하던 여자가 아니었다는 걸 알게 되었겠지. 작은 흐느낌 같은 소리가 들렸다. 낮고 조용했지만 제러미가 울고 있다는 걸 알 수 있었다.

　나는 침대에 모로 누워 베개를 껴안고 눈을 꼭 감았다. 한 페이지 한 페이지 넘기면서 잔인한 진실을 마주할 때마다 제러미가 얼마나 비통했을까 생각하니 나도 마음이 아팠다. 차라리 쓰지 않았더라면 좋았을 것을.

　발소리가 머리 바로 위에서 들렸다. 제러미가 이 방 저 방 돌아다니는 것 같았다. 원고를 다 읽을 만큼의 시간은 아니었지만 그의 마음을 알 것 같다. 내가 제러미였더라도 당연히 다른 부분은 제쳐두고 하퍼의 죽음과 관련된 부분부터 읽어보려고 했을 것이다.

　위에서 방문이 열리는 듯한 소리가 들렸다. 나는 서재로 가서 모니터를 들여다보았다.

　제러미가 베러티의 방에서 그녀를 내려다보고 있었다. 모니터 화면을 통해 두 사람이 다 보였다. "베러티."

　베러티는 응답하지 않았다. 자기가 위협요인이 될 수 있는 존재라는 걸 들키고 싶지 않을 테니까. 아니면, 의식이 있는 걸 알면 제러미가 자기를 경찰에 넘길까 봐 두려워서 일지도 모른다. 이유가 무엇이든 제러미는 자신의 의혹이 해결될 때까지 베러티의 방에서 나오지 않을 것 같았다.

　"베러티." 제러미가 침대로 한 걸음 다가서며 다시 불렀다. "대답하지 않으면 경찰을 부르겠소."

　베러티는 여전히 대답하지 않았다. 제러미는 베러티에게 다가가더니 허리를 굽히고 베러티의 한쪽 눈꺼풀을 벌렸다. 그리고 잠시 들여다보고는 돌아섰다. '내 말을 믿지 않는 거다.'

　문으로 향하던 제러미가 걸음을 멈췄다. 머릿속에 뭔가 스치는 것 같았다. 원고의 내용을 반추해 보는 것 같기도 하고. 그러더니 돌아서서 다시 베러티에게로 갔다. "나는 이 방을 나가서 당신의 원고를 경찰서에 가져갈 생각이오. 그렇게 되면 당신은 체포될 것이고 나와 크루를 두 번 다시는 보지 못하게 될 거야. 그렇게 되지 않으려면 지금 당장 눈을 뜨고 이 집안에 무슨 일이 일어나고 있는 건지 설명을 하는 게 좋아."

몇 초가 흘렀다. 나는 숨을 죽이고 베러티의 반응을 기다렸다. 베러티가 반응을 보여서 내가 거짓말을 하는 게 아니라는 걸 제러미가 알게 되기를 바라는 마음이었다.

하지만…… 막상 베러티가 눈을 뜨는 순간, 내 입에서는 탄식이 흘러나왔다. 그것이 곧 비명으로 변할 것 같아 얼른 손으로 내 입을 틀어막았다. 내가 소리를 지르면 크루가 깰 것이고, 그럼 그 애는 보지 않아도 될 상황을 또다시 목격하게 될 것이다.

제러미의 온몸에 힘이 들어가는 것 같았다. 두 손으로 자기 머리를 감싸 쥐고 뒷걸음질을 치면서 외쳤다. "도대체 이게 무슨 천벌 받을 짓이야, 베러티?"

베러티가 격렬하게 고개를 흔들었다. "그럴 수밖에 없었어, 제러미." 베러티가 침대에 일어나 앉으며 말했다. 제러미가 어떤 행동을 할지 몰라 방어 태세를 취하려는 것 같았다.

제러미는 여전히 믿을 수 없다는 듯, 분노와 배신과 혼란이 뒤섞인 얼굴로 더듬거렸다. "어떻게 그 긴 시간 동안…… 당신은……." 음성을 낮추려고 무진 애를 쓰고 있었지만, 분노가 머리끝까지 차올라 곧 폭발할 것만 같았다. 그리고 돌아서서 주먹으로 문을 내리치는 것으로 일말의 분노를 분출시켰다. 베러티가 몸을 움찔거렸다.

베러티는 두 손을 얼굴 높이로 올리며 말했다. "나를 해치지 말아줘. 내가 모든 걸 설명할게."

"당신을 해치지 말라고?" 제러미가 제자리에서 빙그르 돌더니 침대로 한발 다가서며 말했다. "당신은 우리의 딸을 죽였어. 베러티."

모니터를 통해서 듣고 있는 데도 그의 분노가 고스란히 느껴졌다. 바로 앞에서 듣는 베러티는 어떤 마음이었을까. 베러티는 침대에서 뛰쳐나가려고 했다. 그러나 제러미가 그대로 두지 않았다. 베러티의 다리를 잡아 다시 제 자리로 끌어다 놓았다. 베러티가 비명을 지르자 제러미는 손으로 그녀의 입을 막았다.

두 사람은 침대 위에서 한판 씨름을 벌였다. 베러티는 제러미를 발로 차서 떼어 내려 했고, 제러미는 베러티를 침대에서 일어나지 못 하게 한 손으로 내리눌렀다.

그리고 다른 한 손으로 베러티의 목을 졸랐다.

안 돼, 제러미.

나는 곧장 베러티의 방으로 달려갔다. 그리고 문 앞에서 멈췄다. 제러미는 베러티의 배 위에 올라타고 있었다. 베러티의 양팔은 제러미의 무릎에 눌려 있었고 다리는 침대를 차며 버둥거렸다. 그러다가 두 발로 침대 매트리스를 움켜잡듯 누르며 제러미의 손아귀에서 빠져나가려고 안간힘을 쓰기도 했다.

베러티는 어떻게든 이겨보려고 발버둥을 쳤지만 제러미의 힘을 당할 수는 없었다.

"제러미!" 나는 제러미에게 달려들어 떼어 내려고 했다. 크루와 제러미의 앞날이 경고등처럼 머릿속에 그려졌다. 베러티에 대한 분노 때문에 그의 일생을 망치게 할 수는 없다는 생각뿐이었다. "제러미!"

제러미는 내가 부르는 소리가 들리지 않는 것 같았다. 베러티를 그대로 놓아주려고 하지 않았다. 나는 어떻게든 그의 시선이 닿는 곳에 얼굴을 들이밀고 그를 진정시켰다. "그만 해요. 그러다간 호흡기가 파손된다고요. 그러면 당신이 죽인 게 드러날 거예요."

제러미의 두 눈에서 눈물이 흐르고 있었다. "이 여자는 우리의 자식을 죽였소." 그의 음성은 비통에 가득 차 있었다.

나는 두 손으로 제러미의 얼굴을 잡고 내 쪽으로 당겼다. "크루를 생각해요." 낮은 소리로 속삭이듯 말했다. "당신이 지금 하려는 걸 해버리면 크루는 아버지를 잃게 돼요."

비로소 내 말을 알아들었는지 제러미의 표정이 서서히 바뀌었다. 마침내 베러티의 목을 조르던 손을 풀었다. 베러티가 다급하게 호흡을 되찾으려 가쁘게 숨을 쉬는 만큼, 제러미도 숨을 헐떡이고 있었다. 베러티는 흐느끼듯 숨을 들이마셨다. 그리고 말을 하려는 것 같았다. 아니면 비명을 지르거나. 제러미가 베러티의 입을 막고 나를 바라보았다. 눈빛으로 내게 뭔가 호소를 하고 있었다. 하지만 경찰에 연락하라거나, 누군가에게 도움을 청하라는 의미는 아닌 것 같았다. 베러티의 생명을 끊을 수 있는 좀 더 나은 방법을 생각해 달라는 눈빛이었다.

나도 그를 설득할 생각은 없었다. 그동안 베러티가 해온 일들을 생각하면 그녀의 세포 하나도 살려둘 만한 가치는 없었으니까. 나는 뒤로 물러서서 방법을 생각해 보았다.

목을 졸라 질식시키면 조사 과정에서 밝혀질 것이다. 베러티의 목에 제러미의 손바닥 흔적이 남아있을 거고, 그렇게 되면 질식사의 원인은 제러미가 될 테니까. 베개로 눌러 질식시킨다 해도, 이미 제러미의 흔적은 남겨져 있고, 그렇지 않더라도 베개의 입자들이 폐에서 발견될 것이다. 하지만 뭐든 해야 한다. 그러지 않으면 베러티는 어떻게든 빠져나갈 것이다. 그녀는 사람의 마음을 조종하는 기술이 있으니까. 그리고 결국 제러미와 크루를 해칠 것이다. 제러미와 크루를 죽일 것이다. 하퍼를 죽인 것처럼. 하퍼가 아기였을 때도 이미 죽이려고 하지 않았던가.

하퍼가 아기였을 때도 죽이려고… 하지… 않았던가…….

"사고인 것처럼 보이게 해야 해요." 내가 조용히, 그러나 명확하게 말했다. 제러미의 손아래서 발버둥 치는 베러티의 울부짖음을 뚫고 내 말이 제러미에게 전해질 수 있도록. "구토를 유발하세요. 그런 다음 호흡이 멈출 때까지 코와 입을 막아요. 자다가 구토를 일으켜 토사물에 기도가 막혀 죽은 걸로 보일 거예요."

내 말을 듣는 제러미의 눈이 휘둥그레졌다. 그러나 곧 이해하겠다는 표정이었다. 입을 막았던 손으로 베러티의 입을 벌리고 다른 손의 손가락을 그녀의 목구멍에 집어넣었다. 나는 차마 보고 있을 수가 없어서 돌아섰다.

구역질하는 소리가 들렸다. 그리고 숨이 넘어가는 소리. 결코 끝나지 않을 것처럼 오래 걸렸다.

나는 바닥에 주저앉았다. 온몸이 떨려서 저절로 무너져 내리는 것 같았다. 손바닥으로 귀를 막고 베러티의 숨이 넘어가는 소리를 못 듣는 척했다. 그녀의 마지막 몸부림도. 세 개의 심장이 뛰던 방 안에 이제 두 개의 소리만 들렸다.

숨을 쉬는 건 제러미와 나뿐이다.

"오 맙소사. 하느님……." 우리가 저지른 엄청난 짓이 점점 또렷이 인식되면서 나도 모르게 중얼거렸다.

제러미는 조심스럽게 숨만 내쉴 뿐 말이 없었다. 베러티의 모습을 보고 싶지는 않았지만, 끝이 났는지는 확인해야 할 것 같았다.

베러티를 보기 위해 돌아섰다. 그녀의 눈이 나를 향하고 있었다. 하지만 이번에는 텅 빈 시선임을 단번에 느낄 수 있었다. 공허한 시선 뒤에 더 이상 그녀는 없었다.

제러미는 침대 옆에 무릎을 꿇고 베러티의 맥박을 확인했다. 그러더니 고개를 숙이고 털썩 주저앉았다. 침대에 등을 대고 호흡을 가다듬다가 두 손을 들어 머리를 감쌌다. 울음을 터트리려는가 보다 생각했다. 그가 운다고 해도 이해할 수 있을 것 같았다. 딸의 죽음이 사고가 아니었다는 충격적인 진실을 알게 되었고, 긴 세월 헌신적으로 사랑하고 돌봐온 아내가 자기가 알고 있던 사람이 아니었다는 사실도 알게 되었다. 함께 살아오는 동안 계속해서 그를 속이고 조종했다는 사실도.

아내와 나누었던 모든 좋은 추억들도 오늘 밤 그녀와 함께 죽었다. 베러티의 고백으로 가슴이 찢어졌을 것이다. 쪼그리고 앉아 지난 시간을 돌아보는 제러미의 모습에서 그러한 비탄이 느껴졌다. 베러티의 마지막 시간이기도 했던 그의 지난 몇 시간도 함께.

나도 손으로 입을 막고 울기 시작했다. 제러미가 베러티를 살해하는데 내가 일조를 했다는 게 믿어지지 않았다. 우리가 그녀를 죽였다.

베러티에게서 눈을 뗄 수 없었다.

제러미가 일어나서 나를 팔로 안아 일으켰다. 나는 눈을 감은 채 그의 손에 이끌려 방에서 나와 계단을 내려왔다. 제러미가 나를 침대로 데려가 눕혀주었다. 나와 함께 침대에 누워 안아주기를 바랐지만, 그러지는 않다. 고개를 저으며 뭔가 중얼거리다가 방 안을 서성였다.

우리 두 사람 다 충격에 빠진 것 같았다. 그의 마음을 진정시켜주고 싶었으나 너무 무서워서 말을 할 수도, 움직일 수도, 이것이 현실임을 인정할 수도 없었다.

"빌어먹을." 제러미는 내뱉듯이 중얼거렸다. 그리고 또다시 좀 더 크게. "빌어먹을!"

그렇게 순간이 지나고 있었다. 모든 기억, 모든 신뢰, 베러티에 대해 가지고 있었던 제러미의 모든 것이 심연으로 가라앉고 있었다.

제러미는 나를 보며 침대로 다가왔다. 떨리는 손으로 내 머리를 넘겨주며 말했다. "베러티는 자다가 죽은 거요." 제러미의 음성은 낮고도 확고했다. "알았지?"

나는 고개를 끄덕였다.

"아침이 되면……." 그의 음성이 떨리고 있었다. 호흡을 고르며 애써 말을 하느라 헉헉거렸다. "아침이 되면, 경찰에 전화를 하겠소. 그리고 아침에 깨우러 갔더니 죽어 있더라고 할 거요. 자다가 구토를 해서 토사물에 질식한 것처럼 보이겠지."

제러미가 말을 하는 동안 나는 계속 고개를 끄덕였다. 제러미가 걱정스러운 눈빛으로 나를 바라보았다. 연민과 미안함이 배어 있었다. "미안하오." 제러미가 말했다. "정말 미안해." 그러고는 몸을 기울여 이마에 키스했다. "곧 돌아오겠소. 가서 방을 정리해야 할 것 같아. 원고도 숨겨야 하고."

제러미가 무릎을 꿇고 앉아 내 눈을 들여다보았다. 내가 그의 말을 잘 알아들을 수 있는지, 그를 이해하는지 확인하려는 것 같았다.

"우리는 평상시와 다름없이 잠자리에 들었던 거요. 우리 둘 다 자정쯤에. 나는 베러티의 약을 챙겨 먹였고. 그리고 내일 아침 크루를 학교에 보내기 위해 일곱 시에 일어났는데 베러티가 의식이 없는 상태인 거지.”

“알았어요.”

“베러티는 자다가 죽은 거요.” 그가 다시 한번 말했다. “오늘 밤 이후로는 이 일에 대해 두 번 다시 말하지 않는 거요. 지금 이 순간부터.”

“좋아요.” 내가 낮게 속삭였다.

제러미는 천천히 긴 숨을 내쉬고는 내 말을 받았다. “좋아.”

제러미가 방에서 나가고 잠시 후, 이 층에서 방을 정리하는 소리가 들렸다. 먼저 자기 방으로 갔다가, 크루의 방, 베러티의 방을 돌며 정리를 하는 것 같았다. 그리고 욕실까지.

그런 다음 계단을 내려와 베러티의 서재에 들어갔다가 주방으로 갔다.

그리고 지금은 내 곁에 누워 나를 안고 있다. 그 어느 때보다도 힘껏. 하지만 그도 나도 잠이 들 것 같지는 않았다. 다가오는 아침을 마주하기가 두려웠다.

24

7개월 후.

베러티는 7개월 전에 잠을 자다가 죽었다.

크루는 무척 힘들어했고, 제러미도 공식적으로는 그랬다. 나는 혼자 베러티가 죽은 날 아침에 그 집을 떠나 맨해튼으로 갔다. 제러미는 그 주에 처리해야 할 일들이 많았고, 아내가 죽은 남자의 집에 내가 계속 머무르는 건 이상해 보일 것 같았다.

베러티의 집에 있는 동안 썼던 제7권의 개요와 그 후로 써야 할 두 권의 개요가 모두 승인되었으며, 2주 전에 제7권의 초고를 출판사에 넘겼다. 나머지 두 권의 마감 기한은 연장해 달라고 요청했다. 신생아를 돌보며 작업을 하려면 아무래도 시간이 걸릴 것이기 때문이었다.

아기가 세상에 나오려면 두 달 반 정도가 남았다. 아기가 태어나도 제러미가 도와줄 테니 소설 작업을 하는 데는 무리가 없을 것이다. 제러미는 크루에게 좋은 아빠였고, 두 딸들에게도 그랬다. 우리 아기가 세상에 나오면 그 애에게도 좋은 아빠가 되어줄 것이라 믿는다.

임신 사실을 알았을 때, 놀라지는 않았지만 마음이 무거웠다. 하지만 이런 일이 일어나기도 하는 게 인생인 걸 어쩌랴. 나는 지극히 사랑했던 딸들을 잃은 제러미가 또 딸의 아빠가 된다는 소식을 어떻게 받아들일지 걱정이 되었다. 그런데 그가 기뻐하는 모습을 보며 다시 한번 베러티의 생각이 잘못되었다는 것을 알 수 있었다. 자식 하나를 잃거나 둘을 잃었다고 해서 자식에 대한 사랑이 고갈되는 것은 아니라는 뜻이다. 두 딸을 잃은 슬픔은 그것대로 진실이었고, 새로 태어날 아기에 대한 그의 기쁨 또한 그것대로 진심이었다.

그 모든 고통스러운 일들을 겪어왔음에도 불구하고 제러미는 지금까지 내가 만나온 사람들 중 가장 멋진 남자다. 참을성 많고 자상하며, 베러티의 원고에 묘사된 것보다 훨씬 더 로맨틱하고 열정적이다. 베러티가 죽고 내가 맨해튼에 가 있는 동안, 제러미는 내게 매일 전화를 해주었다. 모든 게 정리되고 자리를 잡는데 2주가 걸렸고, 제러미가 내게 돌아와 달라고 하자 나는 그날로 다시 제러미의 집으로 갔다. 그 후로는 단 하루도 떨어지지 않았다. 제러미도 나도 너무 서두른다고 생각하고 있었지만, 서로 떨어져 지내는 게 힘들었고 내가 곁에 있는 게 제러미에게도 위안이 되었으므로 시기적으로 합당한지, 너무 서두르는 건 아닌지, 둘 다 너무 의존적으로 되어가는 건 아닌지 등에 관한 우려는 제쳐두기로 했다. 아예 언급조차도 하지 않았다. 우리의 관계에 대해서도 굳이 정의하려 들지 않았다. 우리는 하나의 유기체처럼 서로 사랑하고 있었고 그 외에 아무것도 중요하지 않았다.

내가 임신했다는 사실을 알고 제러미는 집을 팔기로 결정했다. 베러티와 살았던 동네에 남아 있고 싶지 않다고 했다. 솔직하게 말하자면 나 역시 끔찍한 기억들이 배어 있는 그 집에 남아 있고 싶지 않았다. 그렇게 노스캐롤라이나에 새집을 마련하고 살림을 시작한 지 이제 석 달이 되었다. 내가 받은 계약금과 베러티의 생명 보험금으로 사우스포트 해변에 위치한 집을 현금으로 살 수 있었다. 저녁이면 세 식구가 베란다에 앉아 해안가에 부서지는 파도를 감상했다.

우리는 이제 가족이 되었다. 크루가 태어날 때 있었던 그 가족은 아니지만, 크루의 인생에 내가 들어온 것에 대해 제러미가 고마워하고 있다는 걸 느낄 수 있었다. 크루는 곧 오빠가 된다.

크루도 새로운 삶에 잘 적응해가고 있는 것 같다. 상담 치료를 받게 했다. 제러미는 상담 치료가 도움이 되기도 하겠지만 동시에 아이를 더 힘들게 할 수도 있다고 우려했지만, 내 어린 시절의 경험에 비추어 좋은 결과가 있을 것이라 설득했다. 앞으로 좋은 기억들을 많이 만들어가다 보면 크루가 겪었던 아픈 기억들도 잊힐 것이라 믿는다.

오늘 몇 달 만에 제러미의 예전 집에 갔다. 생각만 해도 섬뜩했지만 가야 했다. 집을 사겠다는 사람이 둘이나 나섰기 때문에 집을 완전히 비워주어야 했다. 출산이 곧 임박했기에 당분간은 긴 여행을 할 수 없을 것이므로 마지막 기회가 될 것 같았다.

서재를 정리하는 게 가장 힘들었다. 찬찬히 살펴보면 쓸 만한 자료들이 꽤 많았을 것이나, 제러미와 나는 한나절이나 걸려서 모두 문서 분쇄기로 갈아버렸다. 우리 둘 다 삶의 한 부분을 떼어 내는 심정이었던 것 같다. 영원히 잊힐 수 있도록.

"몸은 괜찮아?" 제러미가 내 배를 만져보며 물었다.

"괜찮아요." 내가 미소를 지으며 대답했다. "이제 거의 끝나 가요?"

"응. 베란다에 있는 상자 몇 개만 정리하면 될 것 같아." 제러미가 키스하는데 밖에서 놀던 크루가 뛰어 들어왔다.

"뛰지 마!" 제러미가 서재를 나서며 외쳤다. 나도 의자에서 일어나 제러미를 따라 복도로 나갔다. 제러미는 베란다에 쌓여 있던 상자 더미에서 하나를 집어 차로 가져갔다. 크루가 내 옆을 스쳐 밖으로 나가려다 잠깐 멈추더니 돌아섰다.

"잊어버릴 뻔했네." 그리고 계단을 올라가며 말했다. "엄마가 있던 침실 바닥에 숨겨놓은 것들을 가져와야 해."

나는 베러티의 방으로 뛰어가는 크루를 지켜보았다. 좀 전에 내가 둘러보았을 때 아무것도 없었는데. 잠시 후 크루가 종이 뭉치를 들고 내려왔다.

"그게 뭔데?"

"내가 엄마한테 그려주었던 그림들이야." 크루가 종이 뭉치를 내 손에 쥐여주며 말했다. "엄마가 이것들을 바닥에 넣어두었는데 내가 깜박 잊고 그냥 갈 뻔했어."

크루는 종이를 내게 주고 밖으로 나갔다. 나는 손에 들린 크루의 그림들을 내려다보았다. 이 집에 와서 지내는 동안 늘 가슴속에 맴돌던 음산한 느낌들이 되살아났다. 공포와 불안. 그러다 갑자기 그때의 기억들이 번개처럼 머릿속을 스쳤다.

베러티의 침실 바닥에 있던 칼……. 모니터로 그녀를 지켜보던 밤, 바닥에 엎드려 있던 베러티……. 마치…… 바닥을 파는 듯했던 모습. 방금 크루가 했던 말.

'엄마가 이것들을 바닥에 넣어두었던 걸 깜박 잊었어.'

나는 서둘러 계단을 올라갔다. 베러티가 이제 거기 없는 걸 알면서도 복도를 걸어가는데 등골이 오싹해졌다. 바닥에 나무 조각 하나가 어긋나 있었다. 크루가 그림들을 꺼내고 나서 다시 제대로 끼워 넣는 걸 잊어버린 모양이다. 나는 바닥에 무릎을 꿇고 앉아 나무 조각을 집어 들었다.

그러자 바닥에 뚫린 구멍이 드러났다.

구멍 속은 어두워서 아무것도 보이지 않았다. 나는 손을 넣어 이리저리 더듬어보았다. 작은 종잇조각 같은 게 잡혔다. 딸들의 사진이었다. 그리고 뭔가 차가운 쇠붙이도 잡혔다. 칼이었다. 또다시 손을 넣어 주변을 더듬는데 봉투가 잡혔다. 봉투 안에는 편지가 들어 있었다. 편지를 빼내고 봉투를 바닥에 내려놓았다.

첫 장은 백지였다. 나는 숨을 고르며 첫 장을 들추고 두 번째 장을 펼쳤다.

손글씨로 쓴 편지의 수신자는 제러미였다. 떨리는 가슴을 안고 편지를 읽기 시작했다.

사랑하는 제러미에게

이 편지를 발견하는 사람이 당신이기를 바라며 쓸게. 만약 당신이 발견하지 않더라도 어떻게든 당신에게 전달이 되었으면 좋겠다. 해야 할 말이 많거든.

우선 미안하다는 말부터 해야 할 것 같아. 당신이 이 편지를 읽을 때쯤이면 나는 한밤중에 크루를 데리고 이 집을 떠난 후일 테니까. 우리의 추억이 가득 담긴 이 집에 당신을 혼자 두고 떠날 생각을 하니 마음이 아파. 아이들과 함께 이 집에서 참 행복했는데. 우리 둘의 관계도 만족스러웠고. 그러다가 우리는 만성 애도자가 되었지. 하퍼의 죽음이 결코 우리 고통의 끝이 아니었음을 알았어야 했어.

수년 동안 나는 당신에게 완벽한 아내가 되고자 노력하며 살았어. 그런데 결국 내가 온 열정을 쏟으며 좋아했던 일이 이렇게 우리를 파탄으로 이끌고 말았네.

부족함 없이 행복했던 우리의 삶이 틀어지기 시작한 건 채스틴이 죽고 나서부터였던 것 같아. 어디서부터 어떻게 잘못되기 시작했는지에 대해서는 생각하지 말자고 다짐했지만, 그런데도 마치 저주처럼 내 기억 속에 각인된 순간이 있어.

맨해튼에서 편집자인 아만다와 함께 저녁 식사를 할 때였어. 당신은 내가 좋아하는 그 얇은 회색 스웨터를 입고 있었지. 당신 어머니가 크리스마스 선물로 사주었던 걸로 기억하는데. 그날은 내 첫 번째 소설이 출간된 직후로, 팬텀 출판사와 새로 두 권을 계약하던 날이었어. 당신은 아마 그날도 우리의 대화를 듣고 있지 않았을 거야. 당신은 작가들의 대화를 늘 지루해했으니까.

나는 새 작품을 쓸 때 누구의 시점에서 이야기를 풀어갈 것인지 고민을 하던 중이었고, 그것에 대해 아만다에게 조언을 구하던 중이었어. 새 작품에서는 완전히 다른 형식으로 써야 할지, 아니면 첫 소설처럼 악인의 시점에서 써야 할지를 말이야. 첫 소설이 성공을 거둔 것이 바로 그 때문이었으니까.

아만다는 같은 형식을 고수하는 게 좋을 것 같다고 했어. 그리고 다음 작품에서는 좀 더 대담하게 악인의 정신세계를 그려보라고 말이야. 나는 악인의 심리를 진정성 있게 그린다는 게 좀 힘들다고 했지. 내가 일상을 살아가면서 생각하고 느끼는 방식과 전혀 다르니까. 다음 작품에서 더 좋은 모습을 보일 수 있을지 확신이 서지 않는다고 했어.

아만다는 자기가 대학원 다닐 때 배웠던 '적대적 글쓰기' 기법에 대해 얘기해주면서 그 방법으로 습작을 해 보라고 권했던 거야.

당신도 그날 우리의 대화에 주의를 기울였더라면 재미있어했을 거야. 그런데 당신은 휴대전화만 들여다보고 있더라. 다른 작가가 쓴 전자책을 읽고 있었던 거겠지. 그러다가 내 시선을 느꼈는지 당신은 고개를 들고 나를 쳐다보았지만, 나는 그냥 미소만 지어 보였어. 당신에게 화가 난 건 아니었어. 오히려 당신이 나와 함께 그 자리에 가 주고 내가 아만다의 조언을 듣는 동안 참을성 있게 기다려주어서 고마웠지. 당신은 테이블 밑으로 내 다리를 꽉 잡았어. 나는 다시 아만다의 조언에 집중하려고 했지만 사실은 내 무릎을 쓰다듬는 당신의 손에 온 신경이 가 있었던 것 같아. 얼른 미팅을 끝내고 숙소로 돌아가고 싶었어. 쌍둥이들이 태어난 후로 우리 둘만 밤을 보내는 건 그날이 처음이었으니까. 그러면서도 아만다가 가르쳐준 습작 방식에 무척 흥미가 당겼던 것 같아.

아만다는 '적대적 글쓰기' 훈련이 내가 다음 작품을 쓰는 데 큰 도움이 될 거라고 했어. 그러기 위해서는 실제로 나의 일상에서 일어나는 일들, 내가 느끼는 감정들을 작품 속 악인의 관점에서 바라보고, 느끼고, 표현해야 한다고 했어. 그 속에서 나 자신과 주고받는 내면의 대화도 실제 내 마음속에서 일어나는 것들과 반대여야 한다는 거지. 아만다는 이왕이면 당신과 처음 만나던 날부터 시작하라고 했어. 내가 그날 입었던 옷, 만났던 장소, 우리가 나눴던 대화들 대부분은 그대로 재현하되, 내 마음속에서 일어나는 내면의 대화는 악당의 관점에서 사악하게 바꿔보라고 말이야.

간단할 것 같았고, 연습해서 손해될 일은 없을 것 같았지.

당신에게 예를 들어 보이기 위해서 조금 전에 위에서 썼던 내용을 적대적 글쓰기 기법으로 다시 적어볼게.

제러미가 나에게 관심을 보이기를 기대하면서 그가 있는 쪽을 바라보았다. 하지만 그는 망할 놈의 전화만 들여다보고 있다. 이 저

338

녁 식사는 나에게 아주 중요한 일이다. 물론 제러미가 이런 분위기를 달가워하지 않는다는 건 안다. 하지만 내가 자주 이런 자리에 그를 끌어들이는 건 아니지 않는가. 그런데도 제러미는 우리의 대화를 완전히 무시하고 다른 작가가 쓴 전자책만 계속 읽고 있다.

그렇게 줄기차게 독서를 하는 사람이 왜 내가 쓴 책은 안 읽으려고 할까? 세상에 그보다 더 고차원적인 모욕이 어디 있단 말인가. 제러미의 무례함에 민망해서 어쩔 줄 모르면서도 나는 그것을 애써 감춰야 했다. 아만다가 내가 민망해하고 있다는 걸 알면, 제러미의 무례함을 알아차리게 될 것 같았기 때문이다. 제러미가 고개를 들고 나를 보았다. 나는 억지로 미소를 지어 보였다. 화는 나중에도 낼 수 있으니까. 나는 제러미의 행동이 아만다의 신경을 거스르지 않기를 바라면서 다시 그녀와의 대화에 집중했다. 몇 초 후, 제러미가 내 다리를 꽉 잡았다. 그것도 무릎 바로 위를 말이다. 나는 온몸이 굳어지는 것 같았다. 다른 때 같으면 그의 손길이 달가웠겠지만, 지금 내가 간절히 원하는 건 내 일을 지지해주는 남편이란 말이다.

작가란 이렇게 글을 통해서 자기가 아닌 타인의 심리를 묘사할 수 있어야 한다는 거지.

나는 그날 숙소로 돌아가자마자 노트북을 열고 우리가 처음 만났던 날에 대해 써 내려가기 시작했어. 그날 내가 입었던 빨간색 원피스는 훔친 걸로 설정을 했지. 돈 많은 남자를 유혹해서 재미나 보기 위해 거기 갔던 걸로 발전시켰어. 전혀 사실과는 다르게 말이야. 당신이라면 나를 잘 아니까, 그것이 사실이 아니라는 것쯤은 내가 굳이 밝힐 필요가 없을 것이라 생각하지만.

처음에는 나의 일상적인 생각과 경험들을 악인의 입장에서 풀어가는 게 쉽지 않았어. 그래서 일상적인 일들보다는 우리의 삶에서 기억할 만한 중요한 사건들을 하나씩 새로 써보는 연습을 했던 거야.

당신이 내게 청혼했던 날, 내가 임신했다는 사실을 알게 되었던 날, 쌍둥이들이 태어나던 날. 한 대목씩 써가면서 나는 악인의 정신세계로 들어가는 일에 점점 더 익숙해졌어. 그러다 보니 재미도 붙고.

다음 작품을 쓰는 데 많은 도움이 되었어.

그런 훈련을 쌓은 덕분에 소설 속에서 그렇게 사실적이고 소름 끼치는 악인을 그려낼 수 있었던 거지. 그래서 책이 많이 팔렸던 거고.

세 번째 소설을 마쳤을 때쯤엔 나와 다른 사람의 시점에서 이야기를 풀어가는 기술이 완숙의 경지에 이른 느낌이었어. 놀라운 습작 효과를 직접 경험하고 나니 그동안 썼던 글들을 모아서 자서전처럼 꾸며보면 좋겠다는 생각을 하게 되었지. 다른 작가들이 습작하는 데 도움이 될 수 있도록 말이야. 그러려면 전체적으로 이야기의 흐름에 맞게 챕터들을 구성해야 했어. 그래서 장면들을 지나치다 싶을 만큼 자극적으로 발전시켰어. 충격을 줄 수 있도록 말이야. 이왕이면 좀 더 끔찍하게.

적대적 기법으로 자서전을 쓴 걸 후회하지는 않아. 다른 작가들에게 도움이 되려는 의도였으니까. 그렇지만 하퍼가 죽은 직후에 그 애의 죽음에 대해 쓴 부분은 후회하고 있어. 그때 나는 바닥없는 어둠 속에 떨어진 것 같았는데, 작가들은 그럴 때면 그 어둠에서 빠져나오기 위해 자판에 모든 걸 쏟아내버리기도 하거든. 그러니까 그걸 쓰는 일은 나에게 치유였던 셈이야. 물론 당신은 도저히 이해하기 힘들겠지만.

그리고 당신이 그걸 읽으리라고는 꿈에도 생각해보지 않았어. 당신은 내 첫 원고를 읽어본 후로 내가 쓴 글을 읽어본 적이 없잖아.

그런데 왜……. 왜 그 자서전 원고를 읽은 거야?

그 글은 다른 사람이 읽을 것을 염두에 두고 쓴 글이 아니었어. 작가들의 글쓰기 연습용으로만 활용할 계획이었어. 사실로 믿을 수 있다는 건 더욱 생각해 보지도 않았고. 그냥 습작이었으니까. 그것뿐이야. 당시 내 영혼을 갉아먹고 있던 어두운 슬픔을 헤집고 들어가 자판을 두드리면서 조금씩 지워내고 있었던 거라고. 글 속에 만들어 놓은 악인에게 모든 원망과 책임, 미움을 돌리면서 내 마음속에 가득했던 슬픔을 덜어내고 있었던 거지.

이 편지를 읽는 동안 당신 마음이 힘들 수도 있겠다. 그렇지만 당신이 내 자서전 원고를 발견하고, 그것을 읽었을 때만큼 힘들지는 않을 거야. 그리고 우리가 서로를 용서할 수 있게 되려면 당신이 이 편지를 끝까지 읽어서 그날 밤에 내가 말하려고 했던 진실을 알게 되어야 해. 하퍼가 죽고 나서 며칠 후 당신이 내 자서전에서 발견한 소설적 진실이 아닌 진짜 진실을 말이야.

그날 하퍼와 크루를 데리고 호숫가로 가면서, 나는 아이들과 좋은 시간을 보내고 싶었어. 그날 아침에 당신이 말했잖아. 그즈음 내가 통 아이들과 놀아주지 않는다고 말이야. 당신 말이 맞았어. 채스틴을 잃은 상심이 너무 크니까……. 그렇지만 내 곁에는 소중한 두 아이가 있고, 그 애들이 나를 필요로 하는데 말이지. 그날 하퍼는 물놀이를 하고 싶어 했어. 아침에 울면서 자기 방으로 뛰어 올라간 것도 내가 안 된다고 했기 때문이야. 자서전 원고에 써 있던 거와는 달라. 나는 한 번도 하퍼가 감정 표현이 서툰 것에 대해 화를 내거나 꾸지람을 한 적이 없어. 다만 이야기의 줄거리를 구성하기 위해 꾸며서 쓴 거지. 당신이 내가 정말 내 자식에게 그런 식으로 말했을 거라고 믿는다면, 그것 자체로 나에게는 모욕이야. 당신이 자서전에 쓰인 내용을 조금이라도 믿는다면, 그래서 내가 내 자식을 해칠 수 있는 사람이라고 생각한다면, 그 역시 치명적인 모욕이야.

하퍼의 죽음은 사고였어. 그 애의 죽음은 사고였다고, 제러미. 그날 날씨가 참 좋았고 아이들은 카누를 타고 싶어 했어. 물론 나도 그날 아이들에게 구명조끼를 입히지 않았던 것에 대해 후회하고 있어. 그렇지만 우리는 그동안 구명조끼를 입지 않은 채 카누를 탄 적이 많았잖아. 물이 그렇게 깊지도 않고 말이야. 물 밑에 낚시 그물이 있을 줄은 몰랐어. 그 빌어먹을 그물만 아니었다면 하퍼가 물 위로 떠 올랐을 것이고, 그럼 나는 그 애를 데리고 나올 수 있었을 거야. 그랬으면 우리는 지금쯤 카누가 뒤집히던 그날의 기억을 떠올리며 웃을 수 있었겠지.

그날 내가 할 수 있었는데 하지 않은 일들, 하지 말아야 했는데 했던 모든 일들에 대해 가슴 저리게 후회하며, 당신에게도 미안하게 생각해. 내가 그 날로 다시 돌아갈 수만 있다면 그러고 싶은 심정이라는 거 당신도 알 거야.

당신이 도착해서 하퍼를 물속에서 건져내 안았을 때, 나는 내 심장을 꺼내서 당신에게 주고 싶었어. 당신에겐 이미 심장이 남아 있지 않은 것 같아서 말이야. 당신이 비통하게 울부짖는 것을 보면서, 나는 일초도 더 살고 싶지 않았어. 하느님도 정말 무심하시지 않아? 두 아이를 모두 잃다니. 두 아이를 모두.

그리고 며칠 후, 당신이 의혹을 품기 시작한다는 걸 느꼈어. 침대에 함께 누워 있는데 당신이 내게 질문을 하기 시작했거든. 내가 의도적으로 그런 일을 할 수 있다고 생각했다니 정말 믿을 수가 없어. 그리고 그 한순간의 의심으로 인해 나를 향한 당신의 사랑이 당신에게서 빠져나가는 걸 느낄 수 있었어. 마치 한 번도 날 사랑했던 적이 없었던 것처럼 말이야. 우리가 함께했던 세월…… 함께 나눴던 모든 소중한 추억들이 날아가 버렸던 거지.

내가 크루에게 숨을 참으라고 말했다는 사실 때문이었지. 맞아. 카누가 뒤집히는 순간 내가 그렇게 말했어. 크루를 위해서. 하퍼는 우리가 여러 번 호수에서 데리고 논 적이 있었기 때문에 괜찮을 거라 생각했어. 그래서 물에 빠진 다음 크루를 먼저 구하는데 집중했던 거지. 크루가 겁을 먹어 당황하고 있었거든. 잘못하다가는 우리 둘 다 빠져 죽을 것 같아서 가능한 한 빨리 호숫가로 데려가야겠다고 생각한 거야. 그런데 헤엄을 치기 시작하고 삼십 초도 지나지 않는데 뒤에 하퍼가 보이지 않았어.

지금까지도 나 자신을 원망하고 있어. 내가 그 애 엄만데. 그 애를 보호했어야 했는데. 괜찮을 거라고 생각하고 크루를 구하는데 온 신경을 썼던 그 삼십 초의 시간. 하퍼가 보이지 않아 곧바로 다시 돌아가서 하퍼를 찾으려 했지만, 물살 때문에 카누가 더 멀리 떠내려가 있어서 하퍼가 가라앉은 지점을 가늠할 수가 없었어. 크루는 여전히 겁먹은 상태로 죽을힘을 다해 나에게 매달리고 있었고. 내가 그 순간 크루를 안고 호숫가로 헤엄쳐오지 않았더라면 우린 셋 다 호수에 빠져 죽었을 거야.

나는 남아 있는 기운을 모두 끌어모아 다시 하퍼를 찾기 시작했어.

제러미, 나를 믿어줘야 해. 그날 하퍼와 함께 호수에 빠져 죽어도 좋다는 심정이었어.

나를 의심했던 것에 대해 원망하지는 않을게. 우리의 입장이 바뀌어 하퍼가 당신과 함께 있다가 사고를 당했다면, 나 역시 가능한 모든 시나리오를 타진해 보았을 테니까. 비록 아주 짧은 순간이라도 사람의 가장 어두운 면을 가정해 볼 수 있는 게 또 역시 사람의 마음이니까.

나는 당신이 다음 날 아침 눈을 뜨면, 간밤에 간접적으로나마 나를 의심했던 것이 얼마나 말도 안 되는 일이었는지 깨달으리라 생각했어. 그날 밤에는 너무 슬프고 비통해서 당신을 설득할 기운조차 없었거든. 말씨름을 하는 건 고사하고 말이야. 불과 며칠 전에 하퍼를 잃고 나는 죽고만 싶었으니까. 그날 밤 호수로 나가 하퍼를 따라가고 싶었지. 내 잘못으로 그 애를 잃은 거니까. 그건 물론 사고였어. 그렇지만 구명조끼를 입게 했더라면, 크루와 하퍼를 둘 다 안고 헤엄을 쳤더라면, 지금쯤 그 애는 우리 곁에 있을 테니까.

나는 잠을 잘 수 없었어. 그래서 서재로 가서 여섯 달 만에 노트북을 열고 글을 쓰기 시작했던 거야.

상상해 봐. 딸 둘을 모두 잃고 슬픔에 빠져 있는 엄마가 두 딸 중 하나가 다른 하나를 살해하는 이야기를 지어내서 쓰고 있는 걸 말이야.

그건 정말 끔찍하다는 말로도 부족한 일이지. 나도 그래서 타이핑을 하면서 계속 울었어. 그렇지만 이런 생각이 들기는 했어. 나의 죄책감과 슬픔을 내가 만들어낸 악인에게 모두 전가할 수 있다면, 좀 왜곡된 방법이기는 하지만 내가 그 상황을 버텨내는 데 도움이 되지 않을까.

그래서 채스틴의 죽음에 대해, 그리고 하퍼의 죽음에 대해 쓰기 시작했던 거야. 그리고 시작 부분에도 복선 같은 것을 넣어서 우리가 맞이하게 된 비통하고 어두운 현실에 들어맞게 손을 보았어. 그러한 작업들이 나의 죄책감과 고통을 덜어내는 데 도움이 되었어. 현실 속에서 나를 향해 날아드는 비난이나 자책을 작품 속의 또 다른 나에게 전가할 수 있었으니까.

작가라는 사람들의 마음을 당신에게 설명할 수는 없어, 제러미. 더구나 대부분의 작가들이 경험해보지 못한 절망적인 상황을 겪은 나의 심정을 설명하고 납득시키는 건 불가능에 가까운 일이었겠지. 작가는 현실과 작품 속의 세계를 분리해서 생각할 수 있는 사람들이고, 어떤 면에서는 그렇기 때문에 동시에 두 개의 세계에 산다고 할 수도 있을 거야. 나의 현실 세계가 너무 어두웠기 때문에 나는 그곳에 머물고 싶지 않았던 것 같아. 그래서 밤새도록 글을 쓰면서 현실보다 더 어두운 소설 속의 세계로 도피했던 거지. 그렇게 글을 쓰고 노트북을 닫을 때는 어느정도 마음이 평온해지는 걸 느낄 수 있었어. 내가 만들어낸 악인을 그 안에 남겨 두고, 나는 조금은 덜 자책하는 마음으로 서재 문을 나섰던 거지.

그런 것뿐이었어. 상상으로 만들어낸 세계는 내가 실제로 사는 세계보다 더 어두워야 했어. 그렇지 않으면 두 세계 모두를 떠나버리고 말 것 같았거든.

그날은 새벽까지 쓴 덕분에 글을 마무리할 수 있었어. 거기까지가 끝일 수밖에 없었으니까. 더 이상 무슨 이야기를 쓸 수 있었겠어. 우리의 세계가 끝나버린 것 같았는데.

그대로 끝.

나는 원고를 인쇄해서 상자에 넣었어. 언젠가 다시 꺼내 보겠지 생각하고. 그때 가서 에필로그를 추가하든지 하려고 말이야. 아니면 태워버릴 수도 있고. 원고를 어떻게 할까 이런저런 생각이 머릿속에 오갔지만, 당신이 그걸 읽게 되리라는 건 생각지도 못했어. 그걸 믿을 거라고는 더욱 상상하지도 못했고.

밤을 새웠던 나는 낮에 온종일 잤지. 그리고 밤이 되어서야 깨어났는데 당신이 보이지 않는 거야. 크루는 이미 잠들어 있는데 그 애 옆에 당신이 없더라고. 복도에 서서 당신이 어디 갔을까 생각하고 있는데 서재에서 소리가 들렸어.

당신이 내는 소리였지. 정확히 무슨 소리였다고 말할 수는 없지만, 채스틴과 하퍼의 죽음을 알게 되었을 때보다 더 비통한 울음 같았어. 나는 당신을 위로하겠다는 생각으로 서재로 향했어. 그렇지만 문을 열기 전에 멈춰야 했지. 당신의 울음소리가 분노에 찬 울부짖음으로 바뀌었거든. 무언가 벽에 부딪혀 부서지는 소리가 들렸어. 그 바람에 나는 화들짝 놀라서 뒤로 물러섰어.

그때 내 노트북 생각이 난 거야. 그 노트북에서 내가 마지막으로 열고 작업했던 파일이 자서전이었던 거고.

당신이 내 노트북에서 읽은 내용이 무엇인지 설명해주려고 문을 열었는데 당신이 방 건너편에 서서 나를 바라보았어. 그때 당신의 표정은 영원히 잊지 못할 거야. 처절한 절망의 바닥으로 떨어지는 것 같았거든.

한 인간을 그대로 삼켜버릴 것 같은 슬픔이 당신을 둘러싸고 있었어. 원고의 한 글자 한 글자가 우리 가족의 모든 행복했던 기억들을 지워버린 것 같았지. 영원히 말이야. 당신 안에는 증오와 파멸을 향한 충동 외에는 아무것도 남아 있지 않은 것 같았어.

나는 당황해서 고개를 저으며 말을 하려고 했지. 나는, "제러미, 그건 사실이 아니야. 충격받지 마. 사실이 아니야"라고 말하고 싶었는데, 내 입에서 다급하게 튀어나온 건 "아니야"라는 외마디 탄성뿐이었지.

다음 순간, 나는 당신에게 목덜미를 잡힌 채 바닥에 쓰러졌어. 저항하려고 했지만, 힘으로 당신을 어떻게 당할 수 있겠어. 당신은 나를 눕혀 놓고 무릎으로 내 팔을 누르고 목을 졸랐어.

내게 5초만 시간을 주었더라면. 단 5초만 설명할 수 있는 시간을 주었더라면 우리 둘 다를 구할 수 있었을 거야. "내가 설명하게 해줘"라는 말을 하기 위해 안간힘을 썼지만, 숨조차 쉴 수가 없었지.

그다음부터는 상황이 어떻게 흘러갔는지 몰라. 내가 의식을 잃었다는 것밖에는. 당신도 나를 거의 죽일 뻔했다는 걸 알고 무척 겁을 먹었을 거야. 내가 그때 죽었더라면, 당신은 살인죄로 체포되었을 거고, 크루는 아버지 없이 자랐어야 했을 거야.

정신을 차려보니 내 차의 조수석에 앉아 있더라. 당신은 운전석에 앉아 있었고. 내 입에는 테이프가 붙여져 있었고, 두 손과 발은 묶여 있었어. 그때도 나는 당신이 읽은 내용은 사실이 아니라고 말하고 싶었지만, 말을 할 수 없는 상태였어. 고개를 숙여보니 나는 안전벨트도 하지 않은 채였어. 잠시 후 당신의 계획이 뭔지 알 수 있었지.

내가 원고에 썼던 내용. '하퍼의 죽음을 사고처럼 보이게 하기 위해 조수석의 에어백 장치를 끄고 안전벨트를 채우지 않은 채 나무를 들이받을까 보다'라고 썼던 그 장면이 현실로 재현되고 있었으니까.

당신은 나를 죽이고, 사고처럼 보이게 하려는 거였어. 자서전의 마지막 두 문장에서 나도 모르게 나의 죽음을 예고한 셈이 된 거지. '만약 그것이 당신의 뜻이라면, 그대로 이루어지기를. 나는 차라리 나무

를 들이받고 끝내리.'

바로 그 순간 깨달았어. 내 죽음에 대해 당신이 의심을 받게 되더라도, 내가 쓴 원고만 보여주면 모든 의혹을 잠재울 수 있으리라는 걸 말이야. 내가 죽게 되면, 내가 쓴 원고는 완벽한 자살 유서가 되는 거니까.

물론 그 계획이 어떻게 마무리되었는지는 당신도, 나도 잘 알고 있지. 당신은 묶었던 내 손과 발을 풀고, 입에서 테이프를 떼어내 나를 운전석에 앉혔을 거야. 그리고 당신은 집까지 걸어가서 경찰이 나의 죽음을 알려주러 올 때까지 기다렸겠지.

당신의 계획은 그다지 성공적인 결과를 맺지 못했어. 그렇지만 그래서 내가 더 좋은지는 잘 모르겠네. 차라리 그때 죽었더라면 나는 훨씬 더 쉬웠을 것 같아. 중환자 노릇을 하는 게 너무 어려웠거든. 내가 왜 그렇게 오랫동안 당신을 속여 왔는지 궁금할 거야.

하퍼가 죽고 나서 한 달 동안의 기억은 거의 없어. 아마도 뇌가 부어 있어서 의학적으로 혼수상태에 있었던 것 같아. 그러다가 의식이 돌아오던 날은 생생하게 기억하고 있어. 병실에 혼자 있었는데, 그 덕분에 다음에 어떻게 대처해야 할지 생각할 시간을 가질 수 있었어.

당신이 읽었던 악의에 찬 모든 말들이 거짓이라는 걸 어떻게 설명할 수 있겠어? 내가 써 놓고 그것의 진실성을 부정한다고 해도 당신은 믿어주지 않았을 거야. 아무리 사실이 아니라고 해도 결국은 모두 내 안에서 나온 말이니까. 글쓰기의 과정을 이해하는 사람이 아니고서는 이해하지 못할 거야. 내가 깨어났다는 사실을 알면, 당신이 나를 경찰에 신고할 것 같았어. 그리고 남편의 확신에 가까운 의심을 받고 있는 나는 꼼짝없이 하퍼를 살인한 죄인으로 판명되었을 거야. 내가 쓴 글이 나를 옭아맨 셈이 되는 거지.

그래서 나는 깨어나고 나서도 3일 동안, 누군가 병실에 들어오는 것 같으면 아직 혼수상태인 척했어. 의사들, 간호사들, 당신 그리고 크루에게까지. 그러던 어느 날 내가 잠깐 부주의했던 순간 당신이 병실에 들어오다가 눈을 뜨고 있는 나를 본 거야. 당신은 나를 뚫어지게 바라보더라. 나도 같이 바라보았지. 당신의 두 주먹에 힘이 들어가는 게 보였어. 내가 깨어나자 또다시 분노가 치미는 것 같았어. 또다시 목을 조를 기세였지.

당신이 몇 걸음 다가올 때, 나는 당신을 따라 내 시선을 움직이지 않기로 마음먹었어. 당신의 분노가 두려웠거든. 내가 주변을 인식하지 못하는 척하면, 당신이 나를 또다시 죽이려 하지는 않을 것 같았어. 그리고 경찰에 내가 깨어났다고 신고도 하지 않을 테고 말이야.

그래서 몇 주일 동안 그렇게 꾸몄던 거야. 그 길만이 내가 살아남을 수 있는 방법 같았거든. 내가 처한 상황을 해결할 방법을 찾을 때까지만 속일 생각이었어.

그게 쉬웠을 거라고 생각하지는 말아줘. 때때로 치욕스럽기까지 했으니까. 포기하고 싶을 때도 있었어. 죽어버리고 싶기도 했고, 당신을 죽이고 싶기도 했어. 우리가 처한 상황에 화가 나서 견딜 수가 없었고, 우리가 함께해 온 세월이 있는데 어떻게 당신이 한순간이라도 원고의 내용을 믿을 수 있었는지 너무나 기가 막혔어. 그렇잖아, 제러미. 여자들이 정말 그렇게 섹스에 탐닉한다고 생각해? 그건 소설에나 나오는 얘기라고! 물론 당신과 사랑을 나누는 게 좋았던 건 사실이야. 그렇지만 대부분 나는 당신을 즐겁게 해준다는 사실이 좋았던 거고, 그게 결혼한 사람들이 살아가는 모습이라고 생각했던 거였어. 내가 세스 없이는 살 수 없는 여자라서가 아니었다고.

당신은 내게 좋은 남편이었고, 당신이 믿을지는 모르겠지만, 나 역시 당신에게 좋은 아내였다고 생각해. 물론 당신은 지금도 여전히 나에게 좋은 남편이야. 내가 우리 딸을 죽였다고 믿으면서도 나를 돌봐주고 있으니까. 아마도 내가 껍데기만 남아 있는 상태라고 생각하기 때문에 가능한 거겠지. 나의 사악한 영혼은 자동차 사고로 죽었다고 말이야. 불쌍한 한 인간을 돌본다는 마음으로 당신은 나를 집으로 데려왔을 거라 생각해. 그리고 마음이 선량한 당신은, 힘든 일들을 연달아 겪은 크루를 몸뚱이만 남아 있는 엄마 곁에라도 있게 하고 싶었을 거야. 누나 둘을 잃고 나서 엄마까지 완전히 자기 곁을 떠나면 크루가 너무 크게 상심할 테니까.

원고에는 전혀 다른 이야기를 써놓았지만, 우리 아이들에 대한 당신의 지극한 사랑이야말로 내가 당신을 사랑하는 가장 큰 이유였어.

지난 몇 달 새에 나는 몇 번이나 내가 깨어 있다는 걸 말하고 싶었어. 내가 여기 있다고. 살아 있다고 말이야. 그렇지만 부질없는 짓이라는 걸 알고 있었어. 당신은 나를 연달아 두 번이나 죽이려고 시도했으니까. 내가 이 집을 떠나기 전에 당신이 내가 깨어 있다는 사실을 알게 되면, 당신의 세 번째 시도는 성공을 하게 될거야.

언젠가 당신을 설득해서 당신이 오해하고 있었다는 걸 밝혀야 한다는 생각으로 이 시간을 견디고 있는 건 아니야. 나에 대한 당신의 신뢰를 되찾을 수 있는 날은 결코 오지 않을 테니까.

내가 이러는 이유는 오직 크루를 위해서야. 지금 내게 중요한 건 크루뿐이니까. 병원 침대에서 의식을 회복한 이후로 내가 해온 모든 것은 크루를 위해서였어. 당신 곁에서 크루를 떠나보내는 건 마음 아프지만, 달리 선택의 여지가 없잖아. 내가 그 애 엄마고 아직 어린 크루는 엄마가 필요하니까. 그리고 내가 깨어 있다는 걸 알고 있는 유일한 사람이기도 하지. 내가 여전히 생각을 할 수 있고, 말을 할 수 있고, 앞 날을 계획할 수 있다는 사실. 크루와 함께 있을 때는 나의 참모습을 보일 수 있어서 좋아. 이제 다섯 살밖에 안 된 크루와 함께 있으면 안전한 느낌이거든. 그 애가 당신에게 내가 말을 할 수 있다고 전해도, 당신은 크루가 소망을 담은 상상을 하는 거라고 생각할 테니까. 아니면 그동안 받은 충격 때문에 그러는 걸 거라고 생각하겠지.

내가 자서전 원고를 열심히 찾은 것도 크루 때문이었어. 내가 떠난 다음에라도 당신이 원고를 찾으면, 그걸 이용해서 나를 파멸시키려고 들 것 같았어. 당신이 그걸 믿은 것처럼 크루도 믿게 하겠지.

당신이 병원에서 나를 데리고 집으로 돌아온 날 밤, 나는 몰래 서재에 들어가 노트북에 있는 원고 파일을 삭제하려고 했어. 그런데 당신이 벌써 지워버렸더군. 인쇄본도 찾으려고 했는데 어디에 두었는지 기억이 나지 않았어. 교통사고 후에 기억이 지워진 부분이 있었는데, 그중 하나였던 것 같아. 그렇지만 반드시 찾아서 없애야 할 것 같았어. 당신이 그걸 이용해 나를 곤란하게 할 수 없도록 말이야.

기회가 있을 때마다 조용히 원고를 찾았어. 서재, 지하실, 다락, 침실. 내가 크루를 데리고 떠나기 전에 원고를 찾아서 없애야 할 것 같거든.

또 한 가지 내가 바로 떠날 수 없었던 이유는 돈이 내 수중에 들어오기를 기다려야 했기 때문이야. 그 문제를 어떻게 해결해야 할지 방법을 생각해 내지 못하고 있었어.

당신이 팬텀 출판사와 새 작가를 영입해서 시리즈를 이어갈 계획을 의논하는 걸 알게 되었을 때, 나는 내가 탈출할 기회가 온 거라 생각했어.

당신이 나를 종일 돌봐줄 간호사를 구해놓고 출판사 사람들을 만나러 맨해튼에 간 동안, 나는 서재에 들어가 온라인으로 새 은행 계좌를 개설했어.

그러고 나서 며칠 후 새 작가가 우리 집에 머물면서 시리즈 작업을 시작하더군. 드디어 돈이 들어오겠구나 생각했지. 나머지 세 권에 대한 원고료가 입금되면 그걸 내 계좌로 이체시키고, 나는 크루를 데리고 떠나면 되는 거였어.

시간이 흐르기만 기다리면 되는 거였는데, 그 새 작가가 상황을 어렵게 만들었지. 내가 그렇게 찾던 원고를 그 여자가 발견한 것 같았어. 당신은 노트북에 있는 파일을 삭제하면서 그것으로 완전히 없앴다 생각했겠지만 그게 아니었던 거지. 결국 나는 적이 둘이 생긴 셈이 되었어. 이제는 원고를 없애는 게 문제가 아니라 이 집에서 빠져나가는 게 나의 목표가 되었네.

그 여자가 의심을 품기 시작한 데는 내 잘못도 한몫했다는 거 인정해. 내가 자기를 보고 있다는 걸 눈치챘을 때는 엄청 놀라고 겁을 먹는 것 같더라. 그렇지만 당신도 날 원망할 수는 없을 거야. 그 여자는 당신의 일상에 들어왔고, 내 일을 넘겨받았고, 당신을 점점 사랑하게 되었으니까. 그리고 내 느낌이 맞는다면, 당신도 그 여자를 사랑하게 되었지.

몇 시간 전에 당신이 우리 침실에서 그 여자와 사랑놀음을 하는 소리를 들었어. 마음이 무너져 내리고 분노가 치솟았어. 그렇지만 당신이 그 여자에게 빠져 있는 덕분에 나는 이 시간 안전하게 이 편지를 쓸 수 있게 되었네. 침실 문은 내가 잠갔어. 당신이 문을 열고 나오려고 할 때 내가 소리를 들어야, 편지도 숨기고 원래의 자세로 돌아갈 시간을 벌 수 있을 테니까 말이야.

그동안 정말 힘들었어, 제러미. 전부 다. 당신과 함께 살아오는 동안 내가 보여주었던 모습보다도 내가 원고에 썼던 말들을 당신이 그대로 믿는다는 사실도 받아들이기 힘들었고. 엄마로서 차마 할 수 없는 일을 했다고 의심을 받고, 당신으로부터 내 목숨을 부지하기 위해 이런 식의 끔찍한 속임수를 써야 한다는 것도 힘들었고. 내가 아무것도 모르는 척 누워 있는 동안 당신이 다른 여자와 사랑에 빠지는 걸 지켜보는 것도 힘들었어.

그렇지만 돈이 들어오는 즉시 여기를 떠날 수 있다는 확신이 있기 때문에 모든 걸 견딜 수 있었지. 그래서 이 편지도 쓰는 거고.

당신이 이 편지를 발견할 수도 있지만, 그러지 못할 수도 있다는 거 알아.

그렇지만 발견하게 되면 좋겠다. 꼭 그러길 바랄게.

당신이 내 목을 조르고, 내 차를 나무에 들이받았어도 나는 당신을 미워할 수가 없어. 당신은 언제나 우리 아이들을 지키는데 열심이었던 사람이고, 부모란 마땅히 그래야 하는 거니까. 그것이 아이들에게 위협요인이 된 배우자를 제거하는 일이라 하더라도 말이지. 당신은 내가 크루에게도 위협요인이라 믿었을 것이고, 그런 생각을 하면 나는 죽을 만큼 고통스럽지만, 당신이 그만큼 크루를 사랑한다고 생각하면 희망이 생겨.

크루와 이 집을 떠나고 나면, 언젠가 당신에게 연락해서 아직 편지를 찾지 못했다면 이 편지가 있는 곳을 가르쳐줄 생각이야. 이 편지를 읽고 나서 나를 용서할 수 있다면 좋겠다. 그리고 당신 자신도 용서할 수 있기를 바랄게.

당신이 나에게 했던 일들에 대해 당신을 원망하지 않아. 당신은 나에게 훌륭한 남편이었어. 다만 상황이 당신을 이렇게 몰아간 거야. 그리고 당신은 우리 아이들에게 최고의 아빠였어. 그 점은 의심의 여지가 없어.

당신을 사랑해. 지금도 여전히.

베러티.

25

나는 편지를 바닥에 떨어뜨렸다.

갑자기 복통이 이는 것 같아서 배를 움켜쥐었다.

베러티가 한 짓이 아니었단 말인가?

방금 읽은 것을 믿고 싶지 않았다. 베러티는 잔혹한 여자였으며 우리는 마땅히 그녀가 받아야 할 대가를 치르게 한 거라고 믿고 싶었다. 그런데 지금 나는 그걸 확신할 수가 없다.

오, 하느님. 만약 이 편지에 쓰인 내용이 진실이라면? 이 여자는 딸둘을 잃고, 남편은 그녀를 죽이려고 했으며…… 마침내 그녀의 남편과 내가 합세해서 그녀를 죽인 거다.

나는 주저앉아 편지를 내려다보았다. 마치 내가 제러미와 함께 지어 올린 삶을 한순간에 무너뜨릴 수 있는 절대적인 힘의 무기를 보는 것 같았다.

너무 많은 생각이 머릿속을 스쳤다. 머리가 지끈거려서 손가락으로 양쪽 관자놀이를 눌렀다. 제러미가 원고에 대해 이미 알고 있었단 말인가?

내가 원고를 그에게 주기 전에 벌써 읽었다고? 그렇다면 나에게는 거짓말을 한 건가?

그건 아니다. 제러미는 원고에 대해 알고 있는 걸 부정한 적도 없으니까. 사실 지금 생각해 보니 내가 원고를 내밀었을 때 그가 처음 한 말은, "이걸 어디서 찾았지?"였다.

머리가 너무 복잡했다. 나는 감히 베러티가 편지에 쓴 내용과 그동안 일어났던 일들을 정리해서 생각해 볼 엄두도 내지 못하고 오랫동안 편지만 내려다보았다. 그러느라 내가 지금 와 있는 곳이 베러티가 살던 집이라는 사실도, 아래층에 있는 제러미와 크루가 나를 찾으러 올라올 수도 있다는 사실도 잊고 있었다.

나는 바닥에 엎드려 내가 읽으면서 흩어놓은 편지의 각 페이지들을 챙겼다. 칼과 아이들의 사진을 마룻바닥에 뚫린 구멍 속에 넣고 나무 조각을 구멍에 끼워 넣었다. 그리고 편지를 들고 욕실로 가서 문을 잠갔다. 그러고는 변기 앞에 무릎을 꿇고 앉아 편지를 한 페이지씩 들고 작은 조각으로 찢었다. 찢긴 조각 대부분은 변기에 넣고 물을 내리고, 제러미의 이름이 쓰인 조각들은 눈에 띄는 대로 입에 넣고 씹어서 삼켰다. 아무도, 절대로, 그것을 읽을 수 없도록.

제러미는 절대로 자신을 용서할 수 없을 것이다. 절대로. 원고의 내용은 사실이 아니었으며, 베러티가 하퍼를 죽인 게 아니었다는 걸 알게 된다면, 제러미는 도저히 살아갈 수 없을 것이다. 그건 제러미가 감당할 수 없는 진실이니까. 무고한 아내를 죽였다는 사실을 알고 어떻게 살아갈 수 있단 말인가. 아무 죄도 없는 그의 아내를 우리가 살해한

356

거라면.

하지만 이 편지 역시, 반드시 진실이라는 법은 없지 않은가.

"로웬?"

남은 편지 조각들을 변기에 넣고 물을 내렸다. 그러고도 제러미가 잠시 후에 욕실 문을 노크하는 순간 다시 한번 물을 내렸다.

"괜찮소?" 제러미가 물었다.

나는 수돗물을 틀고 차분한 음성으로 대답했다. "괜찮아요." 손을 씻고 물을 떠서 바싹 마른입을 축였다. 거울을 들여다보니 눈에 두려움이 가득 차 있었다. 나는 눈을 감고 눈에 담긴 두려움을 밀어 넣었다. 한 가닥도 남기지 않고. 서른두 해를 살아오면서 내가 보았던 모든 무섭고 끔찍한 기억들까지 모두.

잠결에 베란다 난간 위에 서 있던 밤.

내 앞에서 길을 건너려던 남자가 자동차 바퀴 밑에 깔리는 순간을 목격하던 아침.

베러티의 원고.

베러티가 계단 위에 서 있는 것을 목격하던 밤.

그녀가 잠을 자다가 죽은 날 밤.

그 모든 기억을 밀어 넣고, 편지를 삼켰듯 삼켜버렸다.

깊은 숨을 내쉬고 욕실 문을 열었다. 그리고 제러미를 향해 환한 미소를 지었다. 제러미가 손을 올려 내 옆머리를 쓰다듬었다. "당신 괜찮은 거요?"

나는 두려움과 죄책감, 슬픔을 삼키고 결연히 고개를 끄덕였다.

"괜찮아요."

제러미가 미소를 지었다. "좋아." 그러고는 내 손을 잡으며 말했다.

"어서 여길 떠납시다. 다시 돌아올 일은 없소."

제러미는 집에서 나와 그의 지프차에 나를 태워줄 때까지 내 손을 놓지 않았다. 차가 달리기 시작하고 나는 백미러를 통해 집이 멀어져 가는 것을 보았다. 더 이상 보이지 않을 때까지…….

제러미가 팔을 뻗어 나의 배를 어루만졌다. "이제 10주 남았군."

제러미의 눈빛에 행복한 설렘이 일렁였다. 힘든 시간을 지나온 그에게 내가 안겨준 행복. 나는 그의 어둠에 빛을 가져다주었고 앞으로도 그럴 것이므로, 그는 이제 과거의 그림자에 갇혀 길을 잃는 일은 없을 것이다.

내가 알고 있는 사실을 그는 절대로 알 수 없을 것이다. 내가 그렇게 할 테니까. 이 비밀을 무덤까지 혼자 지고 갈 테니까. 제러미는 그러지 않을 수 있도록.

무엇을 믿어야 할지도 모르는데 왜 그를 또 다른 고통 속으로 몰아넣겠는가? 베러티는 자신의 행적을 덮으려는 방편으로 그 편지를 썼을 수도 있다. 자기가 처한 상황과 주변 사람들을 조종하는 또 하나의 수단이었을 수도 있다.

제러미가 정말 그녀를 교통사고로 가장해 죽이려고 했다고 해도 그를 비난할 생각은 없다. 제러미는 베러티가 악의적으로 그의 딸을 살해했다고 믿었으니까. 그리고 뇌 손상을 입은 척 자신의 상태를 속이고 있었던 것을 알고 그녀를 죽인 것에 대해서도 제러미를 비난할 수 없다. 어떤 부모라도 제러미와 같은 상황에 처했다면 똑같이 했을 것이다. 아니, 똑같이 했어야 마땅하다. 제러미와 나는 진심으로 베러티가 크루에게 위협을 가할 수 있는 존재라고 생각했다. 그리고 우리에게도.

어떻게 생각해 보아도 분명한 것은 베러티가 진실을 조작하는데 능숙했다는 것이다. 다만 그녀가 조작한 진실이 어느 쪽이었는가가 의문으로 남아 있을 뿐.

옮긴이의 말

콜린 후버의 《베러티》는 로맨스 장르가 접목된 심리 스릴러다. 그동안 로맨스 소설로 꾸준한 사랑을 받아온 작가가 처음 시도한 스릴러지만 2018년 출간 이후 지금까지 3백만 권 이상의 판매를 기록하여 그녀의 대표작들 중 하나로 꼽힌다.

소설의 줄거리와 스릴러적인 요소는 베스트셀러 작가인 베러티 크로퍼드라는 인물을 중심으로 구성되어 있지만, 주인공이자 화자는 무명의 젊은 작가인 로웬 애슐레이다. 스릴러 시리즈를 집필하던 베러티가 사고로 부상을 당해 글을 쓸 수 없게 되자, 그녀의 남편인 제러미는 아내를 대신해 작품을 완성할 작가를 찾게 되고, 무명 작가인 로웬이 그 기회를 잡게 된다. 그리고 로웬이 집필에 필요한 자료를 정리하는 동안 베러티의 집에서 지내기로 하면서 본격적인 이야기가 시작된다.

베러티의 서재를 정리하던 로웬은 우연히 베러티의 자서전 원고를 발견하는데, 그것을 조금씩 읽어가면서 심경의 변화를 일으키는 과정이 현재 상황의 전개와 교묘하게 교차되면서 긴장감이 극대화된다. 영화나 드라마에서 느낄 수 없는 미세한 심리 묘사와 전혀 예상하지 못했던 대목에 복병처럼 숨어 있는 충격적인 반전에 숨 쉴 틈 없이 빠져들게 된다. 문득문득 누군가가 나를 지켜보는 것 같은 서늘한 느낌에 뒤를 돌아보게 될 지도 모르겠다. 마지막 페이지를 넘길 때까지 거듭되는 반전에, 작업하는 내내 긴장의 끈을 놓을 수 없었다. 번역은 시간을 들여서 깊게 읽는 '슬로리딩(Slow Reading)'의 정수라는 점이 내가 이 일을 좋아하는 이유인데, 이번에야 말로 그 맛을 만끽했던 것 같다. 소설 속에 흐르는 시간과 내가 작업하는 시간이 같은 속도로 흐르는 느낌이어서 더 그랬다.

내용 중에 제러미가 자기는 '만성 애도자'라는 말을 하는데, 작품 속에서 이 말은 지속적으로 불운에 노출되는 사람을 가리킨다. 만성적인 비극, 또는 연이어 일어나는 비극적인 사건의 후유증을 견디며 사는 사람들이라고도 정의할 수 있겠다. 자칭 만성 애도자인 제러미와 그를 사랑하게 된 로웬이 짊어질 고뇌의 무게는 베러티를 그 비극의 피해자로 볼 것인지, 가해자로 볼 것인지에 달려 있다. 하지만 사람의 마음을 아무리 깊게 파고든다 한들, 진실을 가려낼 수 있을까? 더구나 그녀가 뼛속까지 병든 소시오패스라면? 아니, 그 모든 것이 엄청난 오해였다면?

파국으로 향하는 자는 파고드는 자일까? 아니면 파헤쳐지는 자일까?

베러티의 자서전 첫머리에 그녀는 자기 생명을 위태롭게 할 수도 있는 이 고백서를 시작하는 자신의 심경을 이렇게 적고 있다.

"자신의 영혼과 작품 사이에 켜켜이 들어서 있는 보호막을 철저하게 걷어낼 생각이 아니라면 자기 이야기를 쓰겠다는 생각 따위는 하지 말아야 한다. 한 마디 한 마디가 심중에 담겨 있는 것이어야 하며, 뼈와 살을 뚫고 자유롭게 솟아나야 한다. 흉측하지만 정직하게, 피를 토하듯, 두려움이 일어도 온전히 드러내야 한다."

민지현

베러티

초판 1쇄 2022년 6월 20일
초판 6쇄 2024년 7월 17일

지은이 콜린 후버
옮긴이 민지현
펴낸이 김운태
기획 · 관리 박정윤
편집 김운태
디자인 정초희
일러스트 박종웅

펴낸곳 도서출판 미래지향
출판등록 2011년 11월 18일 제2013-000129호
주소 서울시 마포구 마포대로 53 B동 1603호
전자우편 kimwt@miraejihyang.com
대표전화 02-780-4842
팩스 02-707-2475
홈페이지 www.miraejihyang.com
ISBN 979-11-85851-20-4

값은 뒤표지에 있습니다.
잘못된 책은 구입하신 서점에서 바꾸어 드립니다.